LES ANNÉES DU SILENCE

– TOME 4 –

La Destinée

Louise Tremblay-D'Essiambre

LES ANNÉES DU SILENCE

– TOME 4 –

La Destinée

www.quebecloisirs.com

UNE ÉDITION DU CLUB QUÉBEC LOISIRS INC.
© Avec l'autorisation de Guy St-Jean Éditeur
© 2000, Guy St-Jean Éditeur Inc.
Dépôt légal — Bibliothèque nationale du Québec, 2001
ISBN 2-89430-479-X
(publié précédemment sous ISBN 2-89455-099-5)

Imprimé au Canada

«*Sois vrai envers toi-même; et,*
comme la nuit vient après le jour,
tu ne pourras être faux envers
autrui.»

William Shakespeare

À mon amour…

PRÉFACE

L'itinérance... Des milliers de jeunes sans-abri et en difficulté voguent à la dérive dans les rues de Montréal, en quête de stratégies de survie.

Jeunes en détresse, en quête ou en fuite, c'est leur souffrance que nous rencontrons au quotidien.

Nous sommes témoins de leurs combats pour survivre, des moyens empruntés ici et là pour y arriver. Nous assistons à ce qui peut ressembler à d'éternels recommencements. Or, il n'en est rien; ils constituent la suite de ce que le passé a tracé et l'espoir que l'avenir sera fait d'oubli. La rue peut aussi procurer cette apparence d'oubli.

Puis, nous croisons l'espoir, celui de la jeunesse et de ses rêves. Rêves de voyages, de musique, d'une maison avec des enfants, d'un boulot stable; rêve et quête de bonheur. Rêves de fin de souffrance, rêves de fin d'absence, rêves d'amour.

Nous n'aurons jamais le temps de recommencer l'histoire, de réparer ce qui n'a pas été. Alors, nous proposons à tous ces jeunes de faire un petit bout de chemin en notre compagnie. Nous tentons de les rejoindre, d'avoir accès à eux, d'ouvrir des portes, de les accompagner tout en reconnaissant la force qui les anime.

Jour après jour, il y a des milliers de gestes au quotidien, des rencontres, des fuites, des départs et des retours...

Louise Tremblay-D'Essiambre, auteure de ce beau roman porteur d'espoir qu'est Les années du silence: La Destinée, *aura été de ces belles rencontres. Le Refuge sera enrichi de son grand humanisme.*

Nous l'en remercions.

France Labelle
Directrice,
Le Refuge des Jeunes de Montréal

NOTE DE L'AUTEUR

Octobre a fait rougir les arbres. Devrais-je dire enfin ou déjà? Je ne le sais trop. Car si j'aime l'automne, je déteste l'hiver et comme l'hiver suit inexorablement l'automne... Par contre, l'été fut beau, très chaud, plein de douceur et de soleil partout dans ma vie. Et j'en ai profité pour faire des provisions. Pourtant, je préfère l'automne à cause de ses clartés pures, de son souffle cristallin et de ses feuilles odorantes qui craquent sous la semelle. Aussi loin que remontent mes souvenirs, je revois de ces matinées fraîches qui contrastent avec les arbres lumineux. Je sens le bout de mon nez rougi, celui de mes doigts un peu gourd et je pédale avec entrain sur mon tricycle. J'ai quatre ans, je m'en vais chez ma grand-mère qui habite à deux pas et je suis heureuse; ou encore j'ai huit ans, je saute à la corde avec mes amies dans la cour de l'école et je suis toujours heureuse. Merci la vie, d'être si généreuse! Puis cette année, comme un comble à la sensation de confort, de plénitude que je ressens face à cette saison, je viens d'unir ma destinée à celle d'un homme que j'aime et tout, autour de moi, rayonne comme un feu de joie. J'aime et je suis aimée. Que pourrais-je dire de plus? Tout est là.

    Devant moi, de l'autre côté de la rue, deux gros érables se disputent les faveurs des passants. Le plus petit, tout de dentelles habillé, est aussi le plus docile avec ses jaunes et ses ocres dans les teintes à la mode ces jours-ci; tandis que l'autre, beaucoup plus haut, beaucoup plus robuste me semble-t-il, brave insolemment la saison avec son feuillage encore vert. Comme s'il voulait nous prédire l'été à venir; comme s'il voulait proclamer que ni le passage du temps ni les vents contraires n'auraient le dessus sur lui. Et je crois qu'il a raison. Quand on y regarde de près, la branche qui se dépouille porte déjà en secret les bourgeons du printemps nouveau. Et moi, j'ai l'impression d'être la sœur de ces deux arbres. Ma vie aussi s'est dépouillée peu à peu comme les feuilles mortes qui tombent une à une en virevoltant un moment avant de se poser inertes sur la chaussée. (Voir Au-delà des mots, *roman autobiographique, 1999.) Oui, ces dernières années, j'ai cru sincèrement que je traversais un désert aride, stérile même, étouffant la moindre étincelle de vie en moi, le moindre élan de spontanéité. Pourtant bien présents, malgré les pleurs et les coups au cœur, les déceptions et les rages, se gonflaient déjà les bourgeons d'une destinée nouvelle. Cet espoir tenace qui fait que l'on ne courbe jamais complètement l'échine... Cela, je l'ai compris depuis longtemps. Alors, j'ai fait confiance. Tout comme Jérôme et Cécile, en fin de compte, et François, et Dominique... Croire, toujours, envers et contre tout, que rien n'est perdu, que tout est encore à venir. Et l'amour a refleuri ma vie. Qu'importe l'âge et les signes que les années sculptent impitoyablement sur nos visages et nos corps. L'amour n'a pas d'âge. Cécile et Jérôme me l'ont enseigné. À soixante ans, ils ont redécouvert les battements de cœur un peu fous, les larmes de bonheur et les palpitations du corps. Ils ont réappris le besoin de donner et de recevoir, l'envie de bâtir à deux. Ils sont heureux, cela se voit dans leurs sourires, dans leurs regards, dans chacun de leurs gestes et j'ai envie de me fondre à eux. Les gens heureux ont toujours eu ce pouvoir d'attraction sur moi. Je sais que je me répète, mais cela me semble très important de préciser ces choses qui nous paraissent essentielles. Alors ce matin, j'ai envie de greffer mon bonheur à celui de Cécile, de Jérôme et de tous ceux qui leur sont chers parce que je les sais heureux. Pourtant, la vie ne fait de quartier à personne et nous demande une foi absolue. Pour eux comme pour moi, comme pour nous tous. Pas facile, je le sais maintenant. Mais rien, jamais, n'est impossible. Cela aussi la vie me l'a révélé. Il faut simplement découvrir en soi la force et le courage qui y sont parfois bien cachés. Et faire confiance... Cette confiance inaltérable que Cécile m'a apprise tout au long de sa vie. Alors, ce matin, j'ai envie de la suivre à nouveau. Je crois qu'elle a encore tant et tant de choses à m'apprendre. Je crois que nous avons encore tant et tant de choses à nous dire, elle et moi...*

Je la vois, toujours aussi droite, son sourire discret fleurissant les minuscules rides au coin de ses yeux. La vallée de la Chaudière s'étale devant elle, en bas du vallon et le reflet bleuté de ses eaux sautillantes brillent du même éclat que le regard de cette dame aux cheveux tout blancs maintenant. Alors d'intime qu'elle était l'an dernier, je vais demander à ma plume de redevenir conteuse. L'histoire de Cécile et des siens est loin d'être terminée. À quelques pas derrière sa grand-mère, j'aperçois François qui me fait signe avec insistance et j'ai bien l'impression que je n'aurai pas le choix: c'est lui finalement que je vais accompagner. À l'arrière-plan, comme s'estompant dans la brume d'un matin d'automne, je crois deviner une ville autour de lui avec ses secrets, ses misères et ses ruelles qu'on préfère parfois oublier...

Et dans cette ville, silhouette encore mal définie, j'aperçois un jeune. Sébastien, je crois. C'est un adolescent frondeur comme presque tous les ados. Sébastien à qui la vie n'a fait aucun cadeau. Il n'a que dix-huit ans. Il est amer, déçu, blessé. Il a choisi la rue parce que personne ne l'a choisi, lui. Alors, emmêlée à l'histoire de Cécile et Jérôme, il y a celle de François et Sébastien. Il y a l'histoire de tous les Sébastiens que la vie semble rejeter.

Bien sûr il s'agit d'un roman avec tout ce que cela suppose d'idéalisme et de facilité. Si la vie pouvait parfois ressembler aux romans! Mais voilà que j'écris ces mots et que je m'aperçois que je n'y crois pas vraiment. Parce qu'il arrive aussi, quand on le veut de toutes ses forces, il arrive, oui, que l'on fasse en sorte que notre vie soit un roman.

Si j'ai pu écrire ce livre, c'est grâce à Damien, David, François et tous les autres que j'ai rencontrés un peu partout sur les trottoirs. Merci les gars d'avoir permis que je me glisse dans vos difficultés, vos déceptions, vos espoirs et vos rêves. Merci de m'avoir obligé de changer mon regard.

Enfin, un merci tout spécial à France, directrice du Refuge des Jeunes de Montréal, pour son accueil et sa collaboration. Merci aussi à Denis, Sébastien, Claude, Andrée, Emma, Nathalie, Yannick, Alexandre et tous les autres, intervenants et travailleurs de rue, qui avez accepté de partager votre vécu avec moi. Merci aussi à Stéphane qui a toléré que je me faufile dans sa cuisine à chaque mercredi matin. Chacune des heures passées au Refuge m'a permis de me rapprocher de mon but et chaque radis préparé, chaque pomme de terre pelée avaient un sens bien plus grand que les apparences. Sans vous tous, l'écriture de ce livre aurait été impossible. Avec vous et les jeunes, j'ai découvert une grande famille où les mots respect, entraide et affection veulent encore dire quelque chose, malgré les difficultés et les embûches que nous rencontrons tous au cours de nos vies. Ça donne envie de continuer, d'aller plus loin...

Ça donne envie, tout bêtement, d'être meilleur...

PROLOGUE
Été 1985

DANS UN MONASTÈRE EN FRANCE ET DANS UNE MAISON
COSSUE DU NORD DE MONTRÉAL...

*«Il y a des personnes qui marquent nos vies, même si cela ne dure
qu'un moment. Et nous ne sommes plus les mêmes. Le temps n'a
pas d'importance mais certains moments en ont pour toujours.»*
FERN BORK

S i les vieux murs de pierres du monastère réussissent en plein
jour à repousser la chaleur torride de ce mois de juillet, il
semble bien qu'ils sachent aussi l'emmagasiner sournoise-
ment pour la répandre jusque dans ses moindres recoins une fois
la nuit venue.

François étouffe.

Pourtant, c'est une sueur froide qui lui coule sur le visage
jusqu'à détremper ses vêtements. À mi-chemin entre l'éveil et le
sommeil, il se tourne et se retourne sur la couche étroite, les
poings crispés, un regard fiévreux filtrant entre ses paupières à
demi fermées, le cœur battant la chamade sans raison valable.
Les draps sont rêches au toucher, les murs sont austères et sombres, le mobilier ressemble à celui d'une cellule.

On l'a emprisonné, on l'empêche de respirer, on a juré sa
perte. Il n'a que quinze ans.

Une seule envie l'obsède jusqu'à troubler le sommeil, jusqu'à
écorcher vif le cours de ses journées, omniprésence d'une douleur qui occulte tout: oublier... Se plonger dans les méandres
d'un oubli artificiel, provoqué, voulu, attendu. Libération... Le

15

nom de Marco est devenu un cauchemar et le souvenir de son corps baignant dans son sang, une psychose. Et cette odeur de mort toujours présente à ses narines. François voudrait être capable d'en parler, crier sa peur et l'horreur de l'image ancrée en lui. Il n'y arrive pas. Les mots restent coincés quelque part entre son cœur et sa gorge. Reste alors l'oubli qui ne s'offre à lui qu'à travers les artifices d'une dose de poudre blanche qui libère. Voguer dans un paradis de faux-fuyant où n'existent ni douleur ni souvenirs. Que le néant, l'apesanteur, le flottement en eaux troubles mais tièdes, confortables. Oublier qu'on a souffert à cause d'un ami après avoir ri et rêvé avec lui; oublier qu'on a mal à l'âme et au corps sans plus vraiment savoir d'où vient la douleur tellement elle est grande et se soude à l'être tout entier; oublier que l'apaisement de cette souffrance se doit de passer inexorablement par sa raison d'être tant qu'on n'a pas trouvé en soi la force d'y résister. Et surtout, pour l'instant, refuser de l'admettre, ce serait donner raison à tous ceux qui le font souffrir: Mamie Cécile, Jérôme, ses parents, les pères du monastère. Ils sont tous contre lui, ils ne savent pas, ne peuvent pas comprendre. Alors à la douleur du corps se soude celle de l'âme: la solitude. Une sensation d'abandon si grande qu'elle le fait se lover sur lui-même comme un fœtus à la merci du corps qui le berce. François est seul au monde. Il n'y a plus ni famille, ni amis, ni espoir, ni vie possible comme les autres voudraient que ce soit. Il est le seul à savoir, à connaître la souffrance qui le détruit. Alors il rêve de cette poudre blanche qui permettrait le sommeil parce qu'il est épuisé et qu'il a mal aux tripes comme il ne pensait pas qu'on puisse avoir mal. La moindre fibre de son corps hurle de douleur, réclame son dû. Agression d'une dépendance qu'il refuse de reconnaître parce qu'il s'est convaincu, complaisance du besoin, que ce n'est pas la drogue qui choisit François, mais plutôt lui qui décide pour lui-même. Il n'y a que les autres pour ne pas le comprendre. François se tourne sur le ventre, revient sur le côté, replie les jambes contre sa poitrine. Ce ne serait que pour une fois, juste pour une dernière fois. Après, promis, il n'y reviendra jamais puisqu'il est seul et qu'ils sont si nombreux autour de lui à décider à sa place. Mais pour une fois encore, il va puiser dans le sommeil et l'oubli la force et le courage de se faire face à lui-même pour tenter de satisfaire tous ces gens qui ne pourront jamais savoir ce qu'il est en train de vivre. Il sait qu'il en est capable même s'il semble bien qu'il soit le seul à croire à cette vérité. La rage, la peur, le mal lui font serrer les poings. Mais qui sont-ils donc tous ces gens qui flottent, imprécis, derrière ses paupières douloureuses et qui se targuent de savoir ce qui est bon pour lui et ce qui ne l'est pas? Tous ces autres que la vie s'autorise à imposer, ils n'existent pas vraiment, ils ne doivent pas exister puisqu'ils ne peuvent pas savoir. Ils ne sont qu'images fugaces, diluées, vaporeuses, irréelles. Sa vie non plus n'existe pas. Elle n'est qu'un moment arraché à la spirale du temps. La vie de François ne tient qu'à un instant, celui-ci; qu'à une souffrance, celle qui domine sa raison; qu'à la douleur d'une plaie béante. Là, maintenant, sa vie tout entière se résume à la seconde présente sans passé ni avenir. Il veut oublier qu'il a mal au ventre, il veut détruire la nausée qui tue l'envie de manger, il veut anéantir ces tremblements qui agitent ses mains, il veut retrouver le sommeil et l'oubli. Dormir, juste dormir pour quelques heures. Il y a droit, mais on refuse de lui reconnaître ce droit.

Depuis qu'il est ici, en France, avec Mamie Cécile et Jérôme, on lui refuse le droit d'être celui qu'il est.

Pourtant, François avait cru dans les promesses de ce nouveau grand-père dont la vie venait de lui faire cadeau. Un homme simple, aux traits ravinés par de grandes souffrances. Malgré son jeune âge, François a appris à lire l'âme sur les visages. La souffrance interpelle la souffrance... Alors, oui, il a cru en cet homme qui disait la paix et la sérénité à l'abri des murs centenaires d'un vieux monastère français. Oh! Oui, comme il a voulu y croire. Il a même prié au matin des noces de Cécile et Jérôme, lui qui doute de tout. Il a embrassé ses parents à l'aéroport avec la confiance de l'enfant égaré en lui. Il portait dans son regard l'espérance d'une jeunesse meurtrie quand il a rencontré Don Paulo pour la première fois. Il se savait fragile, blessé, mais peu lui importait. Il s'en allait vers le paradis, un endroit de tranquillité, d'absolu, de paix. C'est ce qu'on lui avait promis et il y croyait.

Il s'est retrouvé en enfer. Il n'a que quinze ans…

Pourtant, comme s'il avançait sur une poussée incontrôlable, les premiers jours de sevrage n'avaient pas été trop difficiles. Attrait du voyage, intérêt des nouveautés, séduction d'un quotidien bousculé? L'avion, les hôtels, Paris… Peut-être bien, après tout. François ne le sait trop et n'a pas cherché à savoir. Au fil des derniers mois, il a appris à ne pas se poser de questions inutiles. Les réponses sont parfois trop douloureuses ou trop précaires. C'est au matin du cinquième jour que la vieille courtisane de cette dernière année lui avait donné rendez-vous. Elle l'attendait embusquée dans un interstice des murs de la minuscule chambre, espérant son réveil, suscitant des envies aussi irrépressibles que le besoin de respirer. Une crampe au ventre l'a réveillé et il s'est levé avec l'envie de frapper tout ce qui bougeait, le cœur et les oreilles fermés à toute exhortation. On lui a parlé patience, il n'a entendu que l'interdit. On l'a entouré, il n'y a vu qu'hypocrisie. On a dit l'amour et le soutien, il n'a compris qu'indifférence et lassitude. Depuis une semaine, il joue la docilité pour qu'on lui fiche la paix. C'est une question de survie pour lui.

Et voilà que cette nuit, il se retrouve seul à se débattre. Seul, l'esprit englué autour de cette obsession qui le harcèle, qui l'empêche de dormir, qui anéantit jusqu'à la vie elle-même. Son corps réclame par ses douleurs, la volonté suit, incapable de supporter cette douleur atroce. La chaleur l'obsède, la soif assèche même son esprit.

Alors se levant d'un geste lent, vacillant, François se dirige vers le bureau de bois sombre et se verse un grand verre d'eau tiédie par la torpeur de l'air. La lune arrive à se glisser jusqu'à lui par l'ouverture étroite et haute qui sert de fenêtre. Appel à la liberté. Les mains crispées sur le verre, il boit comme s'il n'allait plus jamais avoir le droit de boire, à longues gorgées, l'eau débordant de ses lèvres et lui coulant sur la poitrine, les yeux fixés sur la nuit lumineuse. Puis il dépose le verre et se met à boire à même le pot de fer blanc, incapable de se désaltérer, le vide d'un trait avec avidité comme s'il espérait y trouver une solution avant de le lancer à toute volée contre le mur. Claquement du métal contre le mur avant de rebondir, bruyant, inquiétant, claquement sec comme un coup de feu repris par l'écho. Puis la rage qui lui fait fermer les poings. Rien ici n'arrive à éteindre cette soif immense qui lui brûle le corps et l'âme. Qu'attend-il vraiment? Jusqu'où va-t-on l'obliger d'aller contre sa volonté? En biais, il aperçoit le verger du monastère. Les pommiers lourds de fruits encore verts se découpent sur le ciel étoilé. Les allées fleuries invitent à s'y promener. Et il fait si chaud dans cette cellule qu'on s'entête à appeler chambre. Alors la sensation d'étouffement devient prétexte puis excuse. François a besoin d'air, sinon il va mourir asphyxié. Il lui faut calmer ce corps qui éclate de douleur, sinon il va mourir de ses souffrances. Pourquoi ne veut-on pas le comprendre?

Pendant un moment, il reste immobile, n'entendant que la brûlure qui le consomme petit à petit, n'écoutant que le mal qui ravage son corps comme un vieillard perclus de rhumatisme.

Pourtant, il n'a que quinze ans…

Repérant son jeans qui gît en tas informe sur le sol, il l'enfile maladroitement, attrape le premier chandail venu posé sur le dossier de la chaise, puis il se glisse furtivement dans le couloir au plancher de tuiles en céramique colorée bien ciré. La porte de service est à l'autre bout de ce large corridor qui lui semble interminable. Les quelques veilleuses qui éclairent faiblement ses pas ont à ses yeux la violence d'un projecteur de cinéma. Et si on le surveillait? Et si chaque porte cachait un espion prêt à le dénoncer? Brusquement, il n'y a que des ennemis ici. Il avance comme un félin, frôlant silencieusement les murs. L'air frais de la nuit lui saute au visage dès qu'il entrouvre la lourde porte de bois sculpté. Brève sensation de confort, presque un absolu tant la douleur lui semble omniprésente. Qui ne dure que le temps d'une profonde inspiration, les yeux mi-clos. La brûlure veille, lui embrasant le corps et l'esprit. D'un œil distrait, il survole le verger maintenant inutile. L'excuse du manque d'air n'a plus sa raison d'être. Personne ne le suit, personne ne l'a entendu. Alors levant la tête, il s'oriente un instant. Lorsqu'ils sont arrivés, la semaine dernière, Cécile, Jérôme et lui, ils venaient du sud par la route sinueuse qui part de Caen. C'est donc vers là qu'il doit aller… Laissant la clarté de la lune guider ses pas, l'adolescent contourne le bâtiment de pierres, ombre mouvante, incertaine, se fondant à toutes celles qui peuplent cette nuit claire. Ensuite, il emprunte la longue allée bordée d'arbres qui mène au chemin, reniflant l'air autour de lui comme un animal traqué.

Une fois arrivé à Caen, il va flairer la ville comme une bête en terrain de chasse. L'instinct va le guider. Et il va trouver ce qu'il cherche. Il le sait, il en est convaincu. Il a la foi inébranlable des adolescents.

François a quinze ans…

* * *

Assis en retrait derrière le bosquet de lilas, à l'abri des regards, Sébastien laisse son regard effleurer les reflets de la rivière des Prairies qui coule paisiblement en contrebas du terrain de son père. De la cour des voisins lui parvient clairement le bruit de rires et de poursuites bruyantes autour de la piscine. Au-delà de quelques haies taillées au ciseau à manucure, c'est un mélange de diverses musiques qui peuple l'air. Sérénité d'un quartier où la vie est peut-être un peu plus facile qu'ailleurs.

Mais de la cuisine de sa propre maison, c'est le grondement sourd d'une voix impatiente qui domine. Comme d'habitude.

Les jambes relevées et entourées du cercle de ses bras, le menton appuyé contre ses genoux, Sébastien attend.

Il attend que la voix colérique s'en aille, que la douleur de la claque reçue derrière la tête s'estompe, que le tremblement de tous ses membres cesse.

Impassible, le petit garçon de huit ans attend que l'écho de la voix de son père meurt d'elle-même à l'intérieur de sa tête.

— Des crisses de tapettes, Brigitte! Tu m'as fait deux tapettes, sacrament!

Sébastien ne sait pas vraiment ce que cela veut dire mais peu importe. Il entend le mépris et le dédain dans la voix de son père et cela suffit pour comprendre que ce n'est pas souhaitable d'être une «crisse de tapette». C'est peut-être pour cela que son père n'apprécie jamais ses dessins. Toujours des dessins de jardins remplis de fleurs multicolores, d'oiseaux stylisés et de papillons dont il est particulièrement fier.

Et il aimerait tellement que son père soit fier de lui.

Puis une grosse larme coule lentement sur sa joue d'enfant encore un peu ronde, sur son visage dont on dit qu'il est un visage de «petit ange». Il vient de repenser aux confettis qui virevoltaient dans la cuisine. Les confettis de ses dessins que son père n'a même pas pris la peine de regarder parce que son fils venait d'avouer qu'il n'avait pas envie de ce camp de hockey qu'il voulait lui offrir. Les claques avaient aussitôt volé autour de sa tête comme une pluie de grêlons. Alors Sébastien resserre un peu plus l'étreinte de ses bras autour de ses genoux. Comme pour se mettre à l'abri, comme pour se consoler en attendant que la menace soit passée. En attendant que sa mère vienne le rejoindre quand Me Duhamel aura fini de vitupérer et que l'engourdissement de l'alcool l'amènera à cuver son vin en ronflant dans le fauteuil à bascule du salon.

CHAPITRE 1
1994

PAR UN BEAU JOUR D'ÉTÉ, EN BEAUCE, NEUF ANS PLUS TARD
ET À MONTRÉAL, CENTRE-VILLE...

*«La vie est quelque chose qui vous arrive lorsque
vous êtes occupés à planifier autre chose.»*
JOHN LENNON

Au moment où les cloches se mettent à carillonner joyeusement, François baisse les yeux vers Marie-Hélène pendant un instant. La jeune femme le dévore du regard, amoureuse, sûre d'elle, jolie, moqueuse aussi, comme si elle voulait lui faire comprendre que, finalement, malgré la foule, ils sont seuls au monde. Puis dans un même geste passionné, leurs lèvres se rejoignent, prolongent un baiser que l'on voudrait sans fin. Dans l'église, derrière eux, parents et amis se mettent à applaudir. François Léveillé, fils de Dominique Lamontagne et d'André Léveillé, et Marie-Hélène Courtois, fille d'Adeline Bourgeois et d'Alexandre Courtois, viennent d'unir leurs destinées pour le meilleur et pour le pire. Le jeune couple ose croire qu'il ne reste que le meilleur à venir, car le pire, il est enfin derrière eux. Ils ont su, ensemble, passer au travers des souffrances, des déceptions, des recommencements, des questionnements. Et ils ont gagné.

Lorsque les nouveaux mariés se retournent enfin pour se diriger vers les grandes portes tout au fond de l'église, le regard de François rencontre celui de sa grand-mère. Droite comme un i, sa longue chevelure blanche retenue sagement pour l'occasion en un lourd chignon, particulièrement jolie dans sa robe violette, Cécile lui fait un large sourire, sachant que leurs pensées se rejoignent. Elle sait la pénible traversée qui a scindé la vie de son petit-fils en deux et elle est fière de lui. Que d'essais, de rechutes, de petites victoires et de plus grandes, de crises et de frustrations pour en arriver à ce matin. Devant elle, remontant fièrement l'allée de l'église, au bras de sa jeune épouse, c'est un battant qui se tient, un vainqueur. Malgré les paroles dures, les injustices et les poignards parfois plantés dans son cœur, jamais l'affection que Cécile lui porte n'a été remise en question. Les yeux embués d'émotion, elle glisse sa main dans celle de Jérôme songeant en même temps à une matinée en tous points semblable à celle-ci où, dans cette même église, neuf ans auparavant, elle unissait enfin sa destinée à l'homme que son cœur avait choisi depuis toujours. Dans sa vie à elle aussi, il y a eu une large part de méandres et d'attentes. Cécile Veilleux a connu les déchirements et les espoirs malmenés plus que quiconque. Car après avoir donné naissance à une petite fille que les pressions sociales de l'époque avaient contraint à céder à l'adoption, la mort de Jeanne, sa mère, et la guerre avaient froidement et définitivement arracher ses espoirs et ceux de Jérôme face à la vie. Peu de temps après, sur une plage de Normandie au matin du Débarquement, Jérôme, blessé et amnésique, était porté disparu, puis déclaré mort et Cécile avait vécu son deuil pendant quarante ans, malgré les joies d'un mariage heureux avec Charles. Tel que promis à son jeune fiancé lorsqu'il était parti pour la guerre, Cécile avait fini par retrouver leur fille, Dominique, et par le fait même toute une famille qui allait désormais se greffer à la sienne. Puis, à la faveur d'un voyage en France, le hasard avait fait en sorte que Jérôme lui était revenu et tout doucement, à plus de soixante ans, ils avaient redécouvert l'amour et repris leurs destinées là où la vie les avait laissés tomber. Jérôme avait enfin regagné la place qui était sienne, chez lui, en Beauce, revenant vers une mère vieillissante mais encore fort alerte et une sœur qu'il ne connaissait pas. Avec Dominique, sa fille, il a donc appris à être père et grand-père en même temps. Et voilà que ce matin, son petit-fils François se marie. Heureux, il tourne la tête vers Dominique, sa fille unique qui lui ressemble tant. Émus, ils échangent un long regard fait d'affection et de compréhension mutuelle. Puis il revient à la cérémonie qui se termine.

Un à un les bancs de l'église se vident au fur et à mesure que les invités se glissent dans l'allée pour se joindre au cortège. À l'extérieur, sous un soleil de plomb, le photographe de profession engagé pour la circonstance fait les cent pas. Petit homme sec et nerveux, casquette sur le front et appareil en bandoulière, il trottine et caquette à qui mieux mieux pour placer tout ce beau monde dans l'escalier de pierres afin de saisir, pour la postérité, la traditionnelle photo de famille. Sa réputation ne saurait souffrir un manque aux traditions, malgré la moue de la jeune mariée qui trouve qu'on pourrait se passer d'autant de cérémonie. Il fait une chaleur torride sous ce soleil de plomb...

— Cette photo est de la toute première importance, madame, fait le pauvre photographe tout offusqué qu'on prenne un tel instant à la légère. Vous saurez me le dire dans quelques années...

Puis haussant le ton:

— Allons, allons, tout le monde en place. Un beau sourire... «Cheese...» Non, non, ça ne va pas du tout... On reprend... De grâce, cessez de bouger pour un instant, je le sais qu'il fait chaud... On recommence... «Cheese...» Et voilà, c'est fait. Merci à vous tous...

De grosses gouttes de sueur ruisselle sur ses tempes. Pourquoi s'entêter à se marier en plein mois de juillet, je vous le demande un peu? Et dire que la fête ne fait que commencer! Pendant qu'il s'affaire à ranger son matériel, Jérôme se dégage et lance à la ronde:

— Maintenant, tout le monde à la maison... On traverse le pont, on continue tout droit en montant la côte puis on tourne à gauche sur le rang du Bois de Chêne... Maman doit nous attendre avec impatience... et le champagne est sur la glace!

Le cortège s'ébranle dans un bruit assourdissant de klaxons.

Ils sont tous venus, les parents et amis de cette famille nombreuse qui est celle des Veilleux. Il y a Thérèse et René Lamontagne, les parents adoptifs de Dominique et grands-parents de François. Ainsi que Gérard, Paul, Gabriel et les autres, les frères et sœurs de Cécile qui ont accueilli la famille Lamontagne comme si elle était des leurs depuis toujours quand ils ont su le drame qui avait traversé la vie de leur aînée. Et voilà Frédérik, le frère cadet de François avec sa jeune femme et leur fils Raphaël, ainsi que Geneviève, la sœur du marié, qui sont là eux aussi. Puis les parents du marié, Dominique et André, heureux, soulagés quant à l'avenir de leur fils aîné, jasant avec le père et la mère de Marie-Hélène qu'ils aiment comme leur propre fille. Et là, près du bosquet de roses, se tient Denis, le fils adoptif de Cécile, qui, tout médecin qu'il est, a soutenu et aidé François quand il a traversé quelques crises majeures à l'adolescence. Et veillant sur tout son monde, sa cour habituelle à ses pieds, assise à l'ombre du gros érable, Mélina, la mère de Jérôme, s'évente d'une main et tient sa flûte de champagne de l'autre, y trempant les lèvres à l'occasion tout en décrivant les noces comme elles se vivaient du temps de sa jeunesse. Il semble bien que, sur elle, le temps n'ait aucune emprise, sinon qu'elle se déplace avec un peu plus de lenteur qu'autrefois. Par contre, son esprit conserve toute sa vivacité et sa langue n'a rien perdu de son aspérité bourrue et affectueuse. Et pour finir, il faut compter sur tous les oncles, tantes, cousins, cousines et les nombreux amis de François et Marie-Hélène qui ont accepté avec enthousiasme de se joindre à la fête d'aujourd'hui.

Appuyée contre la colonne qui soutient le toit de la galerie, Cécile contemple la foule des invités qui s'éparpille sur la pelouse devant la grande maison blanche au toit rouge. La maison des Cliche, comme on l'a toujours appelée. Sa maison depuis son mariage avec Jérôme. Sur le sujet, Mélina avait été on ne peut plus claire.

— Astheure, ma belle, t'es icitte chez toi. Tu prends les cordeaux de la charrue, ma Cécile. Moi, j'vas te suivre. Y'était temps que j'pense à me reposer…

Chaque fois que Cécile repense à ce matin d'été où, seule avec Mélina, les deux femmes contemplaient l'étendue du domaine des Cliche, elle entend ces paroles et un petit sourire ému traverse son visage. Cette maison, ce paysage font partie de sa vie depuis toujours. Elle se revoit gamine, revenant de l'école et arrêtant quelques instants chez Jérôme avant de retourner chez elle. Puis plus tard, jeune femme, jasant avec Mélina assise sur la galerie, parlant d'avenir avec elle. Confiant ses rêves aussi parce que Mélina avait toujours eu un sens de l'écoute attentif et généreux. Alors, oui, il est vrai qu'elle s'est toujours sentie chez elle, ici. Mais de se le faire confirmer par l'autorité bourrue de Mélina avait certifié sans équivoque ce qui était longtemps resté un beau rêve pour elle.

Pour l'instant, on entend des rires, des exclamations, les cris de joie des enfants qui se poursuivent autour des bâtiments, une musique douce jouant en sourdine. Faisant office de salle à manger, une immense tente louée pour l'occasion, blanche rayée de rouge, tout comme la maison, se dresse un peu plus loin, près de la grange désaffectée, transformée depuis quelques années en cidrerie. Un rêve devenu réalité, cette petite entreprise de cidre de pommes, rêve que Cécile partage jalousement avec Jérôme. C'est un peu leur bébé. Et aujourd'hui, François se marie! Lui aussi, ils le considèrent un peu comme leur fils. Le soleil tape, le champagne coule abondant et frais, la brise joue dans les pommiers. C'est la fête!

— Cécile, enfin vous voilà! François et moi, on aimerait que vous veniez dans le verger pour prendre quelques photos…

Échevelée, les joues rougies par le soleil, le bonheur et la chaleur, Marie-Hélène arrive en courant. En fait, cette jeune femme ne sait probablement pas marcher. Elle avance dans la vie en sautillant comme une gamine, l'esprit vif-argent, toujours joyeuse, prête semble-t-il à s'élancer à tout moment vers quelque découverte, quelque coin inexploré du monde juste pour le plaisir de bouger et de savoir qu'elle peut aider. Elle connaît François depuis l'adolescence et l'amour entre eux a été décisif dès l'instant où leurs regards se sont croisés. Cécile lui rend son sourire. Marie-Hélène est si jolie aujourd'hui, sous son voile de tulle blanc, dans sa robe vaporeuse comme une brume.

— Des photos? La bonne idée… Je te suis. Où est François?

— Il arrive… On s'est donné rendez-vous sous les pommiers.

Toujours vive et alerte malgré ses bientôt soixante-dix ans, Cécile descend l'escalier d'un pas léger. Elle a coutume de dire que c'est l'amour qui garde jeune et de l'amour, il y en a à profusion dans sa vie. Autant celui qu'elle répand autour d'elle comme on sème les graines dans un champ, à la volée, que celui qu'elle attire vers elle comme l'aimant d'une boussole est attiré vers le Nord. Cécile est une femme de compromis, de paix, de douceur et personne ne peut lui résister.

Saluant les invités au passage, Marie-Hélène et Cécile se dirigent vers le verger. Le photographe s'active déjà comme une abeille par beau temps autour de sa ruche, rectifiant une cravate, replaçant une mèche de cheveux, jouant de la moue, des grimaces et de l'appareil photo comme si elles faisaient partie intrinsèque de son talent. «La mouche du coche», songe alors Cécile, plus agacée qu'amusée. Mais comme la réputation de ce photographe est proverbiale dans le canton… À peine un imperceptible soupir avant d'offrir son sourire unique, à la fois triste et confiant. Quelques clichés du cru le plus pur selon les traditions établies, puis François s'étire, son petit côté délinquant finissant toujours par réussir à se faufiler jusqu'à l'extérieur. C'est plus fort que lui: il restera toujours un irréductible cabotin.

— Suffit maintenant… Je veux des photos qui nous ressemblent.

Le photographe lève aussitôt un sourcil étonné, le tient en suspens un bref moment sur son front ridé avant de le laisser retomber théâtralement sur un œil menaçant.

— Que voulez-vous dire? Si vous n'êtes pas satisfait de mes…

— Mais qu'allez-vous penser là? Nullement, cher monsieur, nullement, rassure François d'une voix suave. Disons que ce sont là des petits caprices.

Et les sourcils de repartir illico vers le ciel. Ah! Ces jeunes mariés!

Finalement, il y aura des clichés pour tous les goûts, François perché sur une branche de pommier tendant la main à Marie-Hélène comme pour l'attirer à lui; Cécile, Jérôme, Marie-Hélène et François faisant la ronde autour d'un arbre chargé de fruits encore verts… Puis, alors que le photographe s'empresse de retrouver la noce pour capter d'autres moments inoubliables (avec les invités, il devrait pouvoir laisser libre cours à sa vision toute personnelle de l'art! Perché sur un arbre comme un corbeau! Non mais…), François s'approche de sa grand-mère.

— Mamie Cécile… Est-ce que tu viendrais te promener avec moi? Avant de partir pour Montréal, j'aimerais retourner sur le button, là où on domine la vallée…

Alors Cécile lui renvoie un large sourire.

— Je n'osais te le demander…

À ces mots, François penche sa longue carcasse osseuse vers Marie-Hélène, pourtant jeune femme assez grande, elle aussi, effleure sa joue d'un long baiser.

— Tu m'attends à la tente, chaton? J'aimerais prendre quelques instants avec Mamie.

— Bien sûr… Après on donnera le signal de départ pour le buffet… Je meurs de faim.

Glissant sa main dans celle de sa grand-mère, François l'entraîne à sa suite, par le chemin rocailleux qui mène à l'autre bout du champ à travers les cultures encore vertes. La musique de la fête les suit de plus en plus assourdie, soutenue par une brise toute douce qui vient de se lever et qui murmure dans les barbes des épis de maïs encore jeunes et tendres. Quelques hirondelles planent très haut dans un ciel toujours bleu, mais qui vire lentement au gris tellement la chaleur et l'humidité sont grandes. En bas, dans le creux de la vallée, la Chaudière d'un ton ardoise, presque métallique sous ce ciel de plomb, sillonne les terres quadrillées, tortueuse et calme. François pousse un profond soupir. La clarté presque insoutenable de cette journée, la limpidité des sentiments amoureux qui l'habitent contrastent curieusement avec certaines pensées sombres qui s'imposent presque malgré lui. Comme une opposition en lui, une antithèse qui revient trop souvent le harceler. Cette image et cette odeur de mort qui lui collent à la peau comme une lèpre. Ce temps d'ombre dans sa vie, cette jeunesse écorchée qui l'a marqué, ses erreurs et ses douleurs comme mises en relief par la grande joie qu'il vit aujourd'hui.

— Comme c'est beau, ici, et comme ça va me manquer tout ça…

À ces mots, Cécile emprisonne la main de François dans les siennes, habitée d'une assurance qu'elle ne ressent que devant ses enfants et petits-enfants. L'éternelle indécise ne l'est plus face à eux, l'amour qu'elle leur porte étant sans faille, solide comme le roc devant les intempéries.

— Tut, tut, tut… C'est ce que l'on croit, mais l'expérience m'a appris qu'il n'en était rien. Tu sais, mon grand, les souvenirs sont parfois encore plus importants que les moments présents parce que le temps qui passe les rend irremplaçables, uniques. Et c'est pourquoi il ne faut jamais regretter ses choix et toujours avancer droit devant, ne gardant bien précieusement au fond de soi que les belles choses que la vie a mises sur notre route.

François reste un moment silencieux, savourant chacune des paroles de sa grand-mère, y puisant ce réconfort qu'elle seule peut lui apporter. Il n'y a que cette vieille dame qui sache comment le rejoindre jusqu'au plus profond de ses émotions.

— Je sais Mamie, je sais bien… Même si je n'ai que vingt-quatre ans, j'ai l'impression parfois d'avoir toute une vie derrière moi et de l'expérience à revendre.

— Mais tu as toute une vie derrière toi, François. Comment oublier toute cette jeunesse blessée? Elle t'a façonné à travers les blessures. Mais c'est peut-être un privilège que tu as là, même s'il n'a pas été facile à gagner. Justement parce qu'il n'a pas été facile à gagner.

Cécile laisse couler un rire.

— Tu fais mentir le dicton: «Si jeunesse savait, si vieillesse pouvait!» Tu sais comme un vieux routier et tu peux comme le jeune fougueux que tu es. Par contre, quand tu parles d'expérience, on n'en a jamais trop et surtout pas à revendre comme tu dis. Cette denrée précieuse, elle ne s'acquiert pas pour les autres. Malheureusement. Mais elle peut te servir à aider autour de toi. Tu peux partager ton vécu, l'offrir aux autres. Ce qu'ils en feront ne t'appartient pas, mais souvent, cela sert de balises. Et c'est bien qu'il en soit ainsi.

— Tu parles comme les professeurs que j'ai eus…

— Je parle selon mon cœur, François. Avec le temps, j'ai appris à m'y fier et jamais, tu m'entends, jamais il ne m'a laissé tomber. Parfois, j'ai eu l'impression que la vie me faisait faux bond, c'est vrai. Et souvent j'ai eu envie de me révolter contre...

En entendant sa grand-mère parler de la sorte, François ne peut retenir un sourire moqueur.

— Toi? Ma douce Mamie se révolter? fait-il taquin en l'interrompant.

— Oh! que si, soupire Cécile... Je ne comprenais ni le pourquoi des choses ni les attentes imposées. Moi aussi, j'ai été jeune, tu sais. Et tout comme toi, j'ai eu mal, François, très mal. Puis lentement, à son rythme, la vie s'est chargée de faire la lumière sur tout ce qui me semblait dans l'ombre. Et j'ai enfin compris qu'il n'y a rien qui n'arrive pour rien. Jamais. Ne l'oublie pas, mon grand. Faire confiance, toujours, et agir selon son cœur. Comme ça, tu ne pourras pas te tromper. C'est ce que me disait la tante Gisèle, une sœur de mon père que tu n'as pas connue, mais qui a été comme une seconde mère pour moi et c'est ce que j'ai fait. J'estime que, à 70 ans, je suis une femme heureuse, comblée. En fin de compte, aujourd'hui, quand je regarde par-dessus mon épaule, je m'aperçois qu'il y a plus de bonheur que d'amertume derrière moi. C'est ce que je te souhaite, François. Avoir assez confiance en la vie et en toi pour atteindre tes buts. C'est le plus beau cadeau que je puisse t'offrir ce matin.

— Quand tu parles comme ça, j'ai l'impression que tu es la bonne fée penchée sur mon berceau.

— Une bonne fée... Quelle belle image, mon grand. Mais vois-tu, on a tous besoin de bonnes fées. Moi, toi, tout le monde... Et à ton tour, par le travail que tu as choisi de faire, tu seras parfois la bonne fée de quelqu'un.

— J'espère seulement que tu as raison.

Puis au bout d'un court silence.

— Si tu savais comme j'ai hâte de commencer et en même temps j'ai terriblement peur.

— Tu as peur? Alors je dirais tant mieux. La peur engendre la prudence et c'est très bien. Mais je sais, moi, que tu seras à la hauteur. Travailleur de rue, ce n'est ni facile ni à la portée de tout le monde. En fait, je crois qu'il n'y a que des hommes et des femmes qui sont passés par où tu es passé qui peuvent vraiment comprendre.

Puis après un rire taquin, elle ajoute:

— C'est un travail un peu marginal, pas très bien connu, mais que je crois deviner à travers tout ce que tu m'en as dit et il conviendra à merveille à mon marginal de petit-fils!

— Peut-être bien...

Pendant un moment, on n'entend plus que le vent dans les herbes. Puis François reprend d'une voix sourde:

— Sais-tu à qui je pense depuis ce matin?

Pendant un court moment, Cécile reste silencieuse. Elle savait de toute l'intuition que l'amour lui confère que François y viendrait. Elle sait fort bien ce qu'il va lui dire. C'est un être complexe, son petit-fils, étrange entrelacement d'ombre et de lumière, de fougue et de retenue, d'enthousiasme et d'intériorité.

— Oui, je crois savoir, souffle-t-elle... Et c'est naturel. Tu vois, je m'y attendais et j'y pensais justement moi aussi en me levant, ce matin... Et c'est probablement pour cela que tu m'as demandé de t'accompagner, n'est-ce pas? Si Marco avait été là, tu n'aurais peut-être pas eu envie de venir te promener avec moi. Et encore moins besoin. Je me trompe?

Le nom a été prononcé. Ce nom dont ils ne parlent presque plus jamais, mais que Cécile sent omniprésent dans la vie de François. Aux quelques mots de sa grand-mère, François échappe un sourire.

— Non, tu ne te trompes pas... Je savais que tu comprendrais: tu lis en moi comme dans un livre ouvert... C'est fou, mais je me suis éveillé ce matin avec son nom en tête. Pourtant ça fait dix ans qu'il est mort. Mais brusquement, aujourd'hui, c'est comme si c'était hier. De diffus qu'il est devenu avec le temps, son visage m'apparaît en ce moment aussi clair que sur une photo... Je me rends compte que la blessure a laissé des cicatrices. Non plus douloureuses mais encore visibles... Comment dire? Encore sensibles, c'est ça, sensibles.

— Ce sont là des marques qui ne s'effacent jamais... Non, jamais... Dis-toi bien qu'on a tous de ces égratignures indélébiles. Ce sont elles qui nous font grandir. Pour toi, une de ces marques s'appellera toujours Marco. Et elle te suivra jusqu'à ton dernier souffle. Même si avec le temps, tu finiras par ne plus vraiment y penser. J'en sais quelque chose…

Alors François demande sur le ton de la confidence:

— Et toi, Mamie, est-ce qu'il y en a de ces égratignures sur ta vie, comme tu le dis si bien?

Pendant un instant, Cécile laisse planer son regard sur la vallée. Ici, c'est son coin de pays. Celui qu'elle a toujours gardé précieusement au creux de ses émotions et de ses souvenirs les plus chers. Pendant de nombreuses années, la vie l'en a tenue éloignée. Pourtant, Cécile gardait confiance. Et aujourd'hui, tous les fils de l'écheveau sont à nouveau réunis en un câble solide. L'espoir a été récompensé, même si les égratignures ne s'effaceront jamais.

— Oui, François… Et moi, mes égratignures, elles s'appellent Juliette, Jeanne, Normandie, Rolande… Un jour, peut-être, je t'en parlerai. Oui, peut-être…

Puis s'ébrouant, elle ajoute:

— On a tous de ces petites douleurs sur le cœur… Mais on a tous aussi de ces grandes joies qui restent gravées à jamais. Aujourd'hui en est une. Dis-toi seulement que si Marco était là, il serait le premier à se réjouir pour toi. Tu as la plus gentille fille qui soit comme compagne, un travail que tu as choisi et qui t'attend, un petit logement que vous avez décoré à votre goût et plein d'années de bonheur en perspective. Que demander de plus?

Tendant les bras devant elle comme si elle voulait étreindre toute la vallée sur son cœur, Cécile ajoute vibrante:

— Mais tu as raison, François, c'est un des plus beaux coins du monde, ici. On a l'impression de toucher au ciel… Laisse ta tête et ton cœur s'en imprégner jusqu'à la saturation. On n'aura jamais assez de ces belles images pour nous aider dans les moments difficiles…

— Je comprends ce que tu veux dire. Merci, mamie. Juste de savoir que tu comprends, ça suffit à faire reculer l'image, fait-il énigmatique.

Puis François pousse un profond soupir, regarde longuement autour de lui. La grande chaleur rend le paysage immobile comme en attente et brusquement, il comprend aussi que c'est lui qui est en attente. Alors que, en même temps, il ressent une paix bienfaisante, apaisante, qui ramène les émotions à leur juste place en ce matin de joie. Le sourire de Marie-Hélène s'impose dans sa tête, éclate plein de soleil, balayant tout le reste.

— Oui, je crois bien que ce coin de pays sera toujours comme le synonyme de paix pour moi... Je t'aime, mamie.

Leurs sourires se croisent. La vieille dame et le jeune homme, la grand-mère et le petit-fils. Deux vies, deux mondes mais si proches l'un de l'autre, s'entrecroisant, se comprenant... Ce qu'il y avait à dire a été dit. Un dernier regard, un dernier sourire... Alors, reprenant la main de François dans la sienne afin de l'entraîner à son tour, Cécile lance joyeusement:

— Et maintenant, à la soupe! J'ai faim moi aussi.

* * *

Au même instant, à quelques centaines de kilomètres de là, sous un même soleil de plomb, Sébastien, assis sur un banc de planches vertes un peu écaillées, écoute les rires qui montent au-dessus du parc. Des rires qui coulent sur lui sans plus jamais l'atteindre. Des rires qu'il y a longtemps qu'il ne partage plus. Comme dans son ancien quartier, il a la nette impression que les rires n'appartiennent pas à son monde, qu'ils ne lui ont jamais appartenu.

En fait, Sébastien ne se souvient même pas comment on fait pour rire. Il a l'impression que le masque de son visage craquerait et s'effriterait à jamais s'il essayait. Mais comme il n'y a aucune raison qui puisse faire en sorte qu'il ait envie d'essayer...

Dans deux mois, Sébastien va avoir dix-huit ans. Dans deux mois, Sébastien va retrouver sa liberté. C'est une promesse qu'il s'est faite et Sébastien tient toujours ses promesses. Quoi qu'il en coûte.

Ça fait plus d'un an qu'il regarde autour de lui, prend note et analyse. Il a bien pesé le pour et le contre. Aujourd'hui, sans l'ombre d'un doute, il sait ce qu'il veut et la façon de l'obtenir.

Dans deux mois, il va rendre à la vie la monnaie de sa pièce.

Et il sait fort bien de quelle façon il va s'y prendre.

Mais en attendant, il doit jouer le jeu jusqu'au bout.

Sébastien pousse un profond soupir. Dans le fond, jusqu'à maintenant, il a passé sa vie à attendre quelque chose. Quelque chose qui n'est jamais venu... Puis un vague sourire frôle ses traits, à peine un reflet dans le regard d'un visage qui semble immobile. Dans deux mois, le jour de son anniversaire, l'attente va enfin cesser.

Le carillon des cloches de l'église lui fait lever la tête. Midi.

Sébastien se relève aussitôt, comme un automate, emprunte le sentier qui mène à l'autre bout du parc. À midi, c'est l'heure de manger chez les Cayer et la maîtresse de maison déteste qu'on la fasse attendre.

À chaque famille ses petites lubies... Sébastien est bien placé pour le savoir: les Cayer, c'est la septième famille d'accueil qu'il a le plaisir de côtoyer depuis six ans.

Accélérant le pas, Sébastien emprunte la ruelle pour faire plus vite. Des engueulades et des taloches, il en a eu suffisamment pour peupler trois vies. Une de plus serait peut-être une de trop. Il est assez lucide pour le comprendre malgré la conviction que, bien caché au fond de lui, Sébastien sait qu'il n'est pas violent. Juste blasé et froid, à cause des claques, justement. Et de l'indifférence, et des reproches, et de l'incompréhension, et des rejets... Pourtant, malgré tout, Sébastien n'est pas violent. Mais il devine en même temps qu'il ne faudrait pas le pousser à bout.

Parce que, inscrit dans ses gènes, comme un instinct de survie en lui, il sait aussi que même le chien le plus docile peut mordre quand vient le temps de défendre sa peau.

Il en est là. À cause de toutes ces voix d'adultes qui ont ponctué sa vie d'enfant et d'adolescent d'autant d'épines douloureuses.

— T'es rien qu'un maudit sans-cœur.

— Tu pourrais dire merci, non?

— Pis y'as-tu vu les cheveux? T'as l'air d'une tapette...

— J'comprend que l'monde veut rien savoir de toi... Maudite face de bœuf...

— Pis crisse donc ton camp si ça fait pas. Des comme toi, j'veux pus rien savoir...

— Encore une absence? Dommage, mais je vais devoir sévir! Vous ne me laissez pas le choix…

— Un petit effort, Sébastien. Il me semble que ce n'est pas si difficile que ça d'essayer d'être vivable!

Toute sa vie sous les reproches comme quelques dessins aux couleurs vives réduits en confettis… Des bagatelles, peut-être même des insignifiances quand tout le reste baigne dans la confiance en soi. Mais ce n'est pas le cas pour Sébastien. D'aussi loin qu'il puisse se souvenir, il a toujours cherché l'approbation. Peut-être bien que c'est parce qu'il ne l'a jamais trouvée… Alors ce sont des coups de poignard au cœur de Sébastien, toutes ces voix d'adultes, impatientes, méprisantes, exaspérées. Parce qu'il n'y a toujours que ça et que l'estime de soi, et la conviction profonde de ses propres capacités, n'existent pas. N'ont en fait jamais existées. À cause de cette voix, plus forte que les autres, celle qu'il n'oubliera jamais.

— Des crisses de tapettes, Brigitte.

Aujourd'hui, Sébastien sait fort bien ce que veulent dire ces quelques mots. Et encore plus fort que les mots, il y a ce mépris, ce dédain dans la voix. Alors Sébastien s'est construit une carapace. Pour passer au travers. Juste pour survivre. Une tapette? Et après? Ne reste, peut-être, qu'à vérifier…

Sa réflexion, toujours la même, l'a amené dans la cour d'une maison de rapports comme il y en a des milliers dans la ville. Une cour minuscule, asphaltée pour éviter l'entretien, deux poubelles sous l'escalier, un gril au gaz contre un hangar tout croche recouvert de feuilles de métal rouillé. En deux enjambées Sébastien a grimpé l'escalier. En soupirant, il retire ses espadrilles et s'empresse d'entrer dans la maison de la famille Cayer.

— Bon, te v'là! As-tu vu l'heure?

Levant machinalement les yeux, Sébastien retient un soupir. Midi cinq minutes… Sans dire un mot, il se glisse à sa place.

Chapitre 2
1995

Un jeune printemps au centre-ville de Montréal et un après-midi en Beauce...

«Hier n'existe plus. Demain ne viendra peut-être jamais. Il n'y a que le miracle du moment présent. Savourez-le. C'est un cadeau.»
Marie Stildkind

Il ne cesse de pleuvoir depuis trois jours. Un insupportable crachin, fin comme un brouillard, froid et désagréable, tombe sans arrêt. François, le col de son imper remonté jusque sur les oreilles, avance d'un bon pas, fixant le bout de ses chaussures qui pataugent dans la gadoue depuis le matin. À peine un arrêt de trente minutes pour le lunch, avec Vincent, un jeune un peu perdu, idéaliste sans l'être, vivant de ses utopies comme d'autres de leur ambition, et qui, malheureusement, ne jure que par sa gang qui ne l'amène nulle part pour l'instant, et la promenade recommence. La ville, maintenant, il la connaît comme le fond de sa poche. Jusqu'aux fissures des trottoirs qui lui indiquent sa route. Dans moins d'une heure, il fera nuit et sa journée est loin d'être finie. Il a promis à Sébastien de le rencontrer au coin des rues Cherrier et Saint-Denis avant la noirceur. Avec le temps qu'il fait, François va en profiter pour lui offrir un café et tenter pour l'énième fois de le convaincre de se présenter au Refuge pour la nuit. Ce serait toujours ça de gagné. Il est persuadé que l'atmosphère qui règne au Refuge lui serait bénéfique. Il y a en Sébastien une curieuse attitude qui laisse pensif, que François n'arrive pas à saisir comme si à chaque fois qu'il venait pour l'attraper, elle fuyait comme la truite vous glisse des mains quand on la sort de l'eau. Mais Sébastien a la peau coriace et jusqu'à maintenant, il refuse tout compromis. Il n'y a que les cafés qu'il accepte de partager avec François et encore, pas très souvent. Et même si régulièrement François parle de Sébastien avec Michel et Louise, les deux autres travailleurs de rue avec qui il travaille et que ceux-ci le mettent en garde contre l'envie parfois de vouloir trop en faire, c'est plus fort que lui : François ressent une réelle attirance pour Sébastien. Ce jeune n'est pas comme les autres. À cette pensée, François sourit. Comme si le fait d'être à la rue faisait en sorte que tous ces jeunes sont semblables. Idiot! Mais c'est vrai, Sébastien est vraiment différent. Et c'est peut-être cette différence qui l'interpelle. Comme un lien d'amitié potentielle qui va bien au-delà des simples relations qui se créent habituellement avec les jeunes qu'il rencontre.

En passant devant le carré Saint-Louis, François ne peut réprimer un soupir de lassitude. Dire qu'il habite à deux pas d'ici. Et à l'heure qu'il est, Marie-Hélène doit être revenue de son travail. Un bon feu doit flamber dans l'âtre et le souper mis à cuire embaume sûrement l'appartement. Puis il hausse les épaules. Il y a Sébastien. Il ne peut manquer à sa parole. Accélérant le pas, il traverse la rue Saint-Denis et s'engouffre dans le Café Cherrier. Il va au moins attendre au sec…

Mais Sébastien n'est pas venu…

Après plus d'une heure d'attente, François se décide à regret à quitter le Café. Il fait une nuit d'encre, maintenant, et il pleut toujours. Un petit vent froid, vestige d'un hiver têtu, se faufile sous sa veste humide. François a un long frisson. Il bat de la semelle pendant quelques instants, le regard vissé à l'intersection luisante sous l'éclairage des lampadaires, fixant sans réellement la voir la flaque verte, jaune et rouge qui éclabousse le coin de la rue. Puis, après un regard circulaire, il rebrousse chemin. Ce n'est pas la première fois que Sébastien lui pose un lapin et ce ne sera pas la dernière non plus. C'est un peu sa façon de se donner de l'importance, de rester en contrôle, comme il le dit. Et François sait à quel point il est vital de se savoir important.

Mais si Sébastien a la *couenne* dure, celle de François l'est tout autant. Ce n'est que partie remise. Son seul véritable regret pour l'instant, intimement mêlé à un sentiment d'impatience, c'est de penser à la nuit affreuse que le jeune va passer s'il n'arrive pas à trouver un gîte pour dormir. L'humidité vous transit jusqu'à l'os. Quand est-ce que Sébastien va finir par comprendre? François sait fort bien que ce n'est pas à lui de prendre des décisions pour les jeunes et qu'il n'est, en fait, qu'un soutien, qu'une aide temporaire quand on veut bien saisir cette aide offerte. Mais face à Sébastien, c'est différent. On y revient! Mais est-ce vraiment aussi dangereux que ce que Michel et Louise supposent? François hausse les épaules. Ici comme ailleurs, les attirances naturelles entre les gens doivent jouer et ce n'est que normal qu'il en soit ainsi. Il entre enfin chez lui, le frisson de tout à l'heure lui agressant toujours la peau du dos et lui enlevant l'envie de poursuivre sa journée. Parce que si Sébastien se fait pour l'instant fort discret, il n'est pas le seul à arpenter les rues de la ville. Mais ce soir, François ressent une inexplicable fatigue qui lui enlève tout ressort.

— Déjà?

Marie-Hélène vient jusqu'à lui, tout heureuse de le savoir de retour. Elle ne l'attendait que tard en soirée.

Fermant les yeux, François la tient contre lui pendant un instant, savourant pleinement l'instant présent.

— Oui, déjà, soupire-t-il en se dégageant. Sébastien n'est pas venu.

— Dommage.

François hausse les épaules.

— J'espère seulement qu'il a trouvé une place pour passer la nuit. Il fait un temps de cochon dehors… Mais je ne devrais pas m'en faire: Sébastien est malin comme un singe… Probablement que je vais le voir arriver demain à la première heure, un peu fanfaron, avec son air habituel de qui rien ne touche, affamé, ne demandant rien de mieux qu'un œuf et un café.

Puis sautant du coq à l'âne:

— Ça sent donc bien bon, ici! Qu'est-ce qu'on mange? Le temps d'appeler Michel pour l'avertir que je suis rentré et qu'il peut me rejoindre ici au cas où et je saute dans la douche. J'ai l'impression qu'une bonne grippe me guette. Je suis transi…

Ils ont pris leur souper devant le foyer parce que la longue douche chaude n'a pas suffi à réchauffer François. Puis appuyés l'un contre l'autre, les jambes emmitouflées sous une chaude couverture de laine, ils se sont offert une bonne soirée de télé, comme ils les aiment malgré les frissonnements de François qui n'arrive pas à se détendre.

— Fatigue plus mauvais temps égalent une bonne grippe, prédit-il en se préparant pour la nuit. Merde que j'ai froid… Je dois couver une attaque microbienne massive… Je crois que je vais prendre du sirop avant d'aller au lit. Question de prévenir…

Puis ils se sont couchés enlacés, redécouvrant encore et encore la joie d'être ensemble, espérant l'un comme l'autre que ce petit bébé dont ils rêvent tant ne se fera pas trop longtemps désirer. Ça fait plus de six mois qu'ils essayent…

* * *

Appuyé contre le mur de pierre d'un édifice à bureaux, sous le porche de toile qu'on vient tout juste d'installer il y a quelques jours, Sébastien regarde la foule qui se presse sous la pluie. Personne ne porte attention à lui. Se rendre d'un point à un autre le plus rapidement possible est la seule préoccupation valable sous cette pluie endémique. Mouillé jusqu'à l'os, le jeune homme se répète qu'il aurait bien dû aller à son rendez-vous. Un bon café au sec et au chaud lui aurait fait le plus grand bien avant de regagner ses quartiers personnels, dans une usine désaffectée au sud de la ville. Mais ce soir, il n'avait pas envie de voir qui que ce soit. Pas envie de parler et encore moins d'écouter. Et pas question de quêter les quelques sous qui permettraient une halte au McDo : par expérience, Sébastien sait que personne ne se donnera la peine d'arrêter. Il fait trop mauvais.

— Hé, mon beau ! Qu'est-ce que tu fais là tout seul ? Quelques instants en bonne compagnie, ça te plairait ? T'as une p'tite gueule d'ange qui me fait bander…

Pendant quelques instants Sébastien continue de fixer le vide devant lui. Puis lentement, comme à contrecœur, il tourne la tête. Un homme d'une cinquantaine d'années le dévore des yeux. La concupiscence, si tant est que Sébastien connaisse ce mot, fait briller son regard.

— Pis? Qu'est-ce que t'en dis? J'connais un p'tit coin tranquille.

Sébastien hausse les épaules, image d'indifférence méprisante apprise au fil des ans. Pourtant, son cœur bat à tout rompre.

— Si t'aimes mieux, on peut aller chez moi, insiste l'autre, se méprenant sur le silence de Sébastien.

À nouveau, haussement d'épaules sur fond de cœur qui veut lui sortir de la poitrine et ces mots martelant ses tempes au rythme de la pulsation du sang qui bat en lui.

— Des crisses de tapettes, Brigitte. Tu m'as fait deux tapettes, sacrament!

Pour une troisième fois en l'espace de quelques secondes, Sébastien hausse les épaules. Mais il est le seul à savoir que le sens de ce geste vient de changer. La voix de son père vient de le retrouver, même si Sébastien essaie de lui échapper. Cette voix de mépris finit toujours par le retrouver…

— Où est-ce que tu restes? demande-t-il enfin regardant l'autre droit dans les yeux. Pis je veux que tu saches tout de suite que j'veux manger, d'abord et avant tout…

* * *

Pendant plus de trois semaines, François n'a pas revu Sébastien. Pourtant ce n'est pas faute d'avoir arpenté le quartier où il se tient d'habitude. Il a questionné, cherché, s'est inquiété à travers les rencontres quotidiennes avec certains jeunes et les projets que Michel, Louise et lui tentent de mettre sur pied. Finalement, combinées à une bonne grippe qui ne veut plus le lâcher, ses préoccupations finissent par le terrasser. Un bon matin, c'est courbaturé et les jambes flageolantes qu'il se tire du lit. Il a les joues creuses et le teint cendreux d'un déterré. Marie-Hélène l'attend de pied ferme à la cuisine, fermant les yeux d'impatience et d'inquiétude à chaque fois qu'une crise de toux déchire l'appartement.

— Faudrait peut-être que tu penses un peu à toi, François Léveillé? Tu ne t'entends pas tousser? Prends donc quelques jours de congé. Ça ne te ferait pas de tort.

François est assis à la table, grimaçant à chaque bouchée qu'il essaie d'avaler. C'est comme si un feu d'enfer régnait en maître dans sa gorge.

— Tu as peut-être raison…

— Sûr ça, que j'ai raison. On pourrait peut-être en profiter pour faire un saut à Québec et en Beauce, non? Ça fait une éternité qu'on n'a pas vu nos familles. Je suis certaine que ça te ferait du bien de changer d'air, de décrocher un peu. Après, si ça ne va pas mieux, tu iras consulter un médecin.

François lève le regard de qui n'est pas du tout convaincu. Puis il hausse les épaules. Passe encore pour une escapade à Québec, c'est vrai que ça fait longtemps qu'ils n'y ont pas mis le bout du nez. Mais le médecin… Ce n'est pas un rhume qui va l'abattre… Pourtant devant l'air furibond de Marie-Hélène, il ne peut s'empêcher de sourire. Dieu qu'il l'aime! Alors il embarque dans son jeu et admet, l'air docile:

— Si c'est toi qui le dis…

C'est ainsi qu'un beau matin d'avril, tout plein de soleil et d'oiseaux qui piaillent dans les arbres du carré Saint-Louis, ils partent pour la Capitale avec armes et bagages pour cinq jours de repos bien mérités. Au programme: deux jours dans leurs familles respectives et trois jours de «farniente» chez Mamie Cécile et Jérôme. Juste à y penser, François se sent mieux.

Cécile et Mélina les attendaient sur la galerie. Le soleil de ce matin, tout rond et bien franc les a inspirées et en riant de le faire si tôt en saison, les deux femmes ont réussi à sortir les lourdes chaises de bois entreposées dans une pièce vacante et à les installer sur la véranda devant la maison. Tout autour, les champs ressemblent à une vieille peau de vache brune et blanche, un peu sale, et dans le ciel clair, de minces et longs filaments de fumée montent en spirales langoureuses. Le temps des sucres bat son plein et avec cette température particulièrement douce, il faut se presser: les érables ne couleront pas longtemps, les nuits ne sont pas assez froides. Alors, depuis trois jours, Jérôme ne fait que traverser la maison en coup de vent. Tout comme sa mère, le temps qui passe semble le rajeunir tellement il a d'énergie!

— Et cette année, j'ai commandé de jolies bouteilles pour le sirop. Des rondes comme des pommes et d'autres tout effilées, comme des flûtes. On pourra en vendre en même temps que notre cidre... Dis, Cécile, qu'est-ce que tu dirais de faire des cœurs en sucre dur? Moi, je n'ai pas vraiment le temps mais toi... Il me semble que ça serait beau à travers notre étalage, non?

Il n'y a rien pour l'arrêter! Alors Cécile a mis ses bottes et son parka et l'a suivi à la cabane, se levant à l'aube comme lui, ces deux derniers jours. Elle a fait une montagne de petits cœurs en sucre du pays qu'elle a emballés soigneusement dans du papier transparent pour les offrir aux nombreux clients qui les visitent une fois la belle saison bien installée et leur kiosque de vente de cidre ouvert.

Dès que Cécile aperçoit l'auto de son petit-fils, elle dévale l'escalier, tout heureuse de leur présence chez elle tandis que Mélina les salue de larges signes de la main. Tout comme Cécile, rien ne peut lui faire plus plaisir que ces visites impromptues qui pimentent le quotidien.

— Enfin vous voilà!

Et glissant un bras possessif sous ceux de François et Marie-Hélène, Cécile les entraîne d'un pas militaire vers la maison.

— Et maintenant, on va prendre un bon café! Vous allez me raconter votre vie à Montréal. Je veux tout savoir! Je me suis tellement ennuyée de vous deux! Et je suis certaine que Mélina est aussi curieuse que moi!

Et surtout, pas question de se dérober! Alors François et Marie-Hélène ont raconté pendant plus d'une heure. Du travail de François, difficile mais satisfaisant, en passant par celui de Marie-Hélène, éducatrice dans un centre pour malentendants, plein de défi et emballant. Puis ils ont décrit l'appartement du carré Saint-Louis et la vie de citadins qu'ils prennent plaisir à découvrir; les amis qu'ils se sont faits et le printemps sur les trottoirs. Ensuite, François s'est levé brusquement comme si une armée de fourmis lui dévorait les jambes.

— J'ai envie de monter à la cabane rejoindre Jérôme, fait-il en se dandinant… Tu m'excuses, n'est-ce pas, Mamie Cécile? Ça va me rappeler tellement de souvenirs…

Et sans vraiment attendre de réponse, il attrape son manteau et se précipite à l'extérieur de la maison. Comme souvent il arrive à cette époque de l'année, les femmes se retrouvent donc entre elles. À son tour, Mélina prend congé pour faire la sieste.

— Que voulez-vous! À mon âge, la carcasse est plus exigeante. On se reparle plus tard.

Et tout comme François, elle quitte aussitôt la cuisine. On entend son pas traînant, puis une porte qui se referme bruyamment. Alors Cécile se tourne vers Marie-Hélène.

— Que dirais-tu de faire une longue promenade? Il fait si beau… On pourrait se rendre chez mon frère Paul, dans le rang d'à côté et les inviter à se joindre à nous pour le souper de demain? Qu'est-ce que tu en penses?

C'est ainsi que les deux femmes partent bras dessus, bras dessous, d'un bon pas. Pourtant, arrivée à la croisée des chemins, instinctivement, Cécile ralentit l'allure. La grosse roche plate est toujours fidèle au poste, luisante de neige fondue comme dans ses souvenirs. Le soleil caresse les manteaux comme il réchauffait les épaules au matin de ses dix-huit ans et à celui plus récent de ses soixante ans. Il lui semble que toute sa vie avec Jérôme passe par cette croisée des rangs. Les plus pénibles comme les plus merveilleux de ses souvenirs y restent en attente, espérant peut-être le rendez-vous de chaque année. Quelques corneilles s'interpellent, leurs cris rauques résonnant en écho, étrangement remplis d'espoir dans l'air tout léger de cette matinée de printemps alors que ces mêmes appels criards sont si lugubres en novembre. Les fossés chantent le trop-plein d'eau qui ruisselle des champs engorgés par la fonte rapide des neiges. Exactement comme Cécile se le rappelle. Alors le passé s'ajustant au présent, l'envie des confidences se fait lourdeur puis besoin. En Marie-Hélène, elle ne voit plus la petite-fille d'adoption, mais une femme qui ressemble à celle qu'elle était. Ses longs cheveux tout en boucles et l'éclat d'azur de son regard rendent l'image familière. Le fossé des générations s'estompe. Elles ne sont plus que deux femmes, chacune à un bout de la vie certes, mais avec au fond du cœur les mêmes aspirations au bonheur.

— Regarde, Marie-Hélène, fait-elle en allongeant le bras… Tu vois cette grosse roche qui tend le cou hors de la neige? Eh! bien, ce banal caillou pourrait à lui seul te résumer ce que fut ma vie. Il en a été le témoin silencieux à chacun des moments d'importance qui ont façonné ma destinée.

Prenant une profonde inspiration, Cécile regarde autour d'elle pendant un instant.

— Tu connais un peu l'histoire de notre famille, n'est-ce pas? Alors, tu vois, c'est ici, assise sur cette roche que j'ai pleuré toutes les larmes de mon corps le matin où j'ai compris que mon père ne céderait jamais et que je devrais confier le bébé que j'attendais à l'adoption. C'est ici aussi que, par choix, dix mois plus tard, j'ai annoncé à Jérôme que je repoussais notre mariage pour que mon petit frère puisse avoir toutes les chances possibles de survivre à une naissance prématurée et à la mort de ma mère, décédée en couches. Je venais d'accoucher de Dominique et j'ai allaité Gabriel comme s'il était mon fils. Je ne savais pas cependant que ce choix aurait autant de conséquences qu'il en a eu. À cause de ce mariage annulé, Jérôme a dû s'engager dans l'armée et, un an plus tard, il était porté disparu lors du Débarquement en Normandie.

Pendant un moment, Cécile reste silencieuse, le regard tourné à l'intérieur d'elle-même et sa main se fait lourde sur le bras de Marie-Hélène, lourde de plus de quarante ans d'espoir et de silence. Après un deuil pénible quand l'armée avait déclaré que Jérôme était mort et à la suite du décès tragique d'une jeune amie rencontrée à la Crèche, Cécile décide de devenir médecin. C'est à ce moment que sa vie a croisé celle de Charles, un médecin chercheur à l'hôpital qui allait finalement devenir son mari. Ensemble ils ont élevé Denis, leur fils adoptif. Personnes de grand respect l'un comme l'autre, Charles et Cécile avaient été heureux ensemble. Mais tout au fond de son cœur, Cécile savait que Jérôme avait eu la meilleure part d'elle-même. Il avait été son premier amour, le père de l'unique enfant qu'elle avait porté, elle qui rêvait d'une ribambelle de gamins autour d'eux. Puis l'impossible s'était réalisé et Jérôme lui était revenu. C'est en repensant à ce matin de printemps dans un cimetière français que Cécile reprend.

— Curieux comme la vie est parfois imprévue... C'est encore ici, par un matin identique à ce matin, que Jérôme et moi avons enfin noué ensemble les bouts échevelés de nos vies. Quarante ans plus tard... Tu te rends compte? Quarante ans! Alors cette roche, je l'aime comme on le fait pour un ami fidèle. Et aujourd'hui encore, il m'arrive de venir m'y asseoir juste pour le plaisir... C'est un peu fou, tu ne trouves pas? Par moments, j'ai l'impression que je suis toujours une petite fille...

Puis, dans un éclat de rire, elle ajoute malicieuse:

— Il n'y a parfois que le miroir pour nous rappeler que le temps a passé. En dedans, on a souvent la conviction profonde qu'il n'y a rien de changé. Comme si l'enfant en nous refusait de céder sa place...

Alors, à ces mots, courbant la taille parce qu'elle est beaucoup plus grande, Marie-Hélène appuie sa tête contre l'épaule de Cécile pendant un instant.

— J'espère que moi aussi je saurai garder un cœur d'enfant. À vous voir aujourd'hui, je crois bien que c'est là le secret du bonheur.

— Je dirais que c'est un des ingrédients du bonheur, rectifie Cécile toujours soucieuse que les choses soient claires. Ajouter à cela un soupçon de confiance et un brin de générosité, bien mélanger et garder espoir que rien ne vous sautera au visage, complète-t-elle en riant, alors qu'elles reprennent leur marche.

Puis redevenue sérieuse:

— Car je l'avoue, il m'est arrivé souvent de penser que tout allait sauter dans ma vie. Pourtant, avec les années, on finit par comprendre le pourquoi des choses même si au départ l'obscurité la plus totale régnait sur notre vie. C'est peut-être ce qu'on appelle la sagesse... Je ne sais trop. Ce que je sais cependant, c'est qu'il faut toujours garder confiance.

À ces mots, une ombre traverse le visage de Marie-Hélène.

— Mais c'est parfois difficile... Il arrive des moments, ou plutôt des événements, où on a l'impression de n'avoir aucun contrôle. Je… je trouve cela inconfortable. On a beau avoir la meilleure volonté du monde, rien ne va comme on le voudrait.

À ces mots, Cécile arrête de marcher et lève un regard inquiet vers Marie-Hélène. Une ombre de tristesse assombrit le regard de la jeune femme, habituellement pétillant de joie de vivre.

— Tu crois sincèrement ce que tu viens de dire là? demande-t-elle n'arrivant pas à cacher complètement la pointe d'inquiétude qui module sa voix. Alors, c'est que tu n'es pas heureuse, Marie-Hélène…

Aussitôt le visage de la jeune femme s'anime, comprenant aisément la méprise.

— Oh, non! N'allez pas croire ça, Cécile, rassure-t-elle avec fougue. J'aime François, nous sommes heureux ensemble. Je ne changerais ma vie avec qui que ce soit d'autre, ni pour tout l'or du monde… Mais n'empêche qu'il y a une ombre. Je n'en parle pas vraiment parce que je ne veux pas alarmer François, il s'en fait déjà assez pour son travail. Mais… mais ça fait déjà six mois qu'on essaie d'avoir un bébé et ça ne marche pas. Je suis inquiète, vous savez, Cécile. Pourquoi? Je n'arrive pas à comprendre. J'ai une amie qui va accoucher dans trois mois et tout a fonctionné comme elle le voulait. Pourquoi pas nous?

Pendant un instant, Cécile reste silencieuse. Ces quelques confidences la ramènent dans le temps. À cette époque où Charles et elle tentaient d'avoir un bébé…

— Peut-on savoir le secret des choses de la nature? murmure-t-elle enfin…

Puis levant les yeux vers Marie-Hélène, elle ajoute:

— Si le médecin en moi a tendance à prendre cela avec un grain de sel, parce qu'il n'y a aucune raison de t'en faire après seulement six mois, la femme, elle, comprend ce que tu dois ressentir. Cette déception renouvelée à chaque mois quand on s'aperçoit que la nature n'a pas coopéré… C'est ce que j'ai vécu avec Charles, mon premier mari. Mois après mois, après mois… Finalement, pour goûter à la joie d'être parents, on a dû adopter Denis. Charles était stérile. Alors, oui, je sais ce que tu dois vivre. Mais cela ne veut pas dire que ce soit votre cas. Laisse le temps faire son travail. Je te dirais même que la plupart des couples vivent un peu ce que vous vivez, François et toi. Ceux chez qui ça fonctionne du premier coup sont plutôt rares, tu sais… Attends encore quelques mois. Et si rien n'est arrivé et que tu es toujours inquiète, je te ferai voir par un médecin que je connais bien.

— Vous êtes bien sincère quand vous me dites ça? Vous croyez vraiment que je m'inquiète pour rien?

— Je ne fais pas juste y croire, j'en suis presque certaine. Allons, jolie dame, faites confiance à une vieille femme d'expérience… Je t'assure qu'il n'y a pas de quoi fouetter un chat. Dans quelque temps vous en rirez, François et toi, quand tu auras un gros ventre et que tu le trouveras bien encombrant!

Alors un éclat d'espoir traverse le visage de Marie-Hélène, merveilleuse jeunesse capable de virements imprévus et spontanés. Cécile conseille de ne pas s'en faire et Cécile est médecin. Elle doit savoir ce qu'elle dit, non? Le cœur remis à l'endroit, Marie-Hélène ajuste son pas à celui de Cécile.

Les deux femmes arrivent chez Paul en devisant joyeusement sur le menu du souper du lendemain.

* * *

— Finalement, Jérôme, travailleur de rue, c'est à la fois plus difficile mais plus exaltant que je ne l'aurais cru… Par contre, il va falloir que j'apprenne à me détacher, à réserver du temps pour moi et Marie-Hélène. Je dois trouver moyen de décrocher. Michel et Louise, mes compagnons de travail, n'arrêtent pas de me le dire: on n'est pas là pour changer le monde. Probablement que j'ai besoin de temps pour apprendre à doser tout ça. Parce que je crois bien que je ne pourrai continuer comme ça très très longtemps… La preuve, c'est cette grippe qui ne veut plus lâcher. C'est la première fois que ça m'arrive. On dirait bien que le «body» m'envoie un message.

Jérôme et François sont à la cabane. La récolte de sève est terminée et l'eau d'érable est à bouillir pour faire le sirop. Vapeur lourde et sucrée, impression d'être dans une coquille hermétique mais réconfortante. L'instant est à la confidence. Entre les deux hommes, malgré le nombre d'années qui les séparent, une réelle amitié a vu le jour en France quand François avait accompagné Cécile et son mari lors de leur voyage de noces. Après sa fugue du monastère, c'est Jérôme qui avait pris la situation en mains.

— Non, s'il vous plaît Don Paulo… Si vous n'y voyez pas d'inconvénients, je préférerais tenter de le retrouver moi-même. Du moins, essayer, avant d'alerter les gendarmes… Je viens de comprendre à quel point François est fragile. Encore plus que tout ce qu'on aurait pu penser. C'était idiot de notre part d'avoir pu oser croire qu'on pouvait l'aider sans soutien autre que notre bonne volonté. C'est un appel au secours que François vient de nous lancer. Il n'a surtout pas besoin d'accusations en ce moment. Je connais Caen comme le fond de ma poche. Laissez-moi faire, donnez-moi au moins une journée. Si je reviens bredouille, il sera toujours temps d'appeler les autorités.

Et Jérôme retrouva finalement l'adolescent dans le sous-sol humide et sombre d'une maison désaffectée. Il était endormi à même le sol, replié sur lui-même. Quelques seringues abandonnées ici et là sur le plancher ne laissaient aucun doute quant à l'utilisation des lieux. Il n'avait plus quitté François du voyage, s'en occupant comme une mère s'occupe de son enfant malade, avec tendresse et inquiétude, à défaut de savoir exactement comment s'y prendre avec un jeune en manque de drogue. Entre eux, à partir de ce moment-là, une solide amitié avait germé pour s'épanouir au fil des années. Au fil des tentatives de François, de ses rechutes et de ses victoires. Aujourd'hui, Jérôme est un deuxième père pour lui et François est pour Jérôme le fils qu'il n'a jamais eu.

— Le pouvoir de la nature est plus fort que tout ce qu'on pourrait imaginer, répond enfin Jérôme après que François lui a confié à quel point il se sentait fatigué depuis quelques semaines. Tu as raison François. Et j'en sais quelque chose. Quand j'étais amnésique, c'est comme si une deuxième personnalité avait pris la relève. Probablement que j'en avais besoin et mon corps, lui, le savait. Philippe était un homme simple, qui se contentait de peu. C'est sans doute ce dont j'avais besoin à ce moment-là de ma vie. Sinon, pourquoi avoir retrouvé la mémoire dix ans plus tard et toute ma vivacité d'esprit par le fait même? Je n'ai jamais compris pourquoi c'est arrivé à ce moment-là et pas à un autre. Par contre, j'ai retenu la leçon: je me fie toujours aux signes que mon corps envoie. Et tu fais bien d'être à l'écoute toi aussi.

— Mais ce n'est pas toujours facile. Si je m'écoutais, justement, je resterais au lit un jour sur deux tellement cette grippe m'affecte. J'essaie de ne rien laisser voir à Marie-Hélène, mais j'avoue que...

À ces mots, Jérôme lève vivement la tête.

— Et pourquoi? Tu n'as pas à cacher cet état de choses à ta femme, François.

— Mais je ne veux pas l'embêter avec...

— Tu crois sincèrement que ça va l'embêter? Allons donc! De toutes façons, tu n'as pas à la protéger d'un problème qui n'est pas le sien. C'est toi François qui dois régler la situation, pas elle. Par contre, et je l'ai appris à mon corps défendant, le silence est la pire des attitudes quand on aime quelqu'un. Je peux comprendre ce qui te motive, cette espèce d'envie de la protéger, comme un prétexte à nos silences... Et puis, avouons-le, c'est sécurisant de donner une justification à ses agissements. Mais ce n'est pas honnête d'agir comme tu le fais. C'est comme si ton silence était un manque de confiance envers Marie-Hélène. Si ta fatigue t'inquiète à ce point-là, tu dois lui en parler.

— Tu crois?

— C'est aussi sûr que deux et deux font quatre... Parles-en à ta grand-mère... Elle en sait quelque chose, elle aussi. C'est même elle qui m'a fait comprendre à quel point je m'étais trompé en me taisant comme si je voulais la protéger... Toute notre vie a été modelée par le silence et la peur de dire ce qui doit être dit. Et avec le recul, je dois reconnaître que c'est peut-être là la seule chose que je regrette aujourd'hui. Ne risque pas de commettre les mêmes erreurs. Et surtout, tu as raison de le dire, essaie de garder du temps pour toi et Marie-Hélène. Les années qui passent ne reviendront jamais, François. Et le temps passe vite, très vite. Il faut que tu en profites. Ne laisse pas la vie avaler tes rêves...

Puis se relevant, Jérôme s'étire longuement avant de lancer, tout joyeux:

— C'est bien beau tout ça, mais ça bouille fort là-dedans. Il faudrait vérifier la densité du sirop. J'ai bien l'impression qu'il serait temps d'embouteiller.

Alors François se relève lui aussi, mais lentement. Curieusement, il n'a plus le cœur à l'ouvrage. Les quelques mots de Jérôme persistent dans sa tête, tournoient sans fin, sans qu'il sache trop pourquoi. «Ne laisse pas la vie avaler tes rêves...» Il y a en lui comme un sentiment d'urgence devant une situation qui lui échappe. Il ne comprend pas mais sent, d'instinct, que ces quelques mots ne concernent pas uniquement son travail. Alors il reste silencieux. Et Jérôme étant d'abord et avant tout quelqu'un d'intériorité, les deux hommes travaillent coude à coude, chacun perdu dans ses pensées.

Mais, longtemps après, à chaque fois qu'il y repense, un curieux vertige soulève l'estomac de François, rendant les battements du cœur désordonnés et ramenant aussitôt cette inconfortable impression d'urgence... «Ne laisse pas la vie avaler tes rêves...»

* * *

Fouettant rageusement un vieux papier journal du bout du pied, Sébastien le regarde planer un moment, se poser sur la rue et repartir de plus belle poussé par une auto. Puis il reprend sa marche. Ça fait trois jours qu'il arpente le quartier et pas de trace de François. Qu'est-ce qu'il fait? Où se cache-t-il? Il n'a pas le droit de s'enfuir comme ça. C'est la vie de Sébastien d'apparaître et de disparaître à volonté. Pas celle de François. Et Sébastien se convainc assez facilement qu'il a tous les droits de penser ainsi. Pendant une fraction de seconde, il regrette de ne pas avoir voulu de sa carte avec le numéro de son «bipper». Puis il hausse les épaules de dépit et d'impatience. De mauvaise foi, il se répète que François n'aurait pas dû s'évaporer comme ça. Un autre qui se défile... Pourquoi donc sa vie est-elle peuplée d'êtres qui ne valent pas la confiance qu'on aurait envie de mettre en eux? Pourtant, venue d'un temps révolu, il lui semble entendre une voix familière qui répète inlassablement la même rengaine agaçante quand il sent la colère le gagner.

— Tu n'es pas juste envers moi, Sébastien. Après tout ce que je fais…

La voix de sa mère… Elle a toujours dit que la vie n'était pas juste. Et là-dessus, Sébastien est bien d'accord avec elle. Alors pourquoi se formaliser d'être correct ou pas? La vie s'impose d'elle-même, juge, fixe, tranche et exige. Cela, Sébastien l'a appris très jeune. Parce que, après les claques derrière la tête et les paroles paternelles méprisantes, après les engueulades et les larmes de sa mère, un bon matin, Mme Duhamel s'est donnée raison et a choisi sa propre version des faits. Elle a foutu le camp sans laisser d'adresse, abandonnant sa famille, comme quelqu'un fuyant un cataclysme, n'emportant avec elle que le strict nécessaire. Elle était son refuge, la seule sécurité possible quand son père buvait et qu'il se mettait à en vouloir à l'univers entier, à commencer par ses propres enfants qui ne faisaient jamais rien de bon, selon lui, dans ces moments-là. Sa mère était l'unique personne en qui Sébastien avait vraiment confiance et voilà qu'elle venait de les laisser tomber, son frère et lui. Sans raison, sans préavis… C'est à cet instant que le jeune garçon avait conclu que les enfants n'avaient pas vraiment le choix dans la vie, ni grande importance, et il s'était mis à espérer viscéralement le jour où il serait enfin un adulte. Il avait onze ans. Pourtant, malgré cela, pendant quelques mois, il avait joué à la mère avec Maxime, son jeune frère, réussissant, tant bien que mal, et plus souvent mal que bien, à le soustraire à la brutalité d'un père qui était alcoolique comme d'autres sont sportifs. Me Duhamel buvait pour échapper à la tension d'un métier exigeant, le soir quand il revenait chez lui. C'était un privilège mérité, un droit qu'il déclarait légitime puisqu'il travaillait comme un forcené afin de donner le meilleur à sa famille. Alors, entre Maxime et Sébastien, un lien particulier avait germé à la suite du départ de leur mère, s'épanouissant en une entente tacite, une connivence de survie et ils arrivaient encore à rire ensemble. Mais les choses étant ce qu'elles sont, les cris et les engueulades qui résonnaient dans ce quartier BCBG qui était le leur ne correspondaient en rien à l'image si chère à leur voisinage. La famille Duhamel avec ses cris discordants brisait l'harmonie sculpturale des haies de cèdres bien taillées et des patios trop bien fleuris. Surtout depuis le départ remarqué de Brigitte Duhamel. On a donc porté plainte, pour se donner bonne conscience et mieux dormir la nuit. Et soyons justes, il y avait les enfants, les bras marqués de bleus, les yeux bouffis de larmes... En quelques jours, lui semble-t-il, Sébastien a été séparé de son frère et s'est retrouvé dans un centre d'accueil comme un criminel, remettant toutes ses valeurs en question. Qu'avait-il fait pour mériter cela? Un ressentiment sans nom, aigre et violent, contre sa mère, son père et tout ce qui ressemblait de près ou de loin à ce qui avait été sa vie, avait alors planté ses griffes douloureuses dans son cœur et son esprit. Tout ce qui avait modelé son monde jusqu'ici, sa famille, ses amis, ses sécurités, ses désirs venaient de s'évaporer derrière lui, comme un rêve s'estompe au réveil, ne permettant aucun jalon entre cette réalité qu'on venait de lui imposer brutalement et ce passé qui l'avait renié sans aucune raison. La sensation de liberté qu'il s'était inventée, les obligations qu'il s'était créées face à Maxime pour tenter de passer au travers n'avaient été finalement qu'une utopie de plus. Comment avait-il pu se convaincre du contraire? À onze ans, on n'a rien à dire. Il aurait dû le savoir, depuis toujours il n'y avait que la voix de son père qu'on entendait. Il a donc serré les dents et fermé son cœur à double tour. Mais depuis ce jour-là, Sébastien a oublié aussi qu'il arrive parfois qu'on ait envie de rire. La ronde des familles d'accueil a alors commencé. Renfermé, buté, il refusait tout contact et se montrait parfois même violent. Il ne voulait surtout pas qu'on l'aime et lui ne voyait pas pourquoi il devrait s'attacher à qui que ce soit. Que veulent dire les liens d'amour, d'amitié? Sa mère, celle en qui il croyait, celle qui aurait dû l'aimer envers et contre tout et que lui aimait malgré tout, cette mère-là l'avait laissé tomber. Comment avait-elle pu abandonner les enfants à qui elle avait donné la vie? Il ne comprenait pas. Le geste n'engendrait que révolte, douleur et questions sans réponses dans le cœur de Sébastien et le mot confiance n'avait plus la moindre résonance en lui. De son père, il ne gardait ni souvenirs tendres ni moments de complicité. Il était un homme froid, gardant la flamme de ses propos pour ses plaidoiries et pour ponctuer violemment les conseils exigeants qu'il prodiguait avec libéralité à ses deux fils. Quant à l'école, de concession inévitable quand on est au seuil de l'adolescence elle s'était muée en une obligation intolérable qu'il essayait de fuir le plus souvent possible. De fugues en réprimandes, de retenues en punitions, il a subi les directeurs, les professeurs, les travailleurs sociaux, les familles d'accueil qui se succédaient inexorablement et le temps a finalement consenti à passer. Trimbalé d'un quartier à l'autre, d'une école à l'autre, il a perdu ses amis de vue et n'a pas cherché à s'en faire de nouveaux. Pendant tout ce temps, Sébastien n'a revu Maxime qu'à deux reprises. La douleur d'en être séparé se faisant violence à chaque fois qu'il le voyait, Sébastien a préféré rester à distance. De sa mère, il ne sait si elle est toujours vivante et il s'en fout. Tout ce qu'il a gardé d'elle, c'est sa grogne permanente envers la vie. Sur ce point, oui, il aimerait peut-être lui reparler. Juste le temps de lui dire qu'elle avait raison. Rien de plus. Quant à son avocat de père, il a appris par le travailleur social de l'école qu'il fréquentait sporadiquement à ce moment-là qu'il s'était remarié et avait demandé à le reprendre avec lui. Sébastien avait alors quinze ans. Il a refusé. Son père habitait toujours son quartier chic, sa maison de luxe, roulait en Mercedes et plaidait presque tout le temps. Il n'y avait donc rien de changé. De là à conclure qu'il buvait probablement toujours autant et avec les mêmes justifications, il n'y avait qu'un pas à faire. Il rossait donc, tout aussi probablement, sa nouvelle femme, son nouveau fils et Maxime qui, lui, avait choisi de retourner vivre avec lui. Juste à y penser, Sébastien en avait eu la nausée. Alors, pour cet adolescent blessé, mieux valait une famille d'étrangers qu'il n'aimait pas à un père qu'il détestait et méprisait profondément. Heureusement, on avait tenu compte de sa décision. Alors, son père non plus, il ne l'a jamais revu. Par choix. À dix-huit ans, tel qu'il se l'était promis, en toute connaissance de cause, Sébastien a adopté la rue comme domicile permanent. Il se promène d'un immeuble abandonné à un autre immeuble abandonné, au gré des besoins et des contraintes, se contente d'une soupe populaire le midi quand l'estomac crie famine ou d'un hot dog le soir à la roulotte de «Pops». À l'occasion, il profite du grand air pour dormir à la belle étoile, surtout quand il ne fait pas trop froid. Il ne cherche même pas à recevoir l'aide sociale ne voulant aucun domicile fixe. De toute façon, pour le peu qu'il en sait, il n'y aurait probablement pas droit. Et depuis les dernières semaines, depuis un certain soir d'avril froid et pluvieux, il a ajouté un élément à sa vie. Quand il en a assez de l'inconfort de la rue, de la précarité de sa survie, quand le confort de son ancienne vie se permet de le harceler, indécence des souvenirs, il se trouve quelque «grosse ridicule», comme il les surnomme avec mépris. Il a vite compris que ces hommes en manque d'affection sont sincèrement heureux de voir un jeune garçon comme lui accepter leurs avances, et Sébastien se fait payer la belle vie pour le temps où cela lui convient. La société l'a renié, à son tour il va lui faire un pied de nez. Il provoque pour le plaisir de provoquer, il quête pour la satisfaction de profiter des autres. Il considère que son dû est payé à l'avance. Il assume sa marginalité comme d'autres leur infirmité. La liberté est le seul bien qu'il entende posséder. Il ne fait confiance à personne parce que, jusqu'à preuve du contraire, personne ne mérite sa confiance.

Comprenant que François ne sera pas là, ce matin non plus, et ruminant sa rancœur, il descend Berri, tourne machinalement sur Sainte-Catherine. C'est toujours là que ses pas le mènent quand il a faim et qu'il en a assez de faire la queue avec son plateau. C'est encore là que ses pas le mènent quand il se sent querelleur, désabusé, fatigué. Cherchant délibérément à faire taire sa raison, ne se laissant guider que par quelques souvenirs lointains ou encore par une curieuse sensation de prendre sa revanche. Contre qui? Il ne saurait le dire. Qu'une impression globale, cette insolence dédaigneuse qui le pousse à agir. Pendant quelques jours, il va s'offrir une virée. Parce qu'il le veut bien. Parce qu'il l'a décidé. Personne, jamais plus, ne viendra lui dire ce qu'il doit faire ni quand il doit le faire. Le temps de trouver un dollar pour se payer un café chez McDo, où il va faire un brin de toilette, puis il va arpenter le coin question de se trouver un mécène. Ses cheveux blonds attachés sur la nuque, son regard de ciel d'été et son allure juvénile accolés à sa carrure de sportif le servent à merveille. En échange de quelques faveurs consenties, malgré l'espèce d'indifférence qu'il a vis-à-vis le geste, ou de dégoût, il ne saurait le dire, Sébastien va s'offrir un lit, une douche et un repas qu'il aura lui-même choisi…

Les mots de son père, depuis quelques semaines, ont pris un sens nouveau…

CHAPITRE 3
1995

AU CENTRE-VILLE DE MONTRÉAL, EN PLEIN MOIS DE JUILLET…

«Il est absolument inutile de marcher pour aller prêcher,
à moins de prêcher où l'on marche.»
SAINT-FRANÇOIS D'ASSISE

Le centre-ville ressemble à s'y méprendre à un four chauffé à blanc. De la chaussée monte un frémissement de chaleur qui suffoque. François a troqué ses bottes pour une paire de sandales et le carré Berri pour le parc La Fontaine. Il n'y a qu'au Refuge où il arrive à respirer à fond quand il s'y rend parfois pour rencontrer un jeune ou un autre intervenant. Le soubassement sombre garde une fraîcheur bienfaisante. Depuis la fin du printemps, il traîne avec lui une fatigue inexplicable. Même si les antibiotiques, en dernier recours, ont eu le dessus sur sa grippe, il a l'impression qu'elle est toujours en veilleuse… Par chance, dans quelques jours, il s'envole vers la France avec Marie-Hélène pour deux semaines de vacances. La Provence et la Côte devraient le remettre d'aplomb une bonne fois pour toutes.

Appuyé contre le tronc d'un arbre centenaire, le torse nu, Sébastien offre son visage au soleil. C'est bien la vie d'itinérant, l'été, quand il fait beau. Ce plaisir viscéral de n'avoir rien à faire… La liberté, la grande liberté… Une visite à la roulotte de Pops de temps à autre, un dîner par-ci, par-là, dans quelque soupe populaire, un peu de sous quêtés au coin des rues pour les cigarettes, la bière et un joint à l'occasion sont amplement suffisants pour combler ses besoins du moment. Un vieux «short», nettement trop grand mais quand même utilisable, subtilisé à Gilbert, sa dernière conquête du printemps, traîne au fond de son sac à dos et permet une visite régulière aux piscines publiques de la ville, alors il ne se sent pas trop sale. Ces grosses «pédales» qui sont aux anges de se promener avec un jeune dieu comme lui, Sébastien peut les oublier pour l'instant. Il ne sait s'il s'en réjouit: une curieuse froideur plane sur le sujet. Ses nuits, il les passe à vau-l'eau, se contentant souvent de la belle étoile, changeant d'endroit régulièrement pour ne pas avoir à se lier à qui que ce soit. Il y a déjà eu trop d'étrangers dans sa vie. À commencer par des parents qui n'en étaient pas vraiment. Alors Sébastien ne veut créer de liens avec qui que ce soit. Pas plus avec les autres jeunes qu'il croise régulièrement qu'avec les intervenants qu'il rencontre dans les différents endroits qu'il fréquente. Ne reste finalement que François qui est devenu, au cours des derniers mois, la seule régularité officielle qu'il tolère. Peut-être est-ce parce que François n'exige rien et ne questionne même pas. Probablement. Quand ils se rencontrent, ils se contentent de rester à la surface des choses et cela convient admirablement bien à la tournure que Sébastien entend donner à son existence: vivre pour le moment présent et en tirer le meilleur parti possible. Demain est déjà trop loin pour lui, trop incertain. Et puis, François est à peine plus vieux que lui et derrière ses propos, Sébastien devine des blessures profondes. Il n'a pas questionné, tout ce qui n'est pas l'instant présent étant tabou pour lui. Mais il soupçonne quelque souffrance et cela suffit à créer des liens. Les seuls qu'il accepte. Sans qu'il soit capable de l'identifier clairement, Sébastien ressent une réelle attirance envers François. De celles qui s'apparentent à l'amitié. Malgré tout, il reste réticent, offrant au travailleur de rue l'image de celui qui ne veut ni attaches ni obligations. Il refuse toujours de prendre la carte d'affaire de François, avec son numéro de «bipper» que le travailleur de rue tente de lui donner à chaque fois qu'ils se rencontrent.

— J'ai besoin de rien pis de personne.

La notion de confiance est encore beaucoup trop précaire

pour qu'il veuille s'y abandonner sans réserve. Par contre, ce matin, parce qu'il fait beau et qu'il se sent de bonne humeur, quand il entend la voix du travailleur de rue qui l'interpelle, Sébastien étire un sourire. Un vrai, sincère, comme il y a des années qu'il n'en avait pas eu, surpris lui-même de sentir ses lèvres s'étirer spontanément. D'une torsade habile des reins, Sébastien est déjà debout, refoulant cependant son sourire. Par choix consenti ou peut-être par réflexe, il ne saurait le dire vraiment...

— Salut Gombi...

Gombi, c'est le surnom qu'il a donné à François. Spontanément, la première fois qu'il a rencontré le jeune homme quand il est venu s'asseoir près de lui sur un banc de parc au carré Saint-Louis, le nom d'un de ses personnages préférés de bande dessinée lui est venu à l'esprit. Un bonhomme en pâte à modeler, plat et long, qui a l'air de se casser en deux quand il se penche. Un peu comme François finalement. Le nom lui est resté.

— Salut, Sébas. Quoi de neuf?

Sébastien éclate de rire, superbe, provocant.

— Quoi de neuf?

Regardant tout autour de lui, il ouvre large les bras et laisse tomber, arrogant:

— Il fait beau ce matin... C'est suffisant comme nouveauté pour une seule journée, non? Pis toi?

— Fait beau, ce matin. Moi aussi, ça me suffit, rétorque François sur un ton nonchalant en se laissant tomber sur l'herbe.

Pendant un moment, François offre son visage au soleil, les yeux fermés. Il entend Sébastien qui s'assoit à son tour. Alors, il demande négligemment:

— Pis?

— Pis rien, je viens de le dire... J'aime bien l'été, on n'a pas besoin de penser. La vie est plus facile.

— C'est vrai, t'as raison. C'est pas mal mieux de se promener pieds nus dans nos sandales que de patauger dans la «slush»...

— Mets-en...

Pendant un moment, on n'entend plus que les bruits de la ville, quelques cris, des rires et une volée de moineaux qui piaillent avec allégresse dans l'érable, au-dessus de leurs têtes. Les deux hommes laissent les rayons du soleil leur chauffer la peau sans dire un mot. Puis François reprend:

— Je suis content de t'avoir trouvé. Je te cherchais justement.

— Ah! Oui?

— Oui. Je voulais te dire que je pars en vacances, la semaine prochaine. Je ne voudrais pas que tu m'en veuilles comme au printemps dernier quand je suis allé à Québec sans te prévenir. Faut dire à ma décharge que t'étais pas vraiment visible...

Sans relever la dernière remarque, ce qui ne lui ressemble pas, étant habituellement toujours sur ses gardes, Sébastien laisse tomber:

— Tu pars?

Sans vraiment le vouloir, une pointe de déception, ou peut-être d'inquiétude, a teinté la voix du jeune homme. Alors, retenant un soupir de contentement, François se soulève sur un coude. S'il ne se berce pas d'illusions et que Sébastien est vraiment déçu, c'est que l'approche des derniers mois commence à porter ses fruits. Il enchaîne aussitôt.

— Oui, je pars avec ma blonde. On va en France.

Sébastien émet un sifflement sarcastique.

— Rien de trop beau.

François hausse les épaules en se recouchant sur l'herbe fraîche.

— Ça, Sébas, ça fait partie des choix que j'ai faits. Comme toi, je suppose...

— Peut-être ben, grogne le jeune homme, visiblement peu enclin à élaborer sur le sujet.

Puis, avec un entrain un peu forcé, il demande:

— Où en France?

— Sur la Côte d'Azur et un peu partout en Provence.

Pendant un instant, on n'entend que les oiseaux se chamaillant avec conviction.

— C'est vraiment l'fun, la Côte d'Azur, approuve Sébastien dans un filet de voix contrastant curieusement le ton rauque qui lui est habituel.

Puis à nouveau le jacassement des oiseaux prend toute la place pendant que François retient son souffle. S'il peut affirmer cela avec cette visible assurance, au-delà du chuchotement, c'est que Sébastien y est déjà allé. La pointe de nostalgie teintant sa remarque, même s'il ne l'a pas recherchée, est sans équivoque. C'est la première fois que le jeune soulève un pan du voile d'indifférence accusatrice qui recouvre son passé. À peine un souffle entre eux, peut-être bien, oui, ou encore une simple suggestion, un élan du cœur imprévu, une envie incontrôlée. Qu'importe. La confidence est enfin venue. Et aussi ténue soit-elle, François aurait envie de prendre Sébastien dans ses bras pour lui faire comprendre à quel point un moment comme celui-ci est important. Mais justement comme il s'agit là d'un instant crucial dans leur relation, et à cause de la fragilité du ton, François reste de glace et demande avec un détachement calculé dans la voix, pour ne pas l'effaroucher:

— Tu connais?

À nouveau, un bref silence tisse sa réserve au-dessus du parc La Fontaine. Et à nouveau, un simple murmure en guise de réponse.

— Un peu. C'est vague… J'avais cinq ans quand ma mère nous a amenés avec elle, mon frère et…

Sébastien se tait brusquement, comme s'il sortait d'un envoûtement. Mais qu'est-ce qui lui a pris de dire ça? De toute façon, pourquoi parler d'un passé qui ne veut absolument plus rien dire? Pourquoi faire référence à une vie qu'il a choisi de renier parce qu'elle-même l'avait laissé tomber froidement? Il y a peut-être eu ce voyage en France, oui, et quelques autres aussi. Mais il y a surtout eu des remarques cinglantes et des taloches derrière les oreilles. Il ne faudrait pas l'oublier… Il ne comprend pas ce qui lui est arrivé et n'a surtout pas envie d'aller plus loin. Se relevant d'un bond, le visage empourpré, il se dépêche d'enchaîner sur un terrain moins compromettant.

— La piscine Fullum, cet après-midi, ça te dit quelque chose?

C'est au tour de François de dessiner un vague sourire même s'il a l'impression que le vol d'ailes qui les isolaient, Sébastien et lui, s'est retiré. L'intensité de cet instant dérobé à la course du temps a bel et bien existé, il ne l'a pas inventée, et cela lui suffit largement. Car, même s'il n'en est peut-être pas conscient,

Sébastien est en train d'ouvrir la porte de son monde secret. Tant pis s'il fait du coq à l'âne, en ce moment, tant pis si la démarche est timide et que, pour pallier à l'inconfort qu'il ressent probablement devant la confidence qui lui a échappé, Sébastien se donne cette allure dégagée qui répond au besoin viscéral qu'il a de se montrer toujours et partout en parfait contrôle. Mais là encore, c'est la première fois qu'il propose quelque chose, qu'il tend la main au travailleur de rue. Et si pour combler ce qu'il voit comme une maladresse de sa part il use d'une autre ouverture d'esprit, François est satisfait. Même si ce n'est que pour une banale invitation à la piscine publique du quartier, Sébastien recherche une présence. C'est un début. François s'empresse donc d'accepter sans revenir sur l'autre sujet.

— Super. On se retrouve où?

Sébastien a l'air soulagé. Alors François sait qu'il a eu raison d'agir comme il vient de le faire.

— Là-bas, à la piscine, après le dîner. Le jeudi, ça ouvre de bonne heure.

— Okay… Ça va nous faire du bien. Il fait pas mal chaud depuis quelques jours.

Ils se sont amusés comme des enfants pendant près d'une heure. Puis Sébastien a décrété qu'il avait à faire et il est parti sans explication, du pas pressé d'un homme important fort occupé… François l'a regardé un moment, un sourire moqueur au coin des lèvres devant cette allure affairée, un peu empruntée qu'ils ont tous à la perfection. Mais à l'instant où Sébastien disparaît au coin de Rachel, le sourire s'efface de lui-même, emporté par le regret vif et spontané qui vient de s'imposer. Brusquement, François n'a plus envie de partir en vacances. Pas maintenant, pas tout de suite. Sébastien a besoin de lui et il semble bien que le temps d'intervenir soit là, à portée d'intention. Pourtant, en même temps, la senteur sucrée de l'eau d'érable envahit ses narines, aussi réelle que s'il se trouvait subitement transporté dans l'espace et le temps. La voix de son grand-père Jérôme se fait présence, enterrant même les cris de joie des enfants qui s'amusent dans la piscine. «… Ne laisse pas la vie avaler tes rêves…»

Et les voyages font partie de ces rêves qu'ils ont choisi d'appeler priorité, Marie-Hélène et lui.

Le cœur battant à tout rompre, une vague crampe lui creusant l'estomac, François ramasse sa serviette et se dirige vers le vestiaire, le sourire de Marie-Hélène flottant dans sa pensée, dérangeant, provoquant une déchirure en lui.

Tout à coup, le jeune travailleur de rue a l'impression qu'un voile d'ombre vient de glisser devant le soleil alors qu'un long frisson lui chatouille le dos... Car présentement, intimement emmêlée à la sensation d'urgence qui l'agresse de plus en plus souvent, cette ambiguïté dans ses choix lui fait presque regretter son voyage... Et Sébastien n'est pas le seul jeune qu'il va laisser derrière lui pour un temps. Il y a Mélanie, Robert, Frédéric, Vincent... Mais il y a aussi Michel et Louise, ses amis de travail, qui seront là, eux, présents, disponibles. François soupire. Quand donc cette difficulté qu'il a à se dissocier de son travail va-t-elle disparaître? Car ce n'est rien de plus qu'un travail. Différent, plus direct, moins corseté que celui des intervenants travaillant dans un système plus bureaucratisé, mais un travail quand même qui ne devrait pas empiéter sur sa vie de tous les instants. Il le sait. Alors, s'obligeant à ne voir que la chance qu'il a de pouvoir s'offrir un voyage comme celui qui s'en vient, il ramasse sa serviette et la glisse dans son sac à dos. Pour l'instant, il y a Vincent qui l'attend devant l'église Saint-Sacrement, rue Mont-Royal. Il y a un mois, quelques copains de la gang avec qui il se tenait se sont fait arrêter en plein trafic de drogue et brusquement, Vincent a eu peur. Peur de l'engrenage dans lequel il avait mis le doigt, peur de ne plus rien contrôler, peur de se retrouver en taule. En quelques jours, la bande qui était toute sa vie n'existait plus vraiment. Les jeunes se regardaient maintenant en chien de faïence, flairant gens et événements avec méfiance comme pour trouver un coupable à leur déveine. Les amis d'hier avaient tous revêtu un masque menaçant. Du jour au lendemain, Vincent a donc quitté l'appartement qu'il partageait avec deux amis, ayant toujours pris ses décisions impulsivement, ses idées et ses choix étant bien arrêtés, avec ou sans raisons, et non négociables. Un papier épinglé au-dessus du téléphone du

Refuge où il a trouvé gîte pour l'instant et annonçant une agence de travail a attiré son attention. Il s'y est présenté et s'est finalement déniché un emploi de livreur. C'est pourquoi aujourd'hui, avec François, il doit visiter quelques logements. C'est avec l'enthousiasme délirant, un peu naïf, souvent aussi versatile qu'un kaléidoscope, qui le caractérise si bien, qu'il a choisi de vivre enfin chez lui. Seul.

* * *

François est parti depuis trois jours. Le ciel de Montréal est bas, lourd d'humidité et de chaleur accumulée. On en vient presque à souhaiter la pluie pour rafraîchir le fond de l'air. Désœuvré, vaguement désabusé, Sébastien se promène de la rue Mont-Royal à la rue Sainte-Catherine, quêtant à droite et à gauche afin de s'offrir une bonne bière froide ou, à défaut, une petite liqueur au McDo. Mais les gens, accablés par la chaleur, sont plutôt agressifs, pour ne pas dire provocateurs. Ou alors vacanciers indifférents. On l'ignore avec ce regard dédaigneux réservé aux choses qui nous répugnent, on le contourne, on le bouscule parfois ou on l'apostrophe en termes non équivoques. Malgré tout, l'expérience aidant, Sébastien reste poli, gardant pour lui les répliques cinglantes qui lui viennent à l'esprit. Il n'a pas envie de provoquer de bataille ou d'affrontements inutiles qui risqueraient de l'emmener au poste de police. Quand on veut se faire oublier, on ne nargue pas, on ne défie pas. Il connaît les techniques du «low profile» comme il connaît son alphabet. Comprenant qu'il perd son temps et qu'il n'arrivera même pas à récolter quelques sous, Sébastien rebrousse chemin en direction du parc Fullum. Il se sent sale, son t-shirt lui colle à la peau et c'est peut-être là la sensation qui lui est le plus désagréable. La chaleur est de plus en plus insupportable. Mais devant l'orage qui menace, la piscine vient de fermer ses portes. Machinalement, le nez en l'air, Sébastien se dit qu'effectivement il serait préférable de se trouver une place pour la nuit s'il ne veut pas se transformer en lavette. Et pourquoi pas un gîte, pour une fois? Ainsi, au moins, il pourrait prendre une douche. Coup de pied dans la porte close de la clôture ceinturant la piscine, quelques sacres pour passer la frustration, Sébastien ajuste son sac à dos d'un coup d'épaule et reprend la rue Rachel en direction de Berri. Peut-être bien que, à cette heure-ci, à la bouche de métro, il arrivera à se trouver un peu d'argent. Juste à la pensée d'un gros hamburger, il ressent les contractions de son estomac et l'envie d'une énorme portion de frites dorées lui fait accélérer le pas…

— Sébastien?

Pendant un bref instant, Sébastien suspend ses gestes et délaisse la porte qu'il tenait ouverte pour les gens sortant du métro, oubliant même le gobelet qu'il tend de sa main libre. Un imperceptible flottement le porte. D'où vient cette voix qui l'interpelle? Et qui donc peut savoir son nom? Dans la rue, il a joué la carte du chacun pour soi à outrance et presque personne ne le connaît. Le réflexe de partir sans se retourner s'impose un moment. Puis la curiosité l'emporte et il détourne la tête. Un peu plus haut sur Berri, à l'arrêt d'autobus, il y a bien quelques personnes. Une vieille dame, un homme chauve et bedonnant, quelques adolescents tapageurs qui attendent en ligne. Sourcils froncés, Sébastien les observe, hausse finalement les épaules et décide de s'en aller. Soulagement et déception entremêlés. L'interpellation ne lui était pas adressée.

— Hé! Sébastien…

À nouveau, Sébastien s'immobilise, hésite puis détourne la tête. C'est alors que leurs regards se croisent. Il doit avoir à peu près quinze ans, cheveux rasés, espadrilles de marque, gilet Ralph Lauren… En un coup d'œil, il a évalué l'adolescent qui semble le reconnaître. Mais c'est surtout le regard qui le retient. Cette lueur d'inquiétude qu'il n'a pas oubliée, qu'il n'oubliera jamais. Maxime… Malgré les années qui ont filé et l'allure qui a changé, il sait d'instinct que son frère est là, à deux pas de lui. Et brusquement, c'est comme si tous les bruits de la ville fusionnaient en un gigantesque remous incontrôlable qui l'aspire dans le passé. L'envie de faire les quelques pas qui les sépare l'envahit brutalement, immense, balayant tout l'espace d'un regret violent. Comme une ouverture possible ralliant le passé et l'avenir en un sentiment unique, un grand vent d'espoir qui lui fait débattre le cœur. Quelques pas, juste quelques pas à faire. Le temps suspend son souffle, Sébastien imagine deux mains qui se tendent, une accolade... Une fraction de seconde, une hésitation, une envie... Puis quelques battements de cœur douloureux, trop douloureux tandis que la ville reprend sa dimension normale. Klaxons, bruit de freinage, des cris, une musique et par-dessus cela, une voix. Autoritaire, dédaigneuse. Son père... Maxime, c'est aussi son père. Alors la révolte l'emporte. La voix tranchante qui a scindé sa vie en deux s'impose brusquement à ses oreilles. Écho brutal qui englobe toutes les amertumes de son enfance, refluant en lui sans le moindre contrôle comme un jet de bile dans une mauvaise indigestion. Jamais il ne ressemblera à cet homme indifférent et froid. Jamais. Se détournant vivement, le visage toujours aussi impassible, Sébastien traverse la rue, se faufile à travers les passants nombreux en cette fin d'après-midi de canicule. Puis il disparaît, se fond aux promeneurs, anonyme dans cette foule impersonnelle.

En fin de compte, à bien y penser, l'interpellation ne s'adressait pas à lui...

Dans le verre de styromousse sale qu'il tient précieusement dans sa main, il devrait y avoir suffisamment de pièces pour s'offrir un trio à quatre dollars...

Finalement, la journée aura été bonne.

L'orage a frappé en pleine nuit. À partir de minuit, les éclairs se sont succédé à une cadence d'enfer et l'atmosphère est devenue étouffante. Pas une brise, pas le moindre frémissement d'air. Couché près de la fenêtre, les bruits de la ville s'estompant de plus en plus comme si la cité était en attente, Sébastien s'est enfin endormi. Par instinct ou par besoin, pour une première fois il a passé la soirée à jouer aux cartes avec quelques habitués du gîte où il a trouvé une place pour la nuit. Par respect des convenances, en une entente tacite entre gens de la rue, personne n'a posé de questions. Ou on est de la même gang et on se tient, ou on est des étrangers et on se respecte. On reconnaît son visage pour l'avoir aperçu ici à quelques reprises et cela suffit. Alors Sébastien s'est concentré sur son jeu comme s'il s'agissait d'une question de survie et il a glané quelques cigarettes pour demain. Il a pris une longue douche fraîche, jouissant de la senteur du savon sur sa peau et de cette sensation de propreté qui lui manque si souvent, puis il s'est glissé entre les draps, concentrant son regard et sa pensée sur le ciel qui se déchaînait. Ne pas penser, surtout ne pas penser, regarder le ciel, espérer la pluie, écouter attentivement pour percevoir les premiers coups de tonnerre... Le sommeil, beau joueur, l'a pris par surprise comme le voleur d'émotions dont il avait besoin.

Est-ce le violent coup de tonnerre ou autre chose qui vient de l'éveiller? Le cœur battant la chamade, désorienté, Sébastien se tourne sur le côté, les yeux grand ouverts sur l'orage qui déferle sur Montréal. La pluie tombe en cascades bruyantes, le ciel clignote comme un feu d'artifice, le claquement sec des coups de tonnerre le fait sursauter. Pourtant, il y a quelques instants, il était sur une plage avec...

Le rêve lui revient tout d'un coup.

C'était l'été, il n'était qu'un gamin et il poursuivait son frère sur une plage du Maine, en vacances avec sa mère. L'eau trop froide, les vagues trop hautes, le soleil trop chaud... Mais il riait, il riait... Un rêve, des souvenirs, une réalité qui ne lui appartient plus. Et Maxime... Maxime qui avait peur des orages et venait souvent se glisser près de lui dans son lit quand la tourmente faisait rage, la nuit. Toujours avec lui parce que son père le traitait de «fif» s'il osait frapper à la porte de leurs parents. Maxime qui, comme lui, préférait la lecture au hockey. Brusquement, un flot de souvenirs venus tout droit du pays de son enfance envahissent l'esprit de Sébastien et se bousculent dans sa tête sans lui laisser le moindre répit. Une sarabande débridée, une débauche d'images qui se piétinent. Leur jeu de chimie, les parties d'échecs, de Monopoly, la collection de timbres donnée par leur grand-père, les affiches de *Star Wars* sur les murs de sa chambre, sa mère qui leur dit de crier moins fort, sa mère qui les emmène avec elle à la mer, sa mère qui fait une tarte au sucre, leur préférée... Et Maxime toujours présent à travers ces souvenirs. Puis il entend sa mère dire que la vie n'est pas juste et ses deux poings se referment. Sa mère qui ne riait presque jamais, qui trottinait du matin au soir à travers leur immense maison pour que tout, toujours, soit impeccable, au retour de Me Duhamel.

Pourtant, la révolte qui lui est habituelle n'est pas au rendez-vous cette nuit. Car plus forte que celle de sa mère, il entend aussi la voix de son père qui les traite de tapettes, Maxime et lui, à cause de leurs cheveux blonds bouclés et de leurs grands yeux bleus et parce qu'ils n'aiment pas les jeux violents, les jeux de garçons.

— Des crisses de tapettes, Brigitte! Tu m'as fait deux tapettes, sacrament!

Et il revoit le visage fermé de sa mère, ses yeux brillants, ses mains qui tremblent parce que Me Duhamel a bu et que, dans ce temps-là, vaut mieux ne pas le contredire. Cette mère qui a foutu le camp... Pourtant, ces quelques mots qui ont modelé son adolescence ramenant à chaque fois une colère aveugle chez Sébastien, cette nuit ils ne veulent plus dire la même chose. À cause d'un rêve, d'une ronde folle de souvenirs, il vient de comprendre sa mère. Ses silences, ses retraits, sa distance de plus en plus grande face à eux... Oui, il vient de comprendre que sa mère ait pu avoir envie de se protéger, de se soustraire à cet homme qui était son mari. Pourtant, il n'accepte pas plus ce geste qu'auparavant. Il n'avait que onze ans et Maxime allait avoir neuf ans. Pourquoi a-t-elle fait cela? Pourquoi les avoir laissés derrière elle? Il n'avait que onze ans, il n'était qu'un gamin et cette nuit, seul dans la tourmente qui fait rage, c'est encore l'enfant qui se rappelle. Il vient d'arriver de l'école et la maison est étrangement silencieuse. Ni radio, ni disques, ni télé... Impulsivement, il monte à l'étage, ouvre les portes de chambres à la volée.

— Maman? T'es là?

Sur le bureau dans la chambre de ses parents, les bouteilles de parfum ont disparu, dans la salle de bain, il manque la brosse à dents rose. Intuition, instinct, pressentiment. D'un seul coup, tout s'éclaire et il comprend. Dans sa tête, un ouragan immense de larmes et de refus l'empêche de penser. Retenant ses sanglots, il fonce vers l'escalier qu'il dévale en trombe. Désarmé, apeuré, il se précipite à la cuisine et prend le téléphone. Son père... Il doit appeler son père même si celui-ci déteste qu'on le dérange à son travail. Parce que, pour une fois, Sébastien apprécierait que Me Duhamel ait une réponse. Il a toujours réponse à tout.

— Mais qu'est-ce que tu inventes là? Encore des idées de fou! T'as pris ça dans quel livre, cette fois-ci? Et premièrement, arrête de brailler comme une fille. Un homme, un vrai, ça ne pleure pas.

Un homme, ça ne pleure pas...

Quelques mots, l'impression de recevoir une douche glacée. Alors Sébastien a avalé ses larmes.

Sa mère n'est jamais revenue. Si son père a eu du chagrin, il n'en a rien laissé voir. Chez les Duhamel, la vie a continué sans la moindre différence, sinon que c'est Sébastien qui faisait le souper, maintenant, quand il revenait de l'école. Pour lui et Maxime. Jamais pour son père, qui allait invariablement au restaurant... Aujourd'hui, il est devenu un homme, c'est vrai, et jamais il ne pleure. Ni de douleur, ni de déception, ni de chagrin. La vie lui a montré comment serrer les dents et se taire. Mais cette nuit, c'est l'enfant qui se rappelle. C'est l'enfant qui a mal à sa vie. Est-ce qu'un enfant a le droit de pleurer, lui, quand tout fuit et vous échappe et qu'il a peur? Deux larmes coulent sur les joues de Sébastien alors qu'il fixe le ciel qui s'éclaire à répétition, se demandant, cruelle ritournelle dans sa tête, si Maxime a toujours peur des orages. Les éclats de tonnerre s'éloignent, ne sont plus maintenant qu'un grondement lointain. Alors, l'enfant aussi se retire et c'est l'homme maintenant qui compte machinalement entre chaque coup de tonnerre, reniflant ses derniers souvenirs.

— Ça va pas?

Du lit d'à côté s'échappe un murmure. Un vieil homme chétif, à la barbe hirsute et au regard bienveillant, se soulève sur un coude, scrutant l'obscurité. Sébastien sursaute comme quelqu'un pris en flagrant délit. Délit de faiblesse, de sentimentalisme qu'il avait juré bannir de sa vie. Aimer, ça fait trop mal. S'essuyant le visage du revers de la main, Sébastien se tourne sur le côté, le visage devant la fenêtre. Une bonne brise entre enfin par la vitre entrouverte. Il pousse un dernier soupir en avalant ses dernières larmes.

— J'ai le rhume, gronde-t-il agressif... Pis mêle-toi donc de tes affaires.

CHAPITRE 4
Été 1995

DE LA FRANCE À LA BEAUCE…

*« Il n'existe aucun remède à l'amour, si ce n'est
d'aimer davantage. »*
HENRY DAVID THOREAU

Marie-Hélène et François se sont trouvé un modeste
mais adorable refuge en Provence. Un mas chaulé à
neuf, aux planchers de tuiles sombres, aux murs lam-
brissés et dont la chambre, au deuxième, permet d'entrevoir un
reflet d'océan, avec beaucoup de bonne volonté et une excellente
vue en se hissant sur la pointe des pieds. Mais qu'importe! Cette
humble demeure abrite discrètement leurs vacances et leurs
amours et cela suffit à leur bonheur. Un minuscule jardin, à l'arrière, accueille une table de pierre, deux chaises cannelées et le
chat des voisins. Parfum de lavande sur fond de brise marine.
Subtilité des nuances qui comble l'esprit quand on vit ses émotions à fleur de peau comme François et Marie-Hélène le font
depuis qu'ils sont ici. Retiré dans son coin, un vieil olivier tordu
mûrit lentement ses petits fruits au soleil chantant des cigales.

— On reste ici, soupire Marie-Hélène en s'étirant paresseusement. On disparaît à jamais, on se volatilise, on s'évapore…

Ils en sont au troisième café qu'ils prennent chaque matin dans
le jardin. Le regard perdu dans le vide, au-delà de la haie qui les
sépare de la pinède, François se laisse chauffer par le soleil. Il
tourne son sourire vers la jeune femme qui le dévore des yeux.

— C'est vrai qu'on est bien, approuve-t-il en s'étirant à son tour. Mais moi, au contraire ça me donne envie de rentrer chez nous.

— Comment ça?

— Parce qu'ici, on dirait que la vie ne va pas au même rythme qu'ailleurs. C'est un peu comme si l'essentiel prenait sa véritable importance. Manger, boire, dormir, prendre du temps pour ceux qui nous entourent... Regarde comment les gens nous accueillent, ici. Partout où on va, on dirait que tout le monde nous connaît depuis toujours. Les gens prennent le temps de vivre, Marie-Hélène. Personne ne court comme des fous.

— C'est exactement ce que je dis et c'est bien pour ça que j'aurais envie de rester. J'ai l'impression d'avoir le temps de respirer et je t'avoue que ça me fait un bien immense. Tu ne crois pas qu'on serait bien si on s'installait ici? Prendre le temps de regarder la vie sans être constamment bousculés... Depuis qu'on est arrivé, je me sens libre. J'ai l'impression d'avoir enfin le droit de reprendre mon souffle.

— Toi aussi? C'est drôle, mais j'ai la même sensation. Et c'est bien pour ça que je dis que ça me donne envie de revenir à la maison. La vie dans ce coin de paradis me fait penser à mes jeunes de la rue. Pour eux aussi, le quotidien se résume bien souvent à l'essentiel. Un toit pour dormir, une assiette bien garnie... Dans un sens, la rue oblige à revenir aux sources, à certaines valeurs que nous avons tendance à oublier parfois. Alors d'être ici me donne des ailes. Me donne envie de revenir à l'essentiel, justement, même à Montréal où on a trop souvent l'impression de courir.

Puis au bout d'un bref silence, François ajoute, vibrant:

— Si tu savais à quel point j'aimerais que nos jeunes puissent venir ici... Pour qu'ils puissent constater que certaines de leurs attitudes sont fondamentales... Je suis persuadé qu'à voir le rythme de vie qu'adoptent les gens d'ici, ils se sentiraient moins marginaux... Et ils consentiraient peut-être à voir la vie autrement que comme une espèce de machine à sous qui leur répugne, qui les agresse.

— Peut-être bien...

Pendant quelques instants, Marie-Hélène reste silencieuse, le regard évasif. Puis elle enchaîne d'une voix rêveuse:

— Je crois que je comprends ce que tu veux dire. Moi aussi, dans le fond, ce que je préférerais, c'est transplanter la Provence chez nous. Parce que bien honnêtement, moi aussi je commence à m'ennuyer de mes petits protégés. Tu sais, François, eux aussi, à leur façon, ils se battent pour l'essentiel.

— C'est vrai. Il y en a pour qui la vie ne fait pas de cadeaux…

— C'est sûr, je le sais. Et nos emplois réciproques nous amènent justement à essayer d'aid…

Mais c'est comme si François n'entendait pas ce que Marie-Hélène est en train de lui dire. D'une voix rêveuse, il enchaîne sur ce qu'il disait quelques instants auparavant:

— Tu vois quand Sébastien me dit qu'il n'entrera jamais dans le moule parce qu'il ne veut rien savoir de ce monde matérialiste où tout le monde pense que tout s'achète, je ne peux qu'approuver en partie. Il n'a pas complètement tort. À voir certaines personnes aller, on peut facilement croire que le seul but qu'ils ont dans la vie, c'est d'avoir de l'argent. Toujours plus d'argent. Par contre, s'il pouvait venir ici, Sébastien comprendrait qu'on peut, chacun à notre façon, arriver à un bel équilibre…

Et poussant un profond soupir, François ajoute:

— Je suppose que c'est à nous de le faire comprendre. Ce n'est qu'une question de respect. Comment l'homme a-t-il réussi à rendre tout si compliqué?

Et sur ce, pirouette de l'esprit, François éclate de rire.

— Dire qu'on est venu ici pour nous reposer! Et nous voilà rendus à philosopher sur les valeurs essentielles de l'existence.

— Mais ça fait aussi partie des vacances, prendre le temps de penser, tu ne trouves pas? J'ai l'impression qu'on est en train de remettre les pendules à l'heure. Et je crois que c'était important de le faire. Quand je disais qu'il faut essayer de se distancer de notre travail hier, ce n'était qu'une façon différente de dire les mêmes choses. Et je crois que c'est implicitement compris dans ce dont on est en train de parler.

— Peut-être…

— Par contre…

Tout en parlant, Marie-Hélène se lève et vient s'installer sur les dalles de la terrasse aux pieds de François. C'est la tête appuyée contre les genoux de son mari qu'elle poursuit, vibrante.

— Par contre, il ne faudrait jamais oublier qu'au départ, il y a nous deux. Ça aussi ça fait partie de l'essentiel dans nos vies.

À ces mots, François lui prend le visage dans ses mains et plonge son regard dans le sien.

— Crois-tu sincèrement que je pourrais oublier une telle promesse? Je t'aime, Marie-Hélène. C'est toi qui donnes un sens à tout le reste.

— Moi aussi, je t'aime, François. Tellement.

Pendant un instant, ils restent immobiles, les yeux dans les yeux, un même vertige les emportant loin, très loin, seuls tous les deux. Alors François se relève aidant Marie-Hélène à le faire à son tour, puis il la prend tout contre lui.

— Je te jure que rien, jamais, n'arrivera à nous séparer, mon bel amour, murmure-t-il dans ses longs cheveux, le souffle court.

Pour un moment, Marie-Hélène reste silencieuse, savourant le souffle chaud de son mari contre sa joue.

Puis elle murmure:

— Je sais que tu m'aimes, François. Jamais je n'ai remis cela en doute et jamais je n'ai cru que quoi que ce soit pourrait nous séparer. Mais la vie telle qu'on la vit présentement nous tient éloignés l'un de l'autre tellement souvent que cela me fait peur.

Et après une hésitation, elle ajoute:

— Est-ce que je peux te parler franchement?

— Bien sûr. Pourquoi le demander?

— Parce que je ne voudrais pas que tu penses que je veux te faire de la peine ou... Oh! Je ne sais plus. J'ai l'impression de ne pas me mêler de mes affaires et en même temps, j'ai le sentiment que je dois parler.

— Alors vas-y.

Pendant un bref moment, François repense à son grand-père lui répétant qu'il ne faut jamais laisser le silence s'installer dans un couple. Merveilleuse Marie-Hélène qui sait toutes ces choses-là par instinct. C'est une fille de cœur, d'émotions. Tout comme Cécile, finalement. L'odeur du savon de Marie-Hélène mêlée à celle des bosquets de lavande l'étourdit comme un bon vin.

Brusquement, il se sent profondément heureux, comblé, riche du plus précieux trésor qui soit. Alors il raffermit la pression de son bras autour des épaules de sa femme et celle-ci, soutenue par la bonne chaleur qu'elle ressent, se remet à parler.

— Vois-tu, François, je me demande si ta formation en psychologie n'y est pas pour quelque chose dans la façon dont tu abordes ton travail. C'est peut-être pour ça que tu n'arrives pas à décrocher complètement. Tu le dis toi-même que tu trouves cela difficile... C'est...c'est peut-être simplement que tu cherches trop à analyser... Comment est-ce que je pourrais te dire ça? Regarde-moi, par exemple, même si c'est peut-être boiteux comme comparaison. Les enfants sourds avec qui je travaille n'ont peut-être pas les mêmes attitudes que ceux que tu croises, mais je crois que tu vas comprendre.

— Je t'écoute.

— Ce que je voudrais le plus au monde, explique-t-elle avec circonspection, ce serait de leur redonner des oreilles en santé pour qu'ils puissent entendre le chant des cigales dans le soleil de midi ou encore le cri des grenouilles, le soir, au coucher du soleil. Qu'ils sachent apprécier la grandeur d'une œuvre de Beethoven et danser sur un rock endiablé qui leur ferait battre la cadence. Mais je sais bien que c'est impossible. Tout ce que je peux faire pour eux, c'est de leur donner des outils efficaces pour qu'ils puissent vivre par eux-mêmes et pour eux-mêmes. Pour qu'ils apprennent à trouver au-dedans d'eux la manière de faire qui leur sera propre et qui peut-être leur permettra, un jour, de deviner tout ce qu'ils n'entendront jamais. Chacun à leur façon. Je ne changerai pas leur vie, François, je vais simplement les aider à faire en sorte qu'ils puissent fonctionner le plus harmonieusement possible dans une société faite surtout pour les bienportants. Est-ce... est-ce que tu vois où je veux en venir?

Très sérieux, François écoute sans interrompre, les sourcils légèrement froncés.

— Je crois... oui, je crois que je commence à comprendre.

— Pour toi, François, c'est un peu la même chose. Pour chacun des jeunes itinérants que tu vas rencontrer, il y a mille et une raisons qui les ont poussés à choisir la rue. Et ce bagage qu'ils portent en eux, tu ne peux pas le modifier. Il est là et fait partie de ce qu'ils sont.

— D'accord.

— Par contre, ta présence, ta seule présence peut faire toute la différence. Ils savent que tu es là, qu'ils peuvent compter sur toi en cas de besoin et c'est là l'essentiel. Tu ne changeras pas leur destinée et ne la choisiras pas à leur place. Mais tu peux les accompagner, par exemple, les soutenir, les écouter, cheminer avec eux le temps où eux jugeront que c'est nécessaire. Mais sincèrement, je ne crois pas que ton mandat doive déborder de ces limites-là. Remarque que je me trompe peut-être et que je suis peut-être en train de…

— Non… non, Marie-Hélène, l'interrompt vivement François, sachant pertinemment qu'elle touche là une vérité qu'il ne cesse de se répéter depuis des mois. Tu as raison. J'en parle souvent avec Michel et Louise et je sais fort bien que ce que tu me dis là est la seule vraie façon d'aborder mon métier si je ne veux pas y laisser ma peau. J'en suis conscient. Je ne suis pas le sauveur de l'humanité et je ne peux faire plus que mon possible. Quand je regarde froidement la situation, je suis capable d'admettre mes limites. Et quand je me suis engagé dans cette voie, c'est exactement de cette manière-là que je voyais les choses. Mais, au fil du temps, au fur et à mesure des jours qui passaient et des rencontres que je faisais, j'ai senti en moi comme une force qui me pousse à aller au-delà de ces limites. Je ne sais pas d'où ça vient, mais c'est là.

Marie-Hélène reste un instant silencieuse, la confidence de François la ramenant à une supposition qui l'interroge depuis quelque temps déjà. Se dégageant légèrement de son étreinte, elle le regarde longuement, amoureusement. L'intensité du moment la porte à se sentir en confiance. Elle sait aussi qu'un instant de complicité et d'intimité comme ils vivent présentement ne se présente pas tous les jours. Alors elle reprend d'une voix très douce.

— François? Est-ce que je peux te poser une question indiscrète?

Le jeune homme la regarde avec une lueur malicieuse au fond des yeux.

— Encore? Bien sûr.

À nouveau, elle le fixe intensément, essayant de faire passer dans son regard tout l'amour et le respect qu'elle ressent pour lui. Et devant la brillance de ce regard qui le fixe, subitement, François comprend que Marie-Hélène est sérieuse.

— Est-ce que la mort de Marco n'y serait pas pour quelque chose?

Marie-Hélène a décidé de jouer le tout pour le tout, même si, jusqu'à maintenant, elle n'avait jamais osé aborder directement le sujet. Elle connaît François depuis longtemps et sait combien cette période de sa vie a été pénible. Restera à tout jamais pénible. Parce que, en aucun temps, il n'a clairement parlé de cette nuit d'horreur où Marco est mort dans ses bras alors que, hormis ce lourd souvenir, il n'y a aucun secret entre eux. Elle a connu François au moment où celui-ci venait de se décider enfin à suivre une cure de désintoxication. Ils avaient seize ans tous les deux. Elle est immédiatement tombée amoureuse de ce beau grand gars qui avait une lueur de douleur au fond des prunelles. Elle l'a accompagné dans sa lutte, l'a soutenu dans les moments difficiles, a pleuré tout contre lui, mêlant leurs larmes de colère et de découragement. Mais ils se sont aussi moqués ensemble des moments tragi-comiques et ils se sont encouragés mutuellement au moment des études, faisant déjà des projets d'avenir. Et c'est à deux qu'ils ont su qu'ils avaient gagné la bataille le jour où ils ont obtenu leurs diplômes. Ça faisait plus de six ans que François ne touchait plus à la drogue et se montrait réservé vis-à-vis l'alcool. Le seul coin d'ombre entre eux, c'était la mort de Marco. De bribes en allusions, de retraits en fuites, Marie-Hélène avait compris que François n'était toujours pas capable d'en parler et qu'il ne l'avait jamais fait. Mais là, ce matin, elle a l'intuition que le temps est venu de crever l'abcès. Même plus, qu'elle a le devoir de le faire parce qu'il n'y a qu'elle qui puisse lui en parler sans risquer de trop le blesser.

Comme Marie-Hélène s'y attendait, dès qu'il entend ces mots, François tressaille, les paroles de sa femme rejoignant trop intimement les émotions profondes qui sont cachées en lui. Celles qui reviennent parfois en rêve, faisant de certains réveils des retours dans le passé aussi douloureux que s'il venait tout juste de vivre les événements. Le simple nom de Marco a tout réveillé en lui. D'un seul coup, plus rien n'existe autre que l'image du corps de son ami baignant dans son sang qui lui revient avec une telle précision qu'il ferme les yeux, espérant ainsi chasser le cauchemar. Mais au contraire, ce dernier s'intensifie. À ses narines revient même l'odeur de cave humide et froide accouplée à celle, rance et tenace, du sang et des excréments. Un long frisson secoue ses épaules pendant qu'il se dégage et fait un pas. Tous ces souvenirs, cette horreur en lui... Puis il ouvre les yeux, presque surpris de retrouver l'été. La pinède se chauffe au soleil brûlant de midi, les cigales chantent à perdre haleine, la brise venant de la Méditerranée porte en elle une senteur saline qui rafraîchit. Le gros matou jaune se frôle contre son mollet en ronronnant. François dessine un sourire machinal. Marie-Hélène respire à peine, sachant fort bien maintenant qu'elle a touché un point sensible. Peut-être le point sensible qui pourrait faire toute la différence à l'avenir. D'un geste sûr mais très doux, François repousse le chat qui s'éloigne en miaulant, superbe, avant de se réfugier auprès de Marie-Hélène, entourant sa cheville d'une queue possessive. C'est alors que François se remet à parler, d'une voix rauque, différente, le regard perdu sur l'horizon.

— Si quelqu'un avait été là, pour nous, à cette époque, Marco ne serait peut-être pas mort aujourd'hui, crache-t-il, agressif.

— Ce n'est qu'une supposition, François.

— Trop facile pour moi, rétorque-t-il toujours aussi agressif.

— Tu ne pourras jamais répondre à cette question. Personne ne le pourra, affirme inflexiblement Marie-Hélène, mais avec une telle douceur dans la voix que François ne peut pas se sentir attaqué par sa répartie.

Pourtant, il reste sur la défensive, le regard portant toujours très loin sur l'horizon, tous les muscles de son corps crispés et tendus comme sous l'effet d'un effort intense. Brusquement, il est réellement revenu dans le temps et cette question restée sans réponse lui torture l'esprit avec autant d'acuité que ce jour-là. Pourquoi, pourquoi? Culpabilité, stupéfaction, refus, douleur... Le cœur lui bat à tout rompre.

— Mais moi? Moi, j'aurais pu, j'aurais dû l'empêcher, lance-t-il vibrant. C'était mon ami, Marie-Hélène. On était comme deux frères. Et je n'ai rien senti venir. Pourquoi?

— Parce que c'était là le choix de Marco. Ni toi ni personne d'autre n'auraient pu faire quoi que ce soit.

Présentement, Marie-Hélène a l'impression que le son de sa voix n'est autre chose que l'écho des pensées de François. Comme s'il se répondait à lui-même, faisant enfin le point avec sa souffrance.

— Je sais que c'était son choix, admet-il d'une voix contrainte. Et sur le coup, c'est exactement ce que je me suis dit, même si ça peut sembler trop facile.

— Non, ce n'est pas facile. Tu n'y pouvais rien changer, redit Marie-Hélène.

— Peut-être...

— Tu crois vraiment que ce n'est qu'un peut-être?

— Oui, peut-être, répète François.

Pourtant le timbre de sa voix semble moins convaincu, plus calme. Pendant un moment il reste silencieux, perdu dans ses pensées, les sourcils froncés comme s'il cherchait encore dans ses souvenirs, les poings fermés le long de ses cuisses et le regard maintenant tourné vers le passé.

— Peut-être que oui, peut-être que non, précise-t-il enfin d'une voix lasse. Alors d'aider les autres, c'est comme si j'aidais Marco... À ma façon. Faire pour d'autres ce que je n'ai pas su faire pour lui.

À ces mots, Marie-Hélène ressent une grande tristesse pour François. Il a l'air tellement persuadé de ce qu'il dit. Brusquement, elle aurait envie de le prendre dans ses bras comme on le fait pour un enfant malheureux. Pourtant, elle retient son geste, comprenant aussi que, pour l'instant, François ne parle que pour lui-même. Elle poursuit d'une voix toujours aussi douce.

— Pourquoi te faire autant de mal, François? Pour Marco, il est trop tard. Rien ni personne ne peut revenir dans le temps. De toutes façons, chaque être humain est différent et vit les choses différemment. Ce que tu fais pour d'autres aujourd'hui, c'est pour eux que tu le fais. Et rien que pour eux.

— Je le sais… Je le sais... Je le sais!

La carapace vient de sauter. Se tournant vers Marie-Hélène, le visage inondé de larmes, François s'est remis à gronder d'une voix sourde, chargée de colère.

— Parce que tu penses que je ne suis pas conscient que ce que je dis est illogique? Ça fait dix ans que je me répète exactement les mêmes choses. Je ne suis quand même pas fou! Je le sais bien que je n'y suis pour rien dans tout ce gâchis. Je le sais bien que je ne peux plus rien pour lui. Et je sais aussi qu'il ne reviendra jamais. Mais il y a toujours l'image, craque-t-il enfin, tout tremblant. La maudite image… C'est atroce, Marie-Hélène. Et c'est quand j'ai croisé Sébastien qu'elle est revenue me hanter avec autant de précision... Il ressemble tellement à Marco. Sa façon d'être, la manière de s'exprimer... Alors les souvenirs ne sont plus juste des souvenirs.

C'est la première fois que François se l'avoue avec autant d'honnêteté et curieusement, cette acceptation, cette lucidité ouvrent toutes grandes les portes du souvenir. Il revoit la scène avec une précision incroyable, comme s'il y était. Le fiel de dix ans de silence se répand autour de lui, l'enveloppant, faisant renaître la douleur, apaisant ses craintes en même temps, délivrance et cauchemar, véritable tempête dans son cœur et sa tête, l'obligeant à tenir à deux mains la barre de ses souvenirs les plus obsédants afin d'éviter de couler. Afin d'éviter de sombrer dans une mer de culpabilité qui pourrait réduire tous ses espoirs à néant. Il le sent, d'instinct. Le temps de parler est venu. Les mots bloqués depuis une certaine nuit de décembre, coincés entre le cœur et la gorge, se bousculent. Ils doivent sortir, là, maintenant, sinon ils resteront à jamais en lui.

— Je crois que jamais je ne pourrai oublier cette mare de sang autour de lui, ce visage blême, aux narines pincées, au regard vide. Et l'odeur de cave mouillée, d'urine, de merde… Cette odeur de mort…C'est en moi, Marie-Hélène, qu'elle vit maintenant, cette odeur, et ça me fait toujours aussi peur. On était des enfants. Comment se fait-il qu'un enfant ait eu envie de mourir? Je cherche encore une réponse si jamais il y en a une. On jouait en se moquant de tout. Parce que, pour moi, ce n'était qu'un jeu. Fou, dangereux, oui, je le sais, mais un jeu quand même. À l'âge qu'on avait, on était les plus forts et rien ne pouvait nous atteindre. Mais Marco a triché. Il a modifié les règlements sans me consulter. Et à force de jouer avec le feu, il a fini par se brûler. Lui, il n'a jamais rien senti, mais moi, j'en ai souffert. Marco m'a marqué au fer rouge… Il n'en avait pas le droit parce que la brûlure est toujours là, ajoute-t-il en se pointant le cœur avec l'index. Et elle me fait mal. Tellement mal. Et j'ai toujours aussi peur, Marie-Hélène. Peur d'avoir mal pour l'éternité.

Tout en parlant, François tend finalement les bras. D'un élan Marie-Hélène vient vers lui pour l'étreindre très fort tout contre elle.

— Là, là… Doucement, mon amour. Je suis avec toi. Tu ne seras plus jamais seul. Et nous sommes deux maintenant à porter en nous cette image qui te fait peur. Raconte-moi. Raconte encore. Dis-moi ce qui s'est passé pour que, moi aussi, je puisse voir l'image qui te fait peur. Qu'est-ce que tu as fait?

— Je ne sais pas, je ne sais plus…

À nouveau, pendant un moment, François reste silencieux. Puis, peu à peu, les sanglots se calment.

— Nous étions dans une sorte d'usine désaffectée, débite-t-il enfin, péniblement, sur un ton monocorde. Ou un hangar, je ne sais trop. C'était grand, immense. Pendant un bon moment on s'est amusé à s'interpeller à cause de l'écho que ça faisait. Je te l'ai dit: nous n'étions que des gamins. Puis on a partagé un sandwich. Oui, je me rappelle, c'était un sandwich aux œufs parce que c'était la seule sorte qu'on aimait tous les deux et qu'on n'avait plus beaucoup d'argent. Puis on a parlé de rentrer à la maison. En fait, c'est moi qui ai parlé de retourner chez nous. Parce que je commençais à en avoir assez. J'avais envie de dormir dans mon lit, de me laver, de revoir ma famille aussi. Jamais je ne l'aurais avoué à personne, mais elle me manquait. Marco, lui, n'a rien dit. Dans le fond, quand j'y pense, il ne parlait jamais beaucoup. Par contre, comme il le faisait souvent, probablement parce qu'il ne savait comment s'exprimer à froid, je peux l'admettre aujourd'hui, Marco a sorti sa petite bouteille de «crack». «Puisque tu as envie de rentrer, on va rentrer. Mais avant, on va faire la fête pour finir nos petites vacances en beauté», qu'il a dit. Sacré Marco! Il avait toujours une bonne excuse pour s'envoyer en l'air… Et dire que moi, je trouvais ça drôle à l'époque. Il était «cool», Marco, c'était un «leader» et la gang d'enfants qu'on était le dotait d'une auréole de prestige parce qu'il n'avait pas peur de décider, de s'imposer à un âge où habituellement on n'est sûr de rien et surtout pas de soi. Alors on a «sniffé» un bon coup. On a rigolé aussi, de tout et de rien, comme à chaque fois qu'on prenait de la drogue. Puis après, Marco s'est retiré dans un coin pour dormir. Je ne me suis douté de rien. C'est toujours ce qu'il faisait quand il prenait une ligne. Moi, si je me rappelle bien, je suis sorti pour prendre l'air. Mais il faisait froid. On était en décembre, début décembre. C'était humide, glacial même. Alors je ne suis pas resté longtemps dehors. Et puis j'avais envie d'une cigarette et c'est Marco qui avait le paquet sur lui. C'est quand je suis rentré que...

Encore une fois, François fait une pause. D'une main toute légère, Marie-Hélène caresse son dos, pour le réconforter, pour l'encourager à poursuivre.

— C'est quand je suis rentré, poursuit péniblement François, que je l'ai trouvé, replié sur lui-même. J'ai tout de suite vu qu'il était mort. Comme si malgré tout, je savais, quelque part au creux de mes émotions, que ça devait arriver. Je me souviens aussi que je n'ai eu aucune réaction vive. Juste un grand vide froid en moi. Je me suis assis le dos contre le mur, j'ai mis sa tête sur mes genoux et je l'ai bercé, comme on berce un bébé. Mais je crois que c'est moi aussi que je berçais parce que dans ma tête il y avait une voix qui ne cessait de répéter que si je n'avais pas parlé de retourner chez nous, jamais Marco n'aurait fait cela. Je savais qu'il détestait la grande maison froide où il vivait avec des parents qui n'étaient à peu près jamais là. Qu'est-ce qui m'a pris aussi de suggérer ça? Parce que maintenant dans ma tête, il y a toujours cette voix qui me répète que si je n'avais pas voulu rentrer à la maison, ce jour-là, jamais rien de tout ça ne serait arrivé. Voilà, c'est comme ça que ça s'est passé, fait-il enfin, le visage luisant de larmes.

Puis plongeant son regard dans celui de Marie-Hélène, il ajoute finalement:

— Tu sais tout.

— Et toi, même après toutes ces années, tu te sens encore coupable?

Lentement, comme à contrecœur, François approuve de la tête en reniflant.

— Et moi, même après toutes ces années, je me sens toujours coupable, oui.

Alors levant le front, Marie-Hélène vient poser un baiser au coin de ses lèvres.

— Alors moi, j'admire l'homme qui a tant de cœur. Je respecte celui qui ne cherche pas de faux-fuyants. Je t'aime François. Et je comprends un peu plus aujourd'hui pourquoi je suis amoureuse de l'homme que tu es. Ensemble, on a essuyé bien des tempêtes. Maintenant que je sais ce que tu as vécu, ce que tu vis encore, on va à nouveau serrer les coudes et passer à travers.

François dessine un petit sourire sans joie.

— Ce ne sera peut-être pas nécessaire. Parce qu'en ce moment je me sens léger comme il y a bien des années que ça ne m'est pas arrivé. Et drôlement fatigué... J'ai l'impression que je viens de passer des heures et des heures à me battre contre des éléments déchaînés et que, brusquement, la mer était redevenue étale... Je suis épuisé... Je crois que je vais m'offrir une petite sieste.

Alors, enlaçant très fort Marie-Hélène contre lui, François complète:

— Mais je sais que, cette fois-ci, aucun cauchemar ne viendra troubler mon sommeil.

Puis, dans un souffle, à l'oreille de sa femme, il ajoute:

— Je t'aime, mon amour. Merci d'être là. Le fait de t'avoir parlé remplacera peut-être les cris que j'aurais dû pousser quand j'ai trouvé Marco. Je ne sais pas... On verra avec le temps.

Puis il s'étire, regarde longuement autour de lui. C'est l'été, une saison toute sèche sur la pinède, différent de ceux qu'il connaît et le soleil brûle la peau. Il est en vacances avec la femme qu'il aime. Autour d'eux, il y a le chant des cigales, l'odeur de lavande et le goût des olives. Alors François revient devant Marie-Hélène. Elle le regarde en souriant. Ils se regardent en

souriant. Oui, la tempête s'est éloignée, emportant avec elle remous et vagues trop hautes. Et François a survécu. Il pousse un
profond soupir, comme s'il venait de refaire surface et qu'il savait que cette goulée d'air est justement celle qui le ramènera à
la vie. Peu à peu, les battements de son cœur se calment. Le chat
jaune est revenu jusqu'à lui, le regarde un instant, avance un peu
plus, à la fois indécis et superbe, entoure finalement le mollet de
François de sa longue queue touffue. Alors le jeune homme se
penche pour le caresser. Et le chat ronronne en roulant de la tête.

Marie-Hélène regarde son mari et sait qu'à jamais cette image
restera gravée en elle. L'image d'un homme calme, heureux.
L'image d'un homme qui revient à la vie après un long et pénible détour. François lève la tête vers elle.

— Et il nous reste encore toute une semaine de vacances!
Parfait. Parce que si j'ai hâte de revoir mes jeunes, il me semble
tout à coup que ce n'est plus pareil. Que plus rien n'est pareil et
j'ai bien l'intention de profiter de chacun des instants de repos
qu'il nous reste... Que dirais-tu de passer par la Normandie en
remontant vers Paris? J'aimerais ça revoir Don Paulo... Il ne doit
plus être très jeune, mais je suis certain que tu vas l'aimer. C'est
un être tellement entier.

La voix de François n'est plus la même. À cause de cette sérénité que Marie-Hélène entend pour la première fois. Cette force
aussi, cette tranquille assurance. Alors la jeune femme étire un
large sourire. Elle sait qu'elle vient de rencontrer le vrai François.
Celui qui essayait désespérément de se faire entendre depuis
toutes ces années.

— D'accord pour la Normandie, approuve-t-elle en se penchant pour caresser le chat elle aussi. Mais pour l'instant, je par-
tagerais bien un moment de sieste avec toi. Qu'est-ce que t'en
dis?

* * *

Après quelques jours de canicule, un peu surprenants pour le mois
d'août, la température s'est soudainement mais tout à fait norma-
lement rafraîchie. Les nuits sont même frisquettes et dans le verger
de la ferme des Cliche, les pommes hâtives commencent déjà à

rougir. Le temps de mettre la cidrerie en branle n'est pas très loin et inlassablement, jour après jour, Jérôme prépare cuves, siphons et tamis. Mais cette année (Eh! Que voulez-vous? On ne rajeunit pas!), il trouve la tâche ardue.

— Promis, marmonne-t-il pour lui-même tout en mesurant les poudres désinfectantes. L'an prochain je trouve de l'aide plus tôt en saison. C'est trop pour un seul homme!

Parce que cette année, Cécile n'est là qu'à demi.

— Je suis fatiguée, Jérôme. La chaleur qu'on vient de connaître au début du mois m'a probablement affectée plus qu'à l'ordinaire. Rappelle-toi, il y a quelques semaines: ce matin, où je n'arrivais pas à me tirer du lit. Depuis ce jour-là, j'ai l'impression que rien ne va. Donne-moi quelques jours encore pour me ressaisir et je te rejoins à la cidrerie. C'est vrai que le gros de la saison va commencer.

Mais curieusement, l'intérêt habituel qu'elle porte à leur «bébé» semble éteint. Oh! Elle vaque toujours à ses occupations, prend soin de Mélina, de la maison, parle de projets, le soir à la veillée avec Jérôme. Mais elle le fait un peu comme un automate, le ressort de son habituel enthousiasme semble brisé. Lassitude, ennui, fatigue? Elle-même ne saurait le dire. Qu'une sensation d'abattement qui englobe tout, du réveil au coucher. C'est pourquoi, quelques jours plus tard, alors qu'ils prennent le café sur la galerie, profitant des rayons du soleil, plus chauds le matin, Cécile revient sur le sujet, avouant, un peu surprise:

— C'est drôle, Jérôme, mais je me sens lasse. C'est un peu comme si un brouillard s'était levé dans ma tête pendant une nuit et qu'il n'arrivait plus à se dissiper. Je n'ai plus envie de me forcer à quelque chose. Je me sens paresseuse, sans énergie. J'ai l'impression de tourner en rond. Même la lecture ne m'attire pas. Ce n'est pas peu dire!

Pourtant, malgré ce constat, après un moment de réflexion, elle ajoute malicieuse, dans un éclat de rire:

— C'est probablement parce que ça fait longtemps qu'on n'a pas fait de petit voyage ensemble. Tu sais à quel point j'aime ça!

À ces mots, Jérôme joint son rire à celui de Cécile, inexplicablement soulagé.

— Tu ne couds pas tes astuces au fil blanc, ma chérie. C'est avec un câble que tu as ficelé celui-ci! Le message est passé! Promis, ma douce, en novembre, on décolle. C'est moi qui n'ai rien vu. Avec l'état de santé de maman qui se détériore petit à petit, depuis sa mauvaise grippe au printemps, les journées doivent être longues et parfois même difficiles pour toi. Oublie la cidrerie pour l'instant et tente plutôt de trouver quelqu'un pour prendre la relève ici quand on s'absentera à l'automne.

— Oui, c'est une idée...

Puis subitement, comme si cela faisait des lustres qu'elle y songeait, elle ajoute pensive:

— Pourquoi ne demandes-tu pas à René de venir t'aider...

— René? René qui?

— René Vachon. Il me semble que c'est un ami sur qui tu pouvais toujours compter, non?

— Mais voyons, Cécile...

Pendant un moment, Jérôme reste interdit. Une inquiétude subite et immense balaie toute pensée autre que ce serrement du cœur. Que se passe-t-il avec Cécile? Il semble bien que sa fatigue dépasse, et de loin, tout ce qu'elle peut suspecter. Cependant, il doit l'admettre, il est vrai que sa mère nécessite de plus en plus une attention de tous les instants. La vieille dame ne se déplace plus qu'à l'aide d'une marchette et de farouche indépendante qu'elle était, Mélina se fie maintenant aux autres pour satisfaire le moindre de ses caprices. Et Cécile qui ne se plaint jamais! Alors il tend la main pour prendre celle de sa femme et la serrer avec affection. Puis l'inquiétude revient. Aussi fatiguée soit-elle, Cécile a un curieux trou de mémoire...

— Tu ne te rappelles pas, ma douce? René est décédé l'hiver dernier.

— Ah! Oui?

Pendant un moment, Cécile reste silencieuse, les sourcils froncés, comme sous l'effet d'une intense réflexion. Puis elle murmure d'une voix à la fois distraite et incrédule:

— Tu crois?

À nouveau, elle reste immobile, le regard un peu absent. Puis le meuglement lointain d'une vache la fait sursauter. Alors, elle se tourne vers Jérôme, son sourire habituel sur les lèvres, toujours un peu triste mais éclairant à nouveau l'éclat de ses yeux.

— C'est vrai… J'avais oublié… Curieux, parce qu'on est même allés ensemble aux funérailles. Je m'en souviens clairement maintenant. Je ne comprends pas ce qui m'est arrivé.

Dernier flottement, un voile léger comme une brume diaphane dans le regard, puis Cécile s'ébroue comme quelqu'un qui sort du sommeil. Sa voix a retrouvé son assurance coutumière.

— Par contre, je sais fort bien ce que l'on va faire: c'est moi qui vais t'aider. Non, non, pas d'objections, je t'en prie, fait-elle vivement lorsqu'elle voit Jérôme se tourner vers elle pour l'interrompre. À trop me centrer sur mes états d'âme, j'en oublie l'essentiel. Rien de mieux qu'un petit coup de pied où je pense pour se remettre en forme. C'est vrai que je suis épuisée, mais c'est vrai aussi que j'ai tendance à m'écouter un brin depuis quelque temps. La grippe de ta mère a bon dos pour me servir d'excuse! Mais c'est fini tout ça. Je vais trouver quelqu'un pour me seconder à la maison auprès de ta mère et le tour est joué.

— Tu es bien certaine que ce ne sera pas trop pour toi?

— Trop?

Cécile éclate de rire. De ce rire juvénile qui fait chavirer le cœur de Jérôme à chaque fois qu'il l'entend. Du coup, le malaise ressenti un moment auparavant s'envole. Qui ne serait pas épuisé devant la lourdeur du quotidien avec une vieille femme qui ne s'aperçoit plus à quel point elle est devenue exigeante? Cécile semble avoir repris sur elle et c'est avec enthousiasme qu'elle lance, pendant que Jérôme pousse un profond soupir, témoin de l'intensité de son soulagement:

— Allons donc! J'ai encore bon pied, bon œil, mon bel amour.

Puis redressant les épaules, elle énonce sur un ton grave, moqueuse:

— Le temps de trouver quelqu'un et je suis votre homme, monsieur Cliche. Je le sens: cette année va être une année record pour le cidre. Regarde comme les pommes sont belles! Et j'ai bien envie de rajouter de la gelée et quelques conserves à notre production habituelle. C'est l'épicier du village qui m'en faisait la remarque, l'autre jour. Qu'est-ce que tu en dis? Moi, je trouve que c'est une excellente idée. Sans oublier la montagne de petits cœurs en sucre que j'ai faits au printemps dernier! Oui, donne-moi un petit moment d'ajustement et nous allons retrousser nos manches ensemble. On pensera aux vacances après...

CHAPITRE 5
Fin août 1995

«Nous ne voyons pas les choses telles qu'elles sont, nous voyons les choses tel que nous sommes.»
ANAÏS NIN

L'été tire à sa fin. Les journées sont plus courtes, plus fraîches et à la fin de la semaine, les piscines publiques fermeront déjà leurs portes. Dans un mois, cela fera un an que Sébastien a coupé les ponts avec tout ce qui pouvait ressembler à une vie sociale normale. Du moins, tel qu'on se plaît à le reconnaître. Pourtant, lui, il se dit satisfait du train-train de ses journées. Ni obligations ni contraintes. N'est-ce pas là tout ce qu'il voulait? Être libre, sans la moindre entrave? Ne plus avoir à subir ce que d'autres auraient choisi à sa place? Plus de réprimandes, de reproches, de remarques, de mépris, d'attentes et de déceptions… Pourtant, petit à petit, une certaine monotonie commence à l'agacer. Mais bien qu'il en soit conscient, il n'a pas l'intention de changer de vie pour l'instant. De toute manière, en changer pour quoi? Il serait bien en peine de le dire. Il y a simplement en lui une drôle d'impression qui lui laisse un vague à l'âme, une langueur qu'il met à l'enseigne de l'habitude. On finit toujours par s'habituer à tout. Par se créer une routine qui finit par nous ankyloser. Et n'est-ce pas là ce qu'il cherchait à contourner, à éviter, à travers tout le reste? C'est peut-être simplement pour cela que, depuis quelques semaines, il lui est arrivé à plusieurs reprises de rêver à Maxime et l'envie de le revoir, de lui parler, de savoir ce qu'il devient occupe souvent le fil de ses pensées. Diversion qu'il ne repousse plus systématiquement parce qu'elle ajoute au quotidien cette illusion, cette dimension chimérique dont on a tous besoin. Confondre fantasme et réalité, besoin et espoir... Mais lorsque le cours de ses rêveries bifurque insidieusement vers son père, d'un haussement colérique des épaules, il passe à autre chose. Malgré tout, il soupçonne vaguement qu'il ne pourra errer comme il le fait, sans but précis ni projets, durant toute une vie. Mais là encore, il écarte cette idée d'un soupir désinvolte. Il n'a que dix-huit ans. Le temps ne presse pas vraiment. Il a toute la vie devant lui. À ne rien faire, à se laisser porter par l'insouciance et la sensation de liberté, l'esprit s'encroûte, devient paresseux. Alors, il a de la difficulté à imaginer l'avenir autrement qu'à travers la simple perspective du lendemain. Il avance dans la vie selon la température annoncée et le besoin de manger. Pourtant, il fut un temps où l'on disait de lui qu'il était un élève brillant et qu'il aurait le monde devant lui, s'il le voulait. Mais ce passé rejeté tout à fait consciemment lui semble aujourd'hui tellement lointain qu'il lui arrive de se demander s'il ne l'a pas tout simplement inventé. Puis l'image de son frère lui revient en mémoire, la voix dédaigneuse de son père l'agresse, le reflet de plus en plus flou de sa mère se manifeste et il sait qu'il n'a rien inventé. Alors la spirale l'emporte à nouveau. Souvenirs, déceptions, colère, lassitude...

Assis nonchalamment, les jambes se balançant le long du quai, au Vieux-Port, Sébastien se laisse engourdir par la douceur des rayons du soleil de ce beau dimanche après-midi, se disant qu'il y a de fortes chances pour que François soit revenu de ses vacances. Sans l'admettre publiquement, il reconnaît en son for intérieur que la présence du jeune travailleur de rue lui tient à cœur. Ces trois dernières semaines, il y avait comme une absence dans sa vie et les journées lui paraissaient s'étirer plus qu'à l'ordinaire. Leurs longues discussions sur tout et rien, les quelques confidences échappées, les cafés partagés lui reviennent en mémoire et Sébastien s'aperçoit que François lui manque. Ces dernières semaines, il y avait une drôle de brume qui brouillait le cours de ses journées. Et ce besoin des autres qu'il avait si farouchement combattu lui coule aujourd'hui sur l'âme comme une douceur. L'espace d'un instant, celui de s'en délecter. Puis la peur revient. Celle d'avoir mal, d'être blessé... Trop de souvenirs, d'espoirs déçus. Alors, d'un coup, sa hargne contre la vie obscurcit le ciel et repousse dans l'ombre ses aspirations à un peu d'amitié. Pourtant, le beau temps persiste. L'été est tenace et, si les nuits sont indéniablement plus fraîches, les journées gardent une chaleur agréable et le soleil est bien présent. Alors, ce soir, Sébastien a décidé d'en profiter pour dormir encore une fois à la belle étoile. Il ne saurait expliquer ce qui le pousse à choisir de préférence les parcs aux refuges ou aux édifices abandonnés pour passer ses nuits. Mais c'est un fait: il aime le grand air, l'infini d'un ciel étoilé, la sensation de liberté sans compromis qui l'emporte vers le sommeil quand il n'y a ni murs ni obstacles entre lui et la lune. Ne lui fait défaut, pour l'instant, que la perspective rassurante d'un repas plantureux et il pourrait se dire heureux. D'un bonheur tout simple qui le ramène naturellement à ces moments de plaisir qui peuplaient parfois son enfance. Depuis qu'il a entrevu son frère, Sébastien ne cherche plus catégoriquement à rejeter ce qui a fait partie de sa vie. Il en a sélectionné quelques passages, en a même trié sur le volet pour être bien certain de ne pas se sentir agressé, et depuis, il se plaît à revoir certains épisodes en pensée jusqu'au moment où la voix dédaigneuse de son père finit par tout engloutir:

— Des crisses de tapettes, Brigitte! Tu m'as fait deux tapettes, sacrament!

Sébastien ne se rappelle ni gentillesse ni encouragement de la part de son père. Mais si la colère demeure, la rage aveugle s'est dissoute. Ne subsiste en lui qu'une forte détermination qu'il ne cherche pas à comprendre. Il avance porté par le cycle des jours et des nuits, se disant qu'un bon matin la vie se chargera bien de lui faire signe. D'une façon ou d'une autre. Et pour le moment, le signe qu'elle lui fait est ce gargouillis qui ne laisse aucun doute: il meurt de faim. Mais à la seule perspective d'un autre hot dog, un long frisson de dégoût lui parcourt l'échine. Ketchup, moutarde ou relish: il a beau varier les accompagnements, ça ne reste toujours qu'une saucisse avec du pain et présentement, il en a plus qu'assez. Alors, l'autre possibilité, c'est de trouver un peu de courage pour s'installer au bon endroit afin de quêter les quelques sous qui permettraient un brin de variété au menu. Mais alors qu'il s'apprête à se relever, une voix l'interpelle.

— Mais je ne rêve pas! C'est mon beau Sébastien qui est là! Mais qu'est-ce que tu as fait tout ce temps, doux Jésus? On t'a pas vu de l'été…

Sans même se retourner, retenant à peine le soupir d'impatience qui lui monte aux lèvres, Sébastien devine la présence de Gilbert, sa dernière «conquête» du printemps. Il retient à temps la réplique cinglante qui lui monte aux lèvres en se remémorant les bouffes gargantuesques qu'il a eu l'occasion de faire avec Gilbert. Voilà le signe qu'il attendait! Alors, laissant volontairement tomber le masque dédaigneux qui maquillait ses traits, il tourne un sourire à la fois invitant mais bref. De toute façon, ce serait inutile de trop en faire. Gilbert trottine déjà à petits pas serrés dans sa direction, poussant devant lui, avec célérité, la masse indéfinie de son abdomen proéminent.

— Si tu savais comme ça me fait plaisir de te voir, mon jeune.

Et sans invitation, il se laisse tomber aux côtés de Sébastien.

— Ouf! Pis, quoi de neuf?

À croire qu'ils ne se sont quittés que la veille. Gilbert le détaille avec insistance, roulant des yeux derrière ses lunettes épaisses. Sébastien lui donne la quarantaine, peut-être un peu plus. Bas sur pattes, obèse, ni beau ni particulièrement laid, sentant la lotion après-rasage à des lieux à la ronde, toujours bien mis, Gilbert attend une réponse, les lèvres entrouvertes. Alors Sébastien entre dans le jeu. Un bon souper vaut bien un petit effort.

— Salut Gilbert, content de te voir. C'est vrai que ça fait un bout qu'on s'est pas vu. Mais tu sais ce que c'est, l'été! On va, on vient, on profite du beau temps… Pis toi?

— Toujours pareil. Le train-train, quoi! Non, c'est pas tout à fait vrai. J'ai changé la décoration du salon. Ça faisait un bail que le vert bouteille me tapait sur les nerfs. J'ai mis ça dans les tons de rose gomme… J'ai tout changé! Les fauteuils, les lampes, les tapis. Et les tentures sont d'un chic!

Faisant un gros effort, Sébastien se montre intéressé. Heureusement, avec Gilbert, pas besoin de donner la réplique, il se répond à lui-même. Et il adore tout ce qui touche la décoration, les tissus, les couleurs, la mode. Quand il en parle, il devient intarissable. Il est d'ailleurs vendeur dans une mercerie pour hommes et aime franchement son travail. Il a un tas de copines, toutes plus commères les unes que les autres, avec qui il passe des heures à jaser et discuter au téléphone. Des nouvelles tendances en tout genre en passant par les journaux à potins, tout y passe. En ce moment, il décrit le salon de ses rêves jusque dans les moindres détails et Sébastien n'a qu'à l'observer avec un semblant d'intérêt au fond du regard pour que Gilbert soit aux anges.

— … Si tu voyais ça! Une pure merveille! Ça m'a coûté un bras mais, bof! Dépenser là ou ailleurs… Et tu sais la grosse potiche chinoise près du foyer? Ben, imagine-toi donc que…

Et le voilà reparti avant même que Sébastien n'ait pu émettre le moindre son. Gilbert parle d'une voix un peu précieuse, ses mains boudinées balayant l'air, aussi descriptives que ses paroles, la bouche en cul de poule, susurrant à tout moment comme on suce un bonbon acidulé et claquant de la langue à tout propos. Caricature ou réalité? Sébastien ne peut s'empêcher de sourire. Petit à petit, le charme opère. Avec Gilbert, c'est toujours comme ça que ça se passe: d'abord l'impatience, l'agacement puis le rire. Cet homme fait partie de ces êtres toujours de bonne humeur qui trimbalent avec eux un charisme indéniable. Et présentement, sa présence est presque un baume sur le «spleen» qui envahit le jeune homme depuis quelque temps. Si ce n'était de la dimension sexuelle sans équivoque de leur relation, Sébastien aurait presque envie de dire qu'il aimerait être son ami. De là peut-être ce silence de quelques mois… Et surtout, il y a sa règle d'or: ne pas faire confiance, jamais… Mais il y a plus. Et Sébastien le sait. Cette intimité entre eux, Sébastien n'est plus du tout certain d'y souscrire. Ça rejoint tout le reste. Cette espèce d'ambivalence qui lui revient à chaque fois avec un peu plus d'intensité et qui le poursuit depuis qu'il a aperçu son frère. Curieusement, depuis ce jour, il n'est plus certain de rien. Mais bon, il a faim, non? Et Gilbert ne regarde jamais à la dépense quand il est question d'un repas. Il sursaute quand ce dernier l'interpelle à nouveau.

— Eh! Mon beau, tu m'écoutes ou quoi?

— Oui, oui… Excuse-moi… J'étais dans la lune. Tu disais?

— Si je t'invitais à souper? Tu pourrais constater par toi-même.

En plein dans le mille! Tant pis si cette invitation n'est pas sans arrière-pensée. On avisera en temps et lieu.

— Bonne idée! On mange quoi?

Gilbert boit du petit-lait.

— Ce que tu veux, mon beau. Tout ce que tu veux…

Ils ont mangé une entrecôte et des frites. Sur la terrasse parce qu'il fait encore beau et presque chaud. Et ils ont bu de l'excellent vin. Beaucoup. Trop. Comme chaque fois où Sébastien devine la nuit qui va suivre. L'esprit embrumé, ça semble plus facile. Il ne se pose pas de questions… Gilbert empile les assiettes sales, son ridicule tablier à fleurs lui ceinturant l'abdomen à hauteur d'une taille inexistante depuis l'instant où il a regagné ses quartiers derrière le gril.

— Maintenant, je fais la vaisselle pendant que tu nous pars un bon feu. Le papier journal est dans un coin du garde-robe d'entrée.

Puis sans transition:

— As-tu vu où j'ai mis la potiche? répète-t-il pour la troisième fois. Entre les deux fenêtres, il me semble que c'est mieux, non? Qu'est-ce que tu en penses? Sers-toi un digestif, si tu en as envie. Je te rejoins à l'instant.

Un vrai moulin à paroles! De la cuisine, Sébastien l'entend se parler à lui-même. Sans même prendre la peine de faire attention à ce que Gilbert radote, le jeune homme attrape les vieux journaux, quelques bouts de bois, puis il craque une allumette. Ensuite il sort la bouteille de cognac et un grand verre à eau.

Ils ont passé un bon moment à jouer au *Scrabble*, jusqu'à ce que les lettres se mettent à valser devant les yeux de Sébastien. La bouteille de cognac est presque vide, le feu crépite faiblement, l'air qui entre par les fenêtres entrouvertes est de plus en plus frais. Depuis près d'une heure tout s'est mis à giguer dans la pièce et Sébastien ressent une franche nausée. Le foyer se superpose aux fauteuils et les draperies fleuries, si chères à Gilbert, semblent attaquées par les flammes. Les dragons de la potiche chinoise sont animés et les fleurs séchées sont bizarrement flétries. Tout tournoie autour de lui, comme à La Ronde. Sébastien se rappelle très bien cette sensation désagréable. La dernière fois qu'il est allé à La Ronde, c'était avec Mme Cloutier et son fils Antoine. Quel âge avait-il encore? Ça fait tellement longtemps. Mais peut-être aussi était-ce la semaine dernière. Il n'arrive pas à contrôler la sarabande folle des idées qui virevoltent sans répit dans sa tête. Tout ce dont il se souvient avec clarté, c'est qu'il avait été malade. Et là aussi, il pense qu'il va être malade. Alors il s'oblige à respirer profondément avant de regarder devant lui, essayant de fixer un point bien précis pour faire cesser le tournis. Mais la table aussi se dérobe. À quoi jouait-il encore? Oh, oui! au *Scrabble*. Mais où est rendu Maxime? C'est avec Maxime qu'il joue au *Scrabble* habituellement. Un *Scrabble Junior* que grand-père leur a donné pour Noël. Mais quelqu'un a changé le jeu. Il ne le reconnaît plus. Où sont passés les petits cartons bleus avec les lettres? On les a remplacés par des pièces de bois. Et il n'y a plus d'images colorées ou de mots suggérés sur la planche du jeu...

Péniblement, Sébastien lève la tête. Gilbert le regarde les sourcils froncés. Lui aussi, il tourne comme une toupie. Comme tout le reste d'ailleurs. C'est vrai, ce n'est pas avec Maxime qu'il joue, ce soir. C'est avec le gros Gilbert. La «grosse tapette» dont personne ne veut. Pourtant, présentement, ces mots de mépris n'ont pas la résonance coutumière à ses oreilles. Peut-être que c'est parce qu'il est un «fif» lui aussi, non? C'est son père qui le dit. Et son père a toujours raison... Gilbert s'est approché et lui passe un bras autour des épaules. Exactement comme sa mère le fait quand il ne se sent pas bien. Impulsivement, Sébastien se laisse aller contre Gilbert et ferme les yeux. Mais un vertige immense le fait se redresser aussitôt. Il voudrait dormir tellement il est fatigué, mais il ne peut fermer les yeux sans que la nausée ne revienne... Jamais il ne s'est senti aussi mal qu'en ce moment.

— Ça ne va pas, mon beau?

Sébastien essaie de lui sourire, sans grand succès. Il y a tellement de sollicitude inquiète dans la voix de Gilbert que ce sont des larmes qui lui montent aux yeux. Il a la bouche pâteuse et sa langue est soudainement trop grosse pour sa bouche, malhabile. C'est à peine s'il arrive à articuler clairement:

— Non, pas du tout…

Aussitôt, Gilbert s'emballe, se tordant les mains d'impuissance.

— Voir si ça a de l'allure de boire du cognac dans un verre à eau, aussi… Pauvre toi… Va dans la chambre de bain pis fais-toi vomir.

— Ouach!

— C'est sûr que c'est pas très agréable. Mais c'est efficace.

Sébastien essaie d'aligner le couloir qui mène à la salle de bain. Mais le plancher ondule devant lui. Il n'arrivera jamais à se lever d'ici. C'est alors qu'un violent haut-le-cœur lui tord l'estomac et sans chercher à en savoir plus long, d'un pas vacillant, il se précipite, une main devant la bouche…

Il a été malade à s'en arracher le cœur. Les mains tremblantes, le visage en sueur, les yeux remplis de larmes, il reste un moment le front appuyé contre l'évier de porcelaine froide. Ça fait du bien. Les battements de son cœur s'assagissent, sa respiration se calme. Gilbert avait raison: seul un martèlement continu persiste dans sa tête, accompagné d'un léger vertige. La houle incontrôlable et la sensation désagréable d'avoir les pieds tout ronds ont disparu. Après s'être aspergé le visage d'eau fraîche, essuyé les yeux et rincé la bouche, Sébastien revient au salon. Il a l'air penaud d'un enfant sortant d'une punition méritée. Pendant ce temps, comme procédant d'une obscure intuition, Gilbert a dressé un lit de fortune sur le divan, devant l'âtre.

— Je crois que ce sera préférable comme ça, fait-il tout bonnement, le visage empourpré.

Puis aussitôt après:

— Si t'as envie de jaser… ou peut-être veux-tu dormir tout de suite?

— Non, pas vraiment… Euh!… Excuse-moi pour tantôt.

— Pas de quoi.

Les deux hommes n'osent se regarder. Une indicible pudeur s'est glissée dans la pièce, venue d'on ne sait où. Peut-être tout simplement portée par la brise qui gonfle présentement les tentures pour se vautrer sans-gêne à travers toute la pièce avant de se dresser entre Sébastien et Gilbert, tangible, encombrante. Comme un moment de vérité entre eux. Attendu, provoqué... Sébastien a un long frisson. L'air entré par la fenêtre a des senteurs et des froidures d'automne.

— Mais où ai-je la tête? Tu dois te sentir faible, toi là. Viens, viens prendre la couverte pour la mettre sur tes épaules.

Tout en parlant, Gilbert s'est relevé, tapotant le coussin à côté de lui pour y inviter Sébastien. Puis à petits pas serrés, il va à la fenêtre et ferme les battants avant d'attiser le feu, d'y ajouter une bûche, de ranger les nombreuses revues de décoration, éparpillées un peu partout dans la pièce. Silencieux, Sébastien s'installe confortablement, referme les pans de la couverture autour de ses épaules frissonnantes tout en s'attardant au va-et-vient du gros homme qui continue de monologuer.

— T'aurais dû voir ça quand on a peinturé! Une vraie journée de fous! Pis toi, t'es bien, là? demande-t-il à brûle-pourpoint, en se retournant. Oui? Parfait... Qu'est-ce que je disais donc? Ah oui! La peinture... C'est Claudette qui est venue m'aider. Tu sais Claudette avec qui...

Gilbert a des attitudes de mère poule: rempli de bienveillance, de sollicitude. Un vague sourire effleure les lèvres de Sébastien. Curieuse nature, parfois... Gilbert aurait fait un père sensationnel. Mais la vie en a décidé autrement. Finalement, cet homme est quelqu'un de bien. Un être entier, capable d'écoute, de présence. Gilbert continue à s'activer comme s'il cherchait à peupler le vide entre eux.

— Arrête-toi un peu, demande finalement Sébastien qui recommence à être étourdi par l'agitation de Gilbert. Et viens t'asseoir. Ça fait longtemps que ça ne m'est pas arrivé, mais j'ai envie de jaser...

Sensation de confort devant le foyer, cette chaleur qui l'enveloppe, ce bien-être total après l'indigestion ouvrant le chemin aux confidences à travers une impression de sécurité comme il n'a pas ressenti depuis longtemps.

Alors, jusque tard dans la nuit, ils ont parlé. Chacun pour soi à travers l'autre. Sébastien a raconté son enfance et l'ennui qu'il a de son frère. Puis à son tour, Gilbert s'est confié.

— Mon oncle s'appelait Marcel… Il disait que c'était pour mon bien. Jamais, je crois, je n'oublierai la senteur de foin fraîchement coupé qu'on entassait derrière la grange de mon grand-père…

La voix de Gilbert est grave, totalement différente de l'intonation qui lui est habituelle. Assis sur le bord du coussin, les coudes appuyés sur les genoux, le corps penché dans une attitude typiquement masculine, il ne s'empêtre plus dans ses mimiques et ses attitudes de jeune vierge effarouchée. Tout en lui raconte la vie d'un homme fatigué. La lueur des flammes souligne des rides que jamais Sébastien n'avait remarquées auparavant.

— Ma mère était grande, forte, poursuit Gilbert… Elle avait la main leste et la voix immense… J'ai toujours eu peur des femmes.

— Et moi, je ne leur fais pas confiance, gronde Sébastien, complétant la confidence selon son entendement. Même si ma mère était toute petite, et douce, elle était aussi dure que l'acier… Elle nous l'a prouvé, un bon matin. Mais chez moi, au jour le jour, c'était mon père qui était immense… Costaud, viril, les cheveux en brosse… Il nous traitait de tapettes, mon frère et moi. Parce qu'on n'aimait pas les sports violents, qu'on était plus petits que nos amis et que ma mère s'entêtait à laisser tomber nos boucles blondes sur la nuque… Moi, je ne voyais pas le rapport… Mais mon père avait peut-être raison…

— C'est ce que tu crois?

— Je ne sais pas… Peut-être bien...

Puis dans un souffle.

— Je n'ai jamais fait l'amour avec une femme, avoue Sébastien en rougissant. Alors, pour ce qui est de savoir...

À ces mots, Gilbert hausse les épaules.

— Pis? Ça, c'est quelque chose qu'on sent en dedans de soi...

C'est irrévocable. Une attirance qui est plus forte que tout. Plus forte que le cœur ou la raison... D'aussi loin que je me souvienne, j'ai toujours vu les femmes comme des monuments de glace... Inaccessibles. Puis plus tard, après ce premier été derrière la grange, je les imaginais comme des mantes religieuses qui bouffent le mâle après l'accouplement. Alors l'oncle Marcel...

Gilbert ne complète pas sa pensée. Un long silence se pose sur la pièce et les craquètements du feu se font présence. Pendant un moment, Sébastien écoute le vent qui s'est levé et qui se lamente contre le carreau. Il entend la voix de son père le traitant de tapette, de «fif»... Puis il repense aux quelques hommes qui ont croisé sa vie depuis le printemps. Pourquoi est-il allé avec eux? Tout à coup, il lui semble que son esprit est particulièrement lucide, clair, froid. N'était-ce là qu'une réponse à toutes les accusations de son père? Une façon tordue de rechercher encore et toujours son approbation? «Tu dis que je suis une tapette, vois! Tu as raison. Tu devrais être fier de ta perspicacité, non?» Ou encore une autre façon de narguer ce père qui n'a jamais montré le moindre signe de satisfaction envers lui? Et lui, comment se sent-il quand il est dans les bras de quelqu'un? Il essaie de se souvenir, ferme les yeux pour faire naître des images. Il se revoit, nu, un autre corps contre le sien, des mains qui touchent, qui cherchent... Il ne voit que des mains, un ventre, un dos. Aucun sexe n'effleure sa pensée. Il n'y arrive pas. Indifférence, fadeur... Alors un long frisson lui parcourt le dos.

— Peut-être que c'est tout simplement parce que je n'aime pas faire l'amour, constate-t-il dans un murmure, comme si Gilbert avait pu suivre le cours de sa pensée.

— Peut-être tout simplement que c'est parce que tu as faim parfois.

Sébastien lève un regard défiant vers Gilbert qui vient de ramener ces événements dans leur juste et impitoyable perspective. Sébastien a un frisson. Se peut-il qu'il soit à ce point transparent? Lui qui se croyait en contrôle de situation... Pourtant, il ne ressent ni colère ni frustration. Dans le fond, Gilbert a raison. Bêtement raison, du moins à la surface des choses. Pour les élans profonds, il n'y a que Sébastien qui puisse répondre et il n'est plus certain qu'il a envie de trouver une réponse immédiate. Mais par curiosité, il demande:

— Mais comment as-tu…

Gilbert ne lui laisse pas le temps de finir.

— Parce que lorsque tu es avec moi, je sens bien que tu te retiens en même temps que tu donnes. Toi, tu n'en es peut-être pas conscient, mais moi, je la sens cette réticence qui fait que tu ne t'abandonnes jamais vraiment. Mais c'est correct de même. Si c'est ton choix…

C'est comme si ces quelques mots avaient donné une nouvelle dimension à cette lucidité qu'il ressent depuis quelques instants. Sébastien enchaîne impulsivement.

— Justement, je ne sais plus si c'est vraiment mon choix. J'ai l'impression que de plus en plus souvent il y a une voix qui crie dans ma tête.

— Et qu'est-ce qu'elle crie cette voix-là?

— D'arrêter avant qu'il ne soit trop tard, admet-il, surpris lui-même par cet aveu qui englobe tous les aspects de sa vie. Et en même temps, j'ai vraiment pas envie de rentrer dans le moule. Si c'est pour passer à côté de la vie comme mon père…

— T'es encore jeune Sébastien. Le seul conseil que je peux te donner, c'est d'écouter la voix, justement. C'est exactement ce que je te disais tout à l'heure quand je parlais d'une force en soi qui va au-delà de la raison. Et pour ce qui est de passer à côté de la vie, n'aie pas de crainte, il n'y a que toi qui puisses décider.

— Oh non, Gilbert! C'est pas comme ça que ça marche. Je sais par expérience qu'on n'a finalement pas grand-chose à dire. Pis c'est la même chose pour tout le monde. Si ton oncle n'avait pas été là, malgré ce que tu en penses, est-ce que tu serais homosexuel aujourd'hui? Est-ce qu'un jour quelqu'un va pouvoir répondre à ça franchement? Hein! Gilbert? Franchement et sans la moindre marge d'erreur?

— Non, c'est vrai…

Durant un long moment, le bruit des flammes revient s'imposer telle une troisième voix à leur dialogue. Puis Sébastien reprend.

— C'est drôle, mais je me sens soulagé… Ça faisait des années que je ne voulais parler à personne. Puis tout d'un coup, j'ai eu l'impression que c'était comme une obligation. Pourquoi ce soir? Pourquoi avec toi? Je ne le sais pas. Mais je me sens bien. C'est confus, je ne pourrais pas dire ce que ça va changer demain ni même dire si ça va changer quelque chose, mais je me sens bien. Et là, maintenant, je pense sincèrement que c'est tout ce qui compte.

Il dessine un sourire d'enfant avec une confiance nouvelle dans le regard qui rejoint Gilbert droit au cœur. Pendant ce temps, inconscient des émotions nouvelles qui assaillent Gilbert, Sébastien s'étire en bâillant, puis il reprend:

— Maintenant, j'aimerais dormir un peu…

— Un moment, s'il te plaît…

Gilbert s'est rarement livré à quelqu'un comme il vient de le faire. Et lui aussi, il se sent bien, comme soulagé d'un poids qu'il aurait de la difficulté à décrire. Mais le fait demeure et lui semble d'importance. Alors, regardant Sébastien fixement, il ajoute:

— Je suis content qu'on se soit parlé comme on l'a fait. Maintenant, les choses sont claires. Pour tout le monde… Je crois que tu devrais te trouver une copine, fait-il avec un petit rire. Ça crève les yeux.

Puis redevenu sérieux.

— Mais je veux que tu saches que, malgré tout, tu es ici chez toi. Tu viens quand tu veux. Ma porte sera toujours ouverte pour toi.

Et sur ces mots, rougissant comme une gamine, le gros homme tend la main.

— Amis?

Pendant un instant, Sébastien reste immobile. Il ne peut retirer son regard de cette main tendue en même temps qu'il se dit qu'il ne voulait ni liens ni attaches. Faire confiance est trop dangereux… Alors pourquoi lui et ce soir? Qu'y a-t-il de changé? Mais venue du plus profond de son plus lointain souvenir, une force incontrôlable avale brusquement réticences et réserve. Il entend sa mère dire que la vie n'est pas juste et il aurait envie de lui répondre qu'il n'est plus certain de rien. Peut-être, quand on le veut très fort... Peut-être, oui, qu'on peut influencer les choses... Alors, à son tour, il tend la main.

— D'accord, Gilbert. Et merci.

Gilbert redresse aussitôt les épaules, les yeux brillants. Comme par magie, les rides s'effacent, la voix remonte d'un ton.

— Mon doux Jésus que je suis content... C'est bien beau les copines, pis Dieu sait si j'en ai, mais un «chum» de gars, c'est autre chose...

Façade et réalité, illusions et sincérité. La caricature a retrouvé le confort de sa place. Les règles sont respectées, les convenances observées. On peut continuer à survivre au jour le jour. Et même y trouver un certain agrément.

— Non, non, pas question que tu dormes ici, mon beau, s'exclame-t-il voyant que Sébastien retire le drap pour s'installer. On sait vivre, quand même! Toi, tu prends la chambre. Allez, ouste! fait-il autoritaire, balayant l'air de la main devant son gros ventre. Donne-moi la couverte pis file avant que... Envoye, insiste-t-il vivement devant l'hésitation de Sébastien, va-t-en avant que je dise ce que je ne dois pas dire. On se revoit au déjeuner...

* * *

— Veux-tu bien me dire ce que tu as mangé ou respiré en France? On ne te reconnaît plus! T'es sur la dope ou quoi?

Michel a un éclat moqueur et amical au fond de l'œil. Depuis son retour de vacances, François n'est plus tout à fait le même. Assurance dans le geste et le propos, équilibre dans l'attitude, infatigable... C'est lui mais en même temps, on pourrait dire qu'il s'est bonifié, comme un vin de belle qualité. Aux mots de son confrère, François tourne la tête vers lui, un sourire en coin.

— Eh! Serais-tu devin par hasard? C'est que tu as parfaitement raison! L'air de Provence porte sur sa brise un je-ne-sais-quoi de paisible, de réparateur. Je suis tombé dans un bain de potion magique... Tu devrais y aller toi aussi et Louise avec, conseille-t-il en riant.

Puis il redevient sérieux.

— Sans blague, c'est vrai que c'est le pays du repos par

excellence. Les gens sont charmants, on mange divinement bien, le rythme de vie est tellement différent de tout ce que l'on connaît. À un point tel que j'en arrivais par moments à espérer amener nos jeunes là-bas. Je suis convaincu que certains d'entre eux se sentiraient à l'aise avec les habitudes de la Provence. On vit au rythme de la nature et des repas, comme eux, ajoute-t-il un brin taquin. Mais il y a plus…

Moment de silence intense. François se rappelle cette paix ressentie. Et le chant des cigales qui accompagne le sourire de Marie-Hélène.

— Disons que c'est là que j'avais rendez-vous avec moi-même, explique-t-il finalement, une grande douceur dans la voix. Avec certains souvenirs… Et j'ai fait la paix. Il était temps. Je t'en parlerai sûrement un jour. Je sais que tu vas comprendre.

Pendant quelques instants, les deux hommes se regardent sans parler. Courant d'amitié sincère qui n'a pas toujours besoin de mots pour exprimer ses sentiments. Puis Michel reprend.

— Comme tu veux… Mais laisse-moi te dire que ça fait rudement plaisir de te voir tel que tu es. Tu as l'air bien comme jamais auparavant.

Ils sont dans la petite salle vieillotte, aux couleurs passées, qui leur sert à la fois de bureau, de salle de conférence, de fumoir, de salle à manger, de lieu de rencontre… En début d'après-midi, le soleil entre à flots par la haute fenêtre et la poussière, tout comme la fumée des cigarettes que Michel fume une après l'autre, s'entortille dans un rayon brillant. Par le carreau ouvert, on entend les bruits de la ville et des voix qui s'interpellent. L'air sent bon. De cette fraîcheur acidulée qui n'appartient qu'à l'automne quand il est beau.

— C'est vrai que je suis en pleine forme. Je me sens dangereusement d'attaque… Et en parlant d'attaque… Qu'est-ce qui se passe avec Vincent? Louise me disait hier qu'il voulait encore une fois changer de logement. Trois fois dans un mois, c'est un record, non? Je suis supposé le rencontrer au Porté disparu à l'heure du souper. Qu'est-ce qu'on fait avec ça? On le suit dans son «trip» ou on essaie de le raisonner?

* * *

La cidrerie fonctionne à plein régime. La saison des pommes bat son plein, les fruits sont d'une excellente qualité, la main-d'œuvre tant espérée est enfin au boulot. Jérôme a retrouvé son allant et il semblerait bien que l'épuisement de Cécile n'était autre chose qu'un ennui inhabituel devant la routine. Ce qui est tout à fait compréhensible, vu l'état de Mélina. De s'éloigner quelque peu des corvées domestiques lui fait un bien souverain. Levée tôt et couchée tard, elle suit le rythme de son mari sans le moindre signe de fatigue. Une dame du village a accepté de tenir compagnie à Mélina et ainsi, Cécile peut se libérer de la maison pendant quelques heures chaque jour. Confitures, sirop, gelées et tartes s'additionnent en un étalage savoureux et les passants ne peuvent y résister. La production devrait même dépasser leurs prédictions.

— As-tu vu Jérôme?

Cécile est à la table de cuisine, un amoncellement de papiers devant elle. Elle fait le bilan de la semaine.

— Incroyable! En sept jours, on a fait autant de profit qu'en trois semaines l'an dernier.

— Ah! Oui? Merveilleux. Mais vois-tu, je m'en doutais. Tout ce que tu as rajouté à notre production habituelle y est sûrement pour quelque chose.

— Probablement… Attends un moment, je fais un petit calcul…

Cheveux en bataille, lunettes au bout du nez, Cécile a l'air d'une gamine. La nuit tombe peu à peu, les ombres s'étirent à perte de vue sur le champ dépouillé de ses épis de maïs. La soirée est douce et quelques grenouilles se font la sérénade, entêtement d'un été qui persiste. Au loin, à l'orée du bois, les oiseaux nocturnes ajustent leurs notes.

— Et voilà! Tu avais raison. Une partie du profit vient de ce que l'épicier du village a vendu. Je ne pensais pas qu'il avait écoulé autant de nos produits… En ajoutant les ventes de cidre, ça fait un joli pécule. Regarde!

À son tour, Jérôme se penche sur les colonnes de chiffres. Pas de doute, ils se préparent à battre des records.

— C'est génial! Si ça continue, on va pouvoir se permettre d'engager notre personnel plus tôt l'an prochain. Et je t'avoue que ce n'est pas pour me déplaire! Je commence à ressentir les affres de l'âge… Par contre, jamais je ne regretterai d'avoir eu l'idée de ce petit commerce. Te rends-tu compte, Cécile? À l'âge que j'ai, c'est le premier vrai projet que j'ai conçu et mené à terme. Il était temps, non? lance-t-il en riant.

Mais curieusement, Cécile ne répond pas. Le rire de Jérôme sonne incongru dans l'air tiède de la cuisine. Puis il retombe, inutile, encombrant, alors que Jérôme se tourne vers Cécile. Elle ne semble même pas l'avoir entendu. Penchée sur ses chiffres, elle reste immobile, profondément concentrée, le stylo entre ses doigts pointant le plafond. Pendant un long moment, elle ne bouge pas, puis, dans un soupir, elle se redresse et laisse tomber:

— J'en ai assez…

Et d'un geste saccadé, elle repousse sa chaise, se lève d'un bond, ramasse les feuilles éparpillées devant elle. Cécile la méticuleuse en tout les attrape à la va-vite, un peu n'importe comment, puis vient les lancer sur le buffet.

— Ça me fatigue tout ça, gronde-t-elle sourdement.

Jérôme lève les sourcils. Mais qu'est-ce que c'est que cette réaction subite, déconcertante? Cela ressemble si peu à Cécile la douce. Et où donc est passé le bel enthousiasme qui la soulevait, il y a deux minutes à peine? Il fait un pas vers elle.

— Mais voyons, Cécile?

Mais encore une fois, c'est comme si Cécile ne se rendait pas compte qu'il est là. Le contournant, elle se rend au comptoir, regarde un moment autour d'elle. Au même instant, l'horloge grand-père du salon égrène huit coups. Alors Cécile redevient immobile, tendant l'oreille et d'un hochement de la tête, elle suit le rythme du gong.

— Huit heures, murmure-t-elle alors.

Puis regardant par la fenêtre, elle ajoute à mi-voix:

— Il fait noir. Donc, c'est le soir…

Et sur ce, sourire aux lèvres, elle se tourne vers Jérôme.

— Je crois que je vais préparer le souper. As-tu faim?

C'est comme si Jérôme venait de recevoir un coup au cœur. Mais quelles sont donc ces absences de plus en plus fréquentes? D'un pas, il est près d'elle, l'oblige à lever les yeux vers lui.

— Là maintenant? Mais on sort de table, Cécile.

À nouveau, un drôle de flottement se pose sur la cuisine. Jérôme a l'impression que le temps suspend son cours. Et ce regard vide, immobile, levé vers lui. Puis Cécile s'ébroue, un éclat de vie traversant l'azur de ses yeux.

— Ah! Oui? On a soupé? Bon, si tu le dis. Alors je vais prendre de l'avance pour demain. Que dirais-tu d'une fricassée au poulet? Ça serait bon, non? Il me semble qu'il y a des restes justement...

Et sans attendre, elle se dégage et se rend au frigo, en ouvre tout grand la porte, se penche.

— Plus de poulet, marmonne-t-elle après avoir déplacé quelques contenants. Curieux, j'aurais juré que... Tant pis. Je vais faire un bouilli. Il y a plein de légumes dans le jardin et j'achèterai un morceau de bœuf.

Puis d'un geste brusque, elle referme le frigo.

— Finalement, je vais faire le souper demain. Avec les légumes du jardin.

Puis elle pousse un profond soupir et se retourne vers Jérôme en souriant. Et là, d'un seul coup, il retrouve la femme qui est la sienne.

— Pour l'instant, je monte me coucher, fait-elle en bâillant. C'est drôle, mais je me sens terriblement fatiguée. Tu viens avec moi?

Jérôme doit faire un effort surhumain pour répondre à son sourire.

— Non, pas maintenant... Je... je vais regarder un peu la comptabilité. Ne m'attends pas. Mais j'irai te rejoindre bientôt.

Alors sans plus, Cécile passe devant Jérôme en lui envoyant un baiser du bout des doigts. Il l'entend monter puis refermer la porte de la salle de bain sur elle. Un bruit d'eau dans les tuyaux le fait sursauter. Alors attrapant un chandail sur l'un des crochets près de la porte, il se glisse furtivement à l'extérieur. Lentement, la lune monte au-dessus de la colline de l'autre côté de la rivière, très claire, toute ronde, nimbant les sapins d'un éclat bleuté. Les oiseaux se sont tus. Seules les grenouilles peuplent le silence de la nuit. Alors, sans faire de bruit, Jérôme se laisse tomber lourdement dans un fauteuil berçant et du revers de la main, il essuie une larme qui cherche son chemin à travers ses rides. Puis il renifle. Tournant et retournant impitoyablement dans son esprit, il entend Cécile dire qu'elle veut faire une fricassée de poulet. Il est inquiet, il a peur. Il aimerait se dire ridicule de s'en faire pour si peu. Mais une angoisse sourde et douloureuse lui creuse le ventre.

Parce que la fricassée, c'est ce soir, au souper, qu'ils l'ont mangée et Cécile ne s'en souvenait pas.

CHAPITRE 6
Automne 1995

SUR LE PLATEAU MONT-ROYAL ET EN BEAUCE

*«Personne ne peut vous faire sentir inférieur sans votre
consentement.»*
ELEANOR ROOSEVELT

L'automne est bien là. Les feuilles craquent sous les talons et les passants soufflent sur le bout de leurs doigts, le matin, en attendant l'autobus. Sébastien a trouvé, dans le sud-est de la ville, un vieil immeuble abandonné et pas trop délabré. Il a installé quelques cartons dans le coin où les fenêtres sont restées intactes et il se couvre d'une veste de chasseur presque neuve, récupérée au bazar du Chaînon pour dormir. Pour l'instant, ça peut aller.

Malgré l'invitation, il n'arrive pas à se résoudre à relancer Gilbert. Curieuse attitude chez lui, à tout le moins nouvelle: il ne veut pas abuser. Peut-être est-ce là le prix de l'amitié? Sébastien ne le sait pas. Les seuls amis qu'il ait eus datent du temps de son enfance et à cet âge, l'amitié se résume souvent au simple plaisir d'être ensemble. Alors, il passe ses journées à jongler avec ces nouvelles pensées, se demandant ce qu'il va en faire. Il sent qu'il est à un point tournant. Mais lequel? Il serait toujours en peine de le dire. Une seule constante pour l'instant: il n'est à l'aise que dehors. Le soleil et l'air pur sont devenus ses drogues.

Il revoit François à l'occasion des hasards d'une journée. Pas plus. Un café, parfois, quelques mots au coin d'une rue. Présentement, Sébastien veut s'en tenir à cela. La solitude qui est la sienne est devenue comme une sorte d'exigence dans sa vie, un besoin presque vital qu'il doit respecter. Instinctivement, il sait qu'il doit aller au bout. Pour ne rien regretter. Jamais. Et, sans savoir d'où vient cette certitude, il devine qu'il doit y aller seul.

À chaque jour, il garde quelques sous de sa mendicité de la veille pour s'offrir un café au McDo et faire un brin de toilette. La jeune fille qui le sert, toujours la même, semble le reconnaître avec plaisir. Claudie qu'elle s'appelle, et son sourire est le plus gentil des bonjours. Souvent, il n'y a qu'avec elle que Sébastien échange quelques mots dans une journée. Et curieusement, il constate que cela lui suffit. Sa vie d'itinérant n'est plus uniquement une réaction agressive contre la société. Un geste de révolte. Non. Plus le temps passe et plus il comprend qu'il est un solitaire dans l'âme. Ne reste qu'à savoir ce qu'il va en faire. Une seule vérité guide sa réflexion: il y a certaines attitudes qui seront à tout jamais tabou pour lui. L'injustice étant l'une de celles-là. Et l'abus de pouvoir une autre.

Ce matin, le temps a changé d'allure. Il y a comme un regret d'été dans l'air. Octobre est là et ses couleurs de fête décorent le parc La Fontaine. Sébastien a retrouvé son coin habituel avec plaisir. Comme quoi, il suffit de si peu parfois pour embellir une journée. C'est à cela qu'il pense, Sébastien, quand une voix le fait sursauter.

— Salut Sébas!

François est là. Alors Sébastien se redresse. Il est content de voir le travailleur de rue.

— Salut Gombi. Ça roule?

— De première. Et toi?

— Pas pire. Fait tellement beau à matin.

— À qui le dis-tu! Je peux m'asseoir?

Sébastien jette un regard circulaire autour de lui. Puis il fait un sourire moqueur.

— Le parc m'appartient pas... Tu fais comme tu veux.

Alors François se laisse tomber auprès de Sébastien. Puis il hume l'air à grandes inspirations, les yeux mi-clos.

— Sapristi que j'aime l'automne. On devrait être en octobre à l'année.

Sébastien éclate de rire.

— C'est drôle, mais c'est exactement ça que je me disais quand t'es arrivé. Moi avec j'aime l'automne. Le seul défaut, c'est que ça dure pas assez longtemps.

— Bien d'accord avec toi…

Puis après un court silence.

— Quoi de neuf?

— J'sais pas. J'ai l'impression que ça brasse, mais j'sais pas encore où ça va me mener.

C'est la première fois que Sébastien parle de lui avec autant de sérénité dans la voix, sans réticence. La première fois que François ne le sent pas sur la défensive. Il se redresse un peu. Le ton entre eux est différent. Plus amical, plus détendu. Comme quoi, suffit parfois de faire confiance au temps…

— Il y a des fois, comme ça, où on a l'impression que ça travaille en dedans sans qu'on sache ni le pourquoi ni exactement ce qui se passe, approuve François sur un même ton d'amitié.

— Toi aussi ça t'arrive?

Sébastien semble heureux et surpris en même temps.

— Souvent… Et sais-tu ce que mon grand-père m'a dit là-dessus?

Sébastien hausse les épaules.

— Comment veux-tu que je le sache!

— T'as bien raison… Il dit qu'il faut toujours écouter son corps.

— Écouter son corps…

Sébastien reste un moment rêveur.

— C'est drôle…Je connais quelqu'un qui m'a dit presque la même chose, il y a pas longtemps… Un… un ami. Il m'a dit d'écouter la voix qu'on entend parfois en nous. Ça se ressemble, non?

— C'est sûr.

Puis après une hésitation, François ose demander:

— Et sans être indiscret, est-ce que tu veux parler de cette voix, justement?

À ces mots, Sébastien éclate de rire.

— S'cuse-moi, mais non… Pas encore. Parce que je sais pas

vraiment moi-même ce qui se passe… J'ai peut-être compris certaines choses. Mais pour le reste…

Et sur ce, Sébastien fait un sourire. Franc, sincère.

— Pour le reste, vois-tu, je sais vraiment pas moi-même.

Puis il écarte grand les bras.

— J'suis encore bien comme ça… J'en demande pas plus pour le moment.

Puis il se relève d'un bond.

— C'est pas que je m'ennuie, mais faut que j'parte si j'veux manger autre chose que des hot dogs pour souper… On se revoit.

Et l'air décidé, Sébastien le quitte en direction de la rue Sherbrooke. Alors François se relève en souriant, une toute petite phrase, une seule, sonnant joyeusement à ses oreilles. «J'suis encore bien comme ça!» Ce «encore» veut dire tellement de choses. Il ouvre surtout très très grand la porte de l'avenir…

— Et maintenant, Vincent, murmure-t-il pour lui-même en se dirigeant vers la rue Mont-Royal. Doit bien y avoir moyen de moyenner avec lui…

Parce que Vincent n'est pas encore satisfait de son nouveau logement. «Trop de bruit! J'arrive pas à dormir. C'est moi qui paye, non?» Pas facile parfois, la réinsertion sociale!

* * *

La saison du cidre bat des records! Les journées suffisent à peine à leur tâche que le soleil se lève à nouveau et qu'il faut déjà recommencer. Jérôme est fatigué, mais devant l'énergie que Cécile déploie, il n'ose rien dire. Chaque matin, au réveil, quand il aperçoit le regard clair de sa douce, ses inquiétudes se dispersent peu à peu et cela suffit à lui redonner son entrain. Il arrive même à se convaincre qu'il s'en faisait pour absolument rien.

— Moi aussi, j'en oublie des choses, murmure-t-il pour lui-même quand une pointe d'angoisse refait surface en lui faisant débattre le cœur. C'est l'âge, non?

Et les journées passent. À la fin de la semaine, François et Marie-Hélène ont promis une visite éclair et cela leur donne des ailes à tous les deux. Même Mélina, dans la perspective de cette brève visite, semble prendre du mieux.

— Pas envie qu'ils disent de moi que chus juste une p'tite vieille, fait-elle furibonde quand Jérôme lui propose de prendre son petit déjeuner au lit.

Son humour n'a pas souffert de sa baisse de vitalité. Son regard, toujours aussi vif, lance des éclairs.

— Passe encore pour la marchette mais pas question de garder le lit. Qu'essé qu'ils vont penser? Envoye, Jérôme, viens m'aider. Je veux prendre mon déjeuner avec vous autres dans la cuisine.

Puis reprenant son souffle après avoir réussi à quitter son lit.

— J'peux-tu dire que c'est pas drôle de vieillir, mon gars? Profite de ta jeunesse, mon Jérôme. Ça dure pas toujours.

Avec ses soixante-douze ans bien sonnés, Jérôme retient son rire. Mélina restera toujours Mélina! Et Jérôme restera toujours son petit garçon!

— M'en vas demander à Mme Couture de m'aider à marcher, fait donc Mélina toujours sur sa lancée. J'ai fait la paresseuse ces derniers temps… Voir si ça a de l'allure. Vous devriez me sonner les cloches quand je…

Et ronchonnant contre elle-même, petit pas suivi d'un autre petit pas, Mélina finit par se rendre à la cuisine…

Coincée entre les volontés de Mélina, la cidrerie, les commandes de plus en plus nombreuses provenant du village et le kiosque de vente installé dans un ancien garage près du chemin, la semaine passe sans que Cécile et Jérôme ne la voient.

— Enfin, vendredi! Je ne sais pas à quelle heure François et Marie-Hélène comptent arriver mais je voudrais être libre pour eux. Si tu savais combien j'ai hâte de les revoir!

Et sur ces paroles pleines d'enthousiasme, Cécile se lève d'un bond comme une jeune fille.

— Allez, debout paresseux! fait-elle taquine, saisissant un coin des couvertures pour les soulever et les lancer au pied du lit. J'aimerais bien que le gros de l'ouvrage soit fait lorsqu'ils vont se montrer le bout du nez. J'ai bien l'intention de profiter «à plein» de leur présence, ajoute-t-elle moqueuse, employant l'accent et une expression typique de leur village…

Cécile regarde Jérôme en riant, primesautière, l'azur de ses yeux pétillant de malice. Et c'est lui qui s'inquiétait pour sa femme? Allons donc! Quelles étaient ces idées folles? Le moral remis au beau fixe, Jérôme se lève à son tour d'un tour de rein.

— À vos souhaits, madame. Vos désirs sont des ordres!

Puis il pose un baiser dans le cou de Cécile avant d'attraper son pantalon, posé sur le dossier d'une chaise.

— J'avais même prévu le coup: j'ai demandé à Raymond d'arriver tôt ce matin et Jean-Paul sera là lui aussi. Juste un café pour moi et je file les rejoindre...

François et Marie-Hélène sont finalement arrivés en fin d'avant-midi et tous ensemble, ils ont étiré l'heure du repas avec plaisir. Puis les deux hommes sont partis pour la cidrerie en discutant métier.

— J'ai changé une partie des cuves. Est-ce que ça t'intéresse de voir ça?

— Et comment!

Ils quittent la cuisine dans un claquement de porte. Les trois femmes se regardent, une moquerie au fond du regard. Quand ils sont ensemble, Jérôme et François en oublient le reste de l'univers.

— Astheure, la sieste, ronchonne alors Mélina en se relevant péniblement de table. C'est maintenant que j'comprends ce que ça veut dire retomber en enfance. Faire la sieste! ajoute-t-elle en levant les yeux au plafond. Le pire là-dedans, c'est que si j'y vas pas, m'en vas cogner des clous dans mon assiette à l'heure du souper... Comme Jérôme quand y'était bébé.

Agrippant fermement sa marchette, elle se retourne un instant vers les deux autres femmes.

— C'est pas drôle vieillir. Pas drôle pantoute.

Puis tout en quittant la cuisine, elle lance par-dessus son épaule:

— Reste avec ta visite, ma Cécile. J'me sens assez forte pour me coucher tu-seule. On se revoit t'à l'heure...

Alors, la vaisselle terminée et voyant que Mélina dort à poings fermés, Cécile et Marie-Hélène enfilent leurs vestes pour profiter de la douceur de ce bel après-midi d'octobre.

— Rien de plus fantastique que le boisé d'érables à cette époque de l'année! Est-ce que ça te tente d'aller à la cabane à sucre, Marie-Hélène?

La vallée resplendit d'ocre et de cuivre. Le vert sombre des sapins se découpe sur la brillance de l'érablière avant de pointer fièrement sur l'azur du ciel. Au loin, on entend les cris de ralliement des oies en partance pour le sud et venu de la lisière de la forêt, une corneille leur répond. La rivière ondule paresseusement à travers la campagne quadrillée, brune et beige en cette fin de saison et renvoie avec éclat la brillance des rayons du soleil qui chauffe le dos à travers les manteaux.

Les deux femmes avancent lentement, escortées des tiges de maïs qui pointent hors du sol, desséchées et cassées. Du travail de l'une aux préoccupations de l'autre, des vacances passées en France au voyage projeté pour novembre, elles arrivent au bois. Une brise légère s'est levée et sent bon la feuille morte qui craque sous leurs pas.

— Viens, Marie-Hélène. On va s'asseoir sur le petit banc près de la sucrerie. Le banc des amoureux comme on l'appelle, Jérôme et moi.

Puis tout doucement, le ton de la conversation change.

— Alors, ce petit bébé? Rien de nouveau?

Marie-Hélène hausse les épaules, un brin déçue mais nullement fataliste.

— Eh non! Mais curieusement, ça ne m'effraie plus. Et savez-vous pourquoi?

Alors, Marie-Hélène de raconter la confession de son mari. Avec Cécile, elle ne se sent pas tenue au secret.

— Ce n'est plus le même homme! Il y a maintenant en lui une tranquillité, une paix que je ne ressentais pas auparavant. Comment dire? Il dégage une sérénité contagieuse. Oui, c'est ça: une sérénité contagieuse... C'est peut-être pour ça que je ne m'en fais plus pour le bébé. Chaque chose viendra à son heure. Et s'il le faut, nous consulterons plus tard et nous donnerons un petit coup de pouce à la nature. On est encore jeunes. Mais maintenant que François est remis de sa fatigue, il me semble que tout le reste va couler de source...

Pendant un court moment, Marie-Hélène demeure silencieuse, un peu songeuse. Puis elle s'ébroue et offre son sourire à Cécile.

— Si vous saviez à quel point la grippe et l'épuisement de François m'ont inquiétée, au printemps dernier! Mais maintenant ça va. Il est infatigable! Je l'aime tellement.

Cécile lui renvoie son sourire.

— Je sais. Cela se voit et se sent...

Puis elle ajoute, une pointe de mélancolie dans la voix:

— Tous les deux, vous me faites penser à Jérôme et moi au même âge... Profitez-en!

Pendant un moment, on n'entend que le bruissement des feuilles au-dessus de leurs têtes. Mais pour Cécile, ce sont les battements de son cœur qui remplissent sa tête. D'où lui vient cette subite envie de parler? C'est alors qu'elle pose la main sur le bras de Marie-Hélène et le serre très fort.

— Oh oui! Profitez de votre jeunesse, jeune fille, fait-elle sourdement, presque précipitamment, comme si le temps allait lui manquer, d'un ton angoissé qui lui ressemble si peu. La vie passe vite. Tellement vite. Et on ne sait jamais ce qu'elle nous réserve.

Surprise, Marie-Hélène se tourne vers elle.

— Mais voyons, Cécile! On dirait que vous êtes effrayée!

— Effrayée? murmure-t-elle soudainement très lasse. Non, je ne suis pas effrayée, je suis morte de peur.

Inquiète, Marie-Hélène reste un moment immobile, puis spontanément, avec affection, elle entoure les épaules de Cécile d'un bras protecteur.

— Pourquoi cette tristesse que j'ai l'impression d'entendre? Allons! Vous êtes encore jeunes, Jérôme et vous. Regardez Mélina...

— C'est ce que tu crois...

À nouveau, Cécile serre le bras de Marie-Hélène comme si elle s'y cramponnait. D'où lui vient cette urgence de mettre des mots sur la pointe acérée du soupçon qui se précise de plus en plus? Cécile ne cherche pas à comprendre. Seul le terrible besoin de partager guide sa pensée.

— Peux-tu garder un secret Marie-Hélène?

— Bien sûr. Et vous le savez.

— Oui, tu as raison, je le sais… Mais il était important que je t'entende le dire. Jérôme ne doit pas se douter de quoi que ce soit. Vois-tu, il n'est plus très jeune lui non plus, et je ne veux pas l'inquiéter. Pour l'instant, je crois bien que je réussis à lui donner le change. Et c'est très bien comme ça. Le reste viendra bien assez vite, souffle-t-elle avec un désespoir palpable.

Puis elle se tait. Pendant un moment, Cécile offre son front aux rayons du soleil qui se glissent à travers les arbres à demi dépouillés. Son cœur bat à tout rompre. Comment dit-on sa peur et son refus? Comment expliquer que la vie qu'on aime tant se refuse à soi de plus en plus souvent? Comment raconter son angoisse sans pleurer de terreur ou crier de rage?

— Vois-tu, vieillir, ce n'est pas seulement des rides au visage, dit-elle enfin, les yeux toujours fermés. Si ce n'était que ça… Mais parfois, c'est comme si on perdait le contrôle d'une partie de sa volonté. Tout ce qui était acquis, qui faisait du quotidien une attente confortable, se met à nous échapper, à nous glisser entre les doigts comme du sable qu'on essaie de retenir à tout prix… La vie se dérobe… Oui, c'est exactement cela: la vie s'envole. Oh! Ce n'est pas le cas pour tout le monde. Moi aussi, je vois Mélina. Elle vieillit merveilleusement bien la maman de Jérôme. Mais pour moi…

Encore une fois, un lourd silence enveloppe les deux femmes. Marie-Hélène n'ose intervenir et se contente de resserrer son étreinte autour des épaules de Cécile. Tout près d'eux, la corneille bat furieusement des ailes avant de transpercer l'espace de son cri lugubre. Alors, comme si elle attendait ce signe, lugubre présage, Cécile ouvre les yeux et regarde longuement autour d'elle avant de se remettre à parler. Tout doucement, à voix basse, comme on le fait pour un secret.

— Pas besoin de me faire un dessin, je suis médecin, explique-t-elle calmement. Et depuis quelque temps, il y a certaines absences dans ma vie qui ne laissent aucun doute.

À ces mots, Cécile se tourne vers la jeune femme et la regardant droit dans les yeux, pour une première fois à voix haute, elle ose prononcer:

— Je suis atteinte d'Alzheimer, Marie-Hélène.

La jeune femme tressaille. Puis s'empresse de nier.

— Alzheimer? Mais allons donc! Qu'est-ce que c'est que ces idées-là? Vous ne pensez pas que…

— Laisse-moi terminer, interrompt alors Cécile, d'un ton plus ferme.

Maintenant que le mot est prononcé, la vieille dame se sent curieusement soulagée. Elle n'est plus seule…

— Laisse-moi continuer. Ça me fait du bien de parler. Je sais que tu as raison. Jusqu'à un certain point, les absences de mémoire ne sont que normales à mon âge. Mais je sais aussi ce que c'est que l'Alzheimer. C'est une maladie insidieuse, sournoise, qui se glisse en nous comme une voleuse, à pas feutrés. Et c'est ce qui m'arrive. Oublier l'heure et les repas, chercher sa montre alors qu'on la place toujours au même endroit, ne plus se souvenir si on s'est brossé les dents… Mais le plus grave, c'est de prendre conscience de ces manques dans le temps uniquement lorsque quelqu'un vous en fait la remarque, sinon, ils passeraient inaperçus… Ce ne sont que des détails insignifiants, je le sais bien, mais c'est ainsi que cette foutue maladie commence à se manifester. Alors j'ai peur. Le médecin que je suis connaît les signes et les constate, froidement, mais la patiente, elle, refuse de les reconnaître. Parce que l'Alzheimer, c'est comme mourir avant le temps. C'est quitter ceux qu'on aime avant la date prévue. Et je ne veux pas, Marie-Hélène. Je ne veux pas, non, je ne veux pas partir. Pas de cette façon-là…

De grosses larmes se sont mises à couler sur les joues de Cécile pendant qu'elle confiait ses craintes. Alors, parce qu'il n'y a rien à ajouter, parce qu'il y a parfois des gestes qui disent l'amour mieux que les mots, Marie-Hélène se met à bercer la vieille dame tout contre elle, comme on berce un enfant blessé, caressant sa joue du bout des doigts. Les cheveux de Cécile sentent bon la violette et Marie-Hélène ferme les yeux sur cette odeur qu'elle n'oubliera jamais. Cécile s'en fait peut-être pour rien mais peut-être aussi a-t-elle raison. Et chercher à savoir vraiment n'appartient qu'à elle pour l'instant. Cela, Marie-Hélène peut le comprendre et le respecter. Alors elle ne dira rien et portera en elle le secret de Cécile aussi longtemps qu'il le faudra.

Le soleil baisse lentement, les feuilles décrochent des arbres une à une et tombent mollement parce que le vent s'est tu. La nature semble en attente, silencieuse, respectueuse. Parce que, dans le boisé d'érables, près d'une cabane blanche au toit rouge, on n'entend plus maintenant que les sanglots d'une vieille dame qui aime encore trop la vie pour accepter de s'en aller sans essayer de se battre encore et encore...

Mais elle a peur. D'une peur incontrôlable qui part du ventre et fait mal. Car, cette fois-ci, l'ennemi possède un poison dont on ne connaît pas encore l'antidote.

* * *

Sans qu'il sache ni le pourquoi ni vraiment le comment, Sébastien s'est retrouvé dans le quartier où il habitait auparavant. Avant les familles d'accueil et la douleur. Avant la colère et la révolte... Depuis plus d'une heure, il arpente les rues, reconnaissant les repères de son enfance. Des milliers de souvenirs lui reviennent, s'imposent, prennent toute la place un moment puis disparaissent, remplacés par d'autres. Ici, c'était la maison de Gabriel et là, celle de Michaël. Le vieux chêne du parc est fidèle au poste, à peine plus petit que dans son souvenir. Deux planches, clouées en croix sur la plus grosse branche, se souviennent d'un certain été et d'une certaine cabane que les autorités n'avaient pas tolérée. Sébastien et ses amis avaient eu autant de plaisir à la démolir qu'ils en avaient eu à la construire. Par la fenêtre du chalet, il aperçoit les bandes de bois de la patinoire. Elles sont toujours blanches avec une bordure rouge dans le bas. Par contre, les stries des lames de patins se sont multipliées. D'ici quelques semaines, on va les installer et attendre la neige pour faire le grand anneau de glace. Patiner... C'est peut-être le seul sport qu'il se rappelle avoir pratiqué avec entrain. C'était le lieu de rencontre des amis du quartier, les premières tentatives de rapprochement avec les filles. Ici, il n'y avait ni gang ni querelles. Qu'une bande d'amis et de voisins qui s'amusaient ensemble. Puis il revient sur ses pas. En contrebas, vers le nord, on devine la rivière des Prairies. Son reflet est resté le même: le cours d'eau est toujours aussi indécis et il hésite encore entre le bleu et le gris.

Puis lentement, la spirale de ses pas et celle de ses souvenirs se sont rétrécies. De rues en ruelles, du dépanneur à l'épicerie, de l'église à la banque, il est arrivé devant la maison de ses voisins. Les volets verts et jaunes sont maintenant fuchsia. Mais les rideaux de la deuxième fenêtre à droite semblent les mêmes. Josiane habiterait donc encore avec ses parents? Il revoit clairement les nattes dorées qu'il aimait tirer et il entend même le rire moqueur qui roulait comme une cascade. Qu'est-elle devenue, aujourd'hui? Étudiante, travailleuse? Puis son regard est attiré par la haie de cèdres, à peine plus grande que lui à l'époque, elle est maintenant à maturité et dissimule la demeure de Me Duhamel. Hésitant, Sébastien fait quelques pas de plus. Puis brusquement, il s'arrête, regarde tout autour et en courant, il traverse à nouveau la rue, sentant naître en lui le curieux besoin de garder une certaine distance. Pourtant, il continue d'avancer.

Et tout à coup, elle est là. Ses rêves, ses souvenirs et la réalité se confondent, lui faisant débattre le cœur. La maison n'a pas changé. Elle est identique à ce que sa mémoire en a gardé. Grise, blanche et noire, garnie de fleurs rouges sous les fenêtres. Seule l'épinette bleue modifie le coup d'œil: aujourd'hui, elle dépasse le toit et cache la lourde cheminée de pierres. Dans l'entrée, une Mercedes grise. Son père est donc là. Nouvelles habitudes? Puis Sébastien respire à fond, essayant de comprendre le tourbillon d'émotions qui l'emporte.

Ici, c'est chez lui. C'était chez lui. Il rangeait sa bicyclette contre le talus et entrait en trombe quand il revenait de l'école. Souvent, la maison sentait les biscuits que sa mère venait de cuire pour Maxime et lui. Aux pépites de chocolat, leurs préférés. Ils s'installaient dans la cuisine et racontaient leur journée. Puis ils faisaient leurs devoirs. C'étaient les heures douces de la journée. Avant que Me Duhamel ne revienne...

Car, lorsqu'il entrait dans la maison, les murs semblaient se refermer sur eux. Toute la maison se recroquevillait. Maxime, Sébastien et leur mère aussi. Son père était brusque, indifférent, souvent brutal. Mais là, maintenant, il admet que, dans le fond, il s'en foutait. Sa mère était douce et gentille et cela suffisait. C'était sa maison et sa vie.

Pourquoi avait-il fallu que tout cela change? Parce que sa mère, un beau matin, en avait eu assez? Est-ce suffisant, en avoir assez, pour bousiller toute une vie, pour tout balancer par-dessus bord comme elle l'a fait? Probablement, puisqu'elle était partie sans laisser d'adresse. Mais avait-elle vraiment détruit sa vie comme Sébastien s'est toujours plu à l'imaginer? Brusquement, planté sur un trottoir face à son enfance, Sébastien n'est plus sûr de rien. Sa mère avait peut-être choisi le bonheur finalement. Qu'en savait-il?

Et sa vie à lui, dans tout cela, que va-t-elle devenir?

Tout en fixant la maison, Sébastien essaie d'imaginer qui il serait aujourd'hui s'il avait accepté de revenir quand on le lui avait proposé? Il avait quinze ans, était en quatrième secondaire. Il n'avait pas encore doublé d'années et il aurait poursuivi ses études, c'est fort probable. Mais pour le reste... Serait-il devenu indifférent comme son père? Ou brutal et impatient? Est-ce qu'il boirait comme lui pour faire face à la tension? Peut-être que s'il rencontrait Maxime, il trouverait réponses à ses questions. Peut-être...

Imperceptiblement, son regard détaille la façade de pierres. La porte d'entrée massive et trop lourde pour ses quatre ans, celle du garage toujours fermée à clé et le battant de fer forgé noir de la clôture qui grinçait à chaque fois qu'on l'ouvrait... Et cette fenêtre en haut à gauche, celle de sa chambre... L'a-t-on donnée à son demi-frère quand il est venu au monde? Et comment s'appelle-t-il encore? Alexis, Alexandre... Il ne s'en souvient plus. Constate, un peu surpris, que, en fait, il n'a jamais pensé à lui. C'est à cet instant qu'un mouvement dans les draperies du salon lui fait froncer les sourcils. Quelqu'un a pris conscience de sa présence, c'est certain. Alors rabattant le col de sa veste sur son visage, il reprend sa marche. À pas rapides.

Arrivé au coin de la rue, il se rend compte qu'il s'est mis à courir. Comme s'il fuyait. Comme s'il avait peur de quelque chose...

Cette nuit, Sébastien n'a pu se résoudre à retrouver son vieil immeuble pour dormir. Il a regagné son abri de sapins sur le mont Royal, comme en plein été. Il a besoin d'air. Depuis le matin, il a l'impression qu'on tient une main sur son visage et que plus jamais il n'arrivera à respirer librement. La nuit est douce, il ne devrait pas avoir froid.

Pourtant, il ne réussit pas à s'endormir.

La montagne est peuplée de bruits, la douceur de l'air suggérant aux citadins de prolonger la soirée. Moteurs qui tournent au ralenti, claquements de portières, courses de petits animaux dans les feuilles mortes, clapotis de l'eau sur le lac, chuchotements... La lune est immense et éclaire presque autant qu'un réverbère. D'où il est installé, Sébastien peut voir les silhouettes des promeneurs attardés. Des couples, des petits groupes. Il entend des rires, des appels. Quelle heure est-il? Il essaie de deviner d'après la position de la lune. S'y attarde un moment puis s'en lasse. Il a l'esprit tellement encombré qu'il n'arrive plus à garder une suite logique dans ses pensées. Le moindre effort est vite repoussé. Alors il se tourne sur le dos, cale sa tête sur son sac à dos, remonte un pan de sa veste sur ses épaules et laisse sa tête vagabonder comme bon lui semble, le regard perdu dans les branchages de sapin et le feuillage des grands érables, un peu plus haut. Il revoit sa maison, écoute son cœur se débattre à nouveau, essaie d'imaginer une rencontre entre Maxime et lui. Serait-elle à la hauteur de ses attentes ou serait-il déçu? Puis il soupire. Ne rien attendre, jamais. Et ne pas faire confiance... Pourtant, ce soir, ces quelques mots ne veulent plus rien dire, eux non plus. Il repense à Gilbert. Le gros Gilbert dont il ne pourra plus jamais se moquer. Qu'est-il devenu? Depuis l'autre nuit, il n'est pas retourné chez lui. Pourquoi? Pudeur, gêne, embarras? Il ne saurait le dire. Sébastien soupire à nouveau, soudainement conscient que chacun a son histoire, ses secrets, ses douleurs cachées. Tout comme lui. Si le mot bonheur avait le même sens pour tous! Mais voilà! Le monde est peuplé d'individus qui pensent et espèrent individuellement. Et il n'est pas mieux que les autres. Ni pire...

La lune s'est déplacée et glisse maintenant sa clarté indiscrète entre les branches touffues du plus petit sapin, effleurant la butte en face de lui. À nouveau, il se demande quelle heure il peut être. Sébastien prend conscience tout à coup qu'il n'y a presque plus de bruits autour de lui. Que les craquements normaux du mont Royal auxquels il est rompu et qui habituellement l'endorment. Pourtant ce soir, il a l'esprit particulièrement vif, comme une bête à l'affût. Le moindre bruissement lui résonne dans tout le corps, le faisant même sursauter par moments, éloignant le sommeil. Il a le cœur un peu fou, oscillant entre le repos et l'éveil, l'esprit alerte mais le corps épuisé. Puis un drôle de bruit le fait se soulever sur un coude. Comme un appel à l'aide que l'on voudrait étouffer et le bruissement de feuilles que l'on foule. Il tend l'oreille. Plus rien… Il se recouche, convaincu que la fatigue lui joue des tours. Mais alors qu'il glisse enfin dans le sommeil, le bruit revient. Cette fois, il n'a rien imaginé. Il entend encore le craquement des feuilles que l'on piétine. Et le gémissement qui réapparaît, retenu et intense en même temps. Ce râlement de gorge assourdi qui crie au secours et ce rire étouffé qui s'en moque. Alors Sébastien se relève silencieusement. Guidé par les rayons obliques de la lune qui s'apprête à quitter la scène, il essaie de se diriger vers ce froissement de feuilles qui éclate maintenant comme une pétarade dans sa tête, accompagnant les battements de son cœur.

Le seul frôlement de ses pas et sa silhouette se découpant sur le ciel a suffi à faire s'enfuir les trois garçons. Sur le sol, à demi nue, une toute jeune femme. Sébastien s'approche. À ce bruit, la jeune fille ouvre les yeux, horrifiée, se soulève sur un coude, tente de reculer, tremblante, s'aidant des mains et des pieds, sans le quitter des yeux, comme un crabe qui avance à reculons.

— Assez, non, je vous en prie…

Comprenant la méprise, Sébastien retire sa veste et la tend devant lui, sans avancer.

— N'aie pas peur… Je… je ne te veux pas de mal. Je veux juste t'aider. Tiens, prends ma veste. Tu trembles comme une feuille.

La jeune fille a l'air d'un petit animal pris au piège. Appuyée sur ses deux mains, elle recule encore, les yeux grand ouverts.

Sébastien fait un pas vers elle en même temps qu'elle lève les deux bras devant son visage, dérisoire protection.

— Non, pas encore…

— Mais non. Tu peux avoir confiance…

En entendant sa propre voix prononcer ces mots, Sébastien ne peut s'empêcher de sourire. C'est bien lui qui dit la confiance en l'autre? Voyant que la fille ne cédera pas, il vient jusqu'à elle malgré ses gémissements de protestation. Puis il entoure ses épaules de sa veste de chasseur, toute chaude.

— Allons, c'est fini. Je te jure que je ne te ferai rien. Tu… tu veux qu'on appelle la police?

— Non, non, pas la police. Je t'en prie, pas la police…

Un regard de panique se pose sur lui.

— Pas la police, répète-t-elle. Je sais trop bien ce qu'ils me diraient…

Puis brusquement elle prend conscience de sa tenue. Sa chemise est grande ouverte, son pantalon est enroulé autour de ses chevilles. À gestes maladroits elle tente de se cacher. Maintenant tout près d'elle, Sébastien s'aperçoit qu'elle a la lèvre fendue et une joue éraflée. Ses cuisses sont tachées de sang.

— Les salauds, gronde-t-il hors de lui.

— Laisse tomber.

— Tu veux aller à l'hôpital?

— Pas nécessaire. Tu… tu peux partir. Je vais me débrouiller toute seule.

— Pas question. Je vais te reconduire chez toi.

— Chez moi?

La jeune fille a un rire cynique.

— C'est peut-être ici chez moi. Ou ailleurs. Qui sait?

Jamais Sébastien n'a autant regretté son entêtement qu'en ce moment. S'il avait accepté la carte de François, il pourrait l'appeler. Sûrement que le travailleur de rue saurait ce qu'il faut faire. Malhabile, il aide la jeune fille à se relever, se détourne un moment pendant qu'elle ajuste ses vêtements.

— Comme ça, tu habites la rue? demande-t-il enfin.

— Pas vraiment. Je partage une piaule avec…

Puis le rire amer reprend. Bref, cassant.

— C'était ses amis… Les amis de mon coloc… Alors oui, je peux dire que je suis à la rue. Pour ce soir… Tu peux te retourner.

Pendant un instant, leurs regards se rencontrent et s'attachent l'un à l'autre. Si ce n'était de ses blessures au visage, Sébastien aurait envie de dire qu'elle est jolie.

— Je m'appelle Sébastien, fait-il en tendant la main.

Pendant quelques instants, la jeune fille fixe cette main tendue vers elle sans faire un seul geste. À cause de cette brûlure entre ses cuisses et de ce cœur qui bat trop fort, elle se sent perdue, ne sait plus ni la confiance ni l'amitié. Puis tout doucement, elle relève la tête à nouveau, son regard croise celui de Sébastien. Pendant un long, un très long moment.

— Et moi Virginie, murmure-t-elle enfin sans oser toucher la main de Sébastien.

— Est-ce que t'es bien certaine de ne pas vouloir aller à la police ou à…

— Sûre, lance-t-elle vibrante, la voix plus assurée.

— Alors je sais ce qu'on va faire, lance le jeune homme soudainement inspiré. J'ai un ami sur qui je peux compter. Gilbert. Il ne nous laissera pas tomber. Je le connais bien, c'est un gars correct.

Pendant un moment, Sébastien hésite. Puis il tend la main vers elle pour une seconde fois.

— Tu… tu me fais confiance? Promis que Gilbert peut nous aider, répète-t-il.

Alors, sans le quitter des yeux, après un interminable moment d'hésitation et de silence, Virginie glisse sa main dans la sienne.

— D'accord, oui, je te fais confiance. Où va-t-on? C'est loin?

— Un peu. Mais on va passer par les ruelles et le parc La Fontaine. Ça ne devrait pas être trop long…

* * *

— Oui, oui! Une minute, bonté divine, j'arrive!

Derrière la porte, on entend le frôlement de qui regarde par l'œil magique puis un cri étouffé suivi d'une chaîne que l'on déplace.

— Doux Jésus! Mais veux-tu bien me dire ce que tu fais ici à une heure pareille?

Puis portant les yeux sur Virginie, Gilbert joint les mains à hauteur du cœur avant de s'empresser, brassant de l'air comme jamais.

— Pauvre chou! Mais qui c'est qui... Mais entrez, voyons, restez pas plantés là à faire racines...

Gilbert est drôle à voir dans sa robe de chambre vieux rose, tout comme son salon, couleur incongrue sous un menton mal rasé. De vieilles pantoufles élimées aux pieds, son visage bouffi par le sommeil, on dirait qu'il sort tout droit d'un recueil de caricatures. Par contre, s'il est étourdissant avec son débit de paroles de moulin à vent par jour de tempête, il n'en reste pas moins efficace. En deux temps, trois mouvements, Virginie se retrouve dans la salle de bain avec de l'huile parfumée pour le bain, de l'alcool pour ses plaies et une robe de chambre en ratine pour après. Puis, tout en continuant de placoter, Gilbert passe à la cuisine. Personne ne pourrait imaginer que cet homme-là vient d'être tiré de son lit en pleine nuit.

— Une tisane, mon Sébastien? J'ai l'impression que tout le monde va en avoir besoin... Mais veux-tu ben me dire ce qui s'est... Pis ça me regarde pas. Mais tu as ben fait de l'amener ici. M'en vas m'en occuper, moi, de ton amie... Si ça a de l'allure...

Puis il arrive enfin dans le salon, la théière dans une main et trois tasses dans l'autre.

— Envoye, mon beau. Prends-en. C'est de la camomille avec de la menthe. Ça détend...

Puis il se laisse tomber sur le divan.

— Ouf! Tu parles d'un réveil, toi... Trois heures du matin... Pis?

— Pis? Tu dois te douter un peu...

Puis après un bref silence.

— Merci d'avoir accepté qu'on vienne comme ça.

Gilbert pousse un long soupir théâtral.

— Pas de quoi...

Et pour bien souligner son opinion sur le sujet, il lève ensuite les yeux au plafond, avec son air offusqué de vierge offensée, avant de poursuivre:

— Voir si j'vais laisser un ami sur le palier quand il a besoin de moi.

— Je savais. C'est pour ça que je suis venu.

Et en quelques mots, Sébastien explique la situation.

— Pauvre p'tite fille. Maudits hommes… Qu'est-ce que vous allez faire?

— Ce qu'on va faire? C'est pas à moi de le dire. On se connaît pas, Virginie et moi. C'est juste le hasard qui…

— Tut, tut, tut… Ça n'existe pas le hasard. Si tu étais là, c'est que c'était prévu comme ça… Tu sauras me le dire dans quelque temps…

Puis il bâille sans vergogne, en s'étirant.

— C'est bien beau tout ça, mais la nuit n'est pas finie. On verra au reste demain matin. On va attendre qu'elle revienne pis on va lui donner une bonne tisane bien chaude. Après on va l'installer confortablement pis on va dormir. Les choses finissent toujours par se placer d'elles-mêmes.

* * *

Tout en chantonnant, Marie-Hélène est en train d'évider une énorme citrouille pour pouvoir la décorer et la mettre dans leur entrée. Ce soir, c'est l'Halloween. Sachant que François ne sera là que tard en soirée, elle a décidé de passer le temps en s'amusant. Un énorme plat de friandises attend dans le hall et, comme sa mère le faisait, Marie-Hélène s'est maquillée en clown pour accueillir toutes les frimousses qui vont sonner à leur porte. Un drôle de petit chapeau pointu tout rouge se perche de guingois sur le sommet de sa tête.

Marie-Hélène est heureuse. D'un bonheur tout simple aux reflets de l'espoir immense qui lui gonfle le cœur.

Elle se dit, tout en découpant un immense sourire édenté dans l'écorce orangée, que, avec un peu de chance, dans un an, il devrait y avoir un petit bonhomme ou une petite bonne femme dans ses bras pour accueillir les enfants du quartier. Ce matin, en accord avec François, elle a acheté un thermomètre spécial afin de détecter sa période d'ovulation avec précision. Nul doute que le reste suivra maintenant avec facilité. Elle en est convaincue. Perdue dans ses pensées, elle n'entend pas la porte qui ouvre. La citrouille a maintenant un large sourire et des yeux menaçants.

— Marie-Hélène?

La jeune femme sursaute, puis un éclat de plaisir traverse son regard.

— François? Mais qu'est-ce que tu fais ici? Je t'attendais seulement vers...

François paraît dans l'encadrement de la porte de cuisine, l'air piteux.

— Un beau gâchis, oui, lance-t-il laconique, en l'interrompant. Regarde-moi l'allure!

Marie-Hélène éclate de rire. Les bas avachis sur ses chevilles et relevant à deux mains les jambes de ses pantalons, François est détrempé jusqu'aux genoux.

— Ça m'apprendra aussi à vouloir couper par les parcs en plein automne! J'ai calé jusqu'au cou dans une flaque d'eau... J'avais un rendez-vous pressant...

Il s'approche de sa femme sur le bout des pieds, lui plaque deux baisers sonores sur les joues, puis disparaît.

— Le temps de me changer et je repars, lance-t-il par-dessus son épaule. Mais j'en ai pas pour longtemps. Michel et moi on rencontre Vincent chez lui, puis je reviens.

Et quelques secondes plus tard, alors que Marie-Hélène est à placer une bougie dans la citrouille, elle entend encore, venu de l'entrée:

— À tout de suite... Oh! Marie-Hélène... Je viens de croiser un diable, un tigre et une sorcière. Ils sont ici, près de la porte. Fais attention à toi! On ne sait jamais ce qui peut arriver avec ce genre de monde-là!

Et François repart en courant, avec en tête le rire de sa femme qui fusait dans la cuisine. Il est heureux. Depuis l'été, il a la sensation réconfortante d'avoir repris sa vie en mains. Comme avant, quand il n'était qu'un gamin et que la simple perspective d'un bon souper le rendait tout joyeux. Cette sensation d'urgence face à lui-même, celle qui le visitait régulièrement tout au

.long du printemps, cette désagréable sensation s'est agréablement envolée. Mais il garde tout de même en réserve la recommandation de Jérôme. Plus jamais il ne laissera le temps avaler ses rêves. Il ira jusqu'au bout de chacun de ses espoirs et de ses envies. Il s'est bien promis de ne jamais l'oublier et de ne plus laisser le travail empiéter sur son temps. Avec ce regain d'énergie puisé dans un moment de confidence, il sait qu'il est capable de donner le meilleur de lui-même partout.

Vincent les attendait, Michel et lui, avec impatience.

— Alors? J'ai raison ou pas? Ça fait un vacarme du maudit.

Ils sont assis dans la cuisine de Vincent, des piles de vaisselle sale un peu partout et de l'appartement voisin, effectivement, on entend une musique un peu forte. Mais de là à parler de vacarme...

— Tu ne penses pas que tu exagères un peu?

Vincent lève la tête avec défi. Ses longs cheveux, raides comme des baguettes de tambour, balaient son visage osseux.

— C'est ça, dis donc tout de suite que chus malade... J'haïs c'te musique-là... Ça sonne faux.

— Pis si c'était du «heavy métal»?

Vincent hausse les épaules.

— Ça serait pareil. Moi, j'écoute d'la musique quand j'ai envie d'écouter d'la musique.

— Tu ne penses pas que c'est la même chose pour ton voisin?

— C'est pas mes troubles. Qu'y'a mette moins forte.

— Bon point pour toi... Qu'est-ce que tu peux faire alors?

— M'en vas déménager.

— Peut-être un peu exagéré, non?

— Encore? Tu sais pas dire d'autre chose, à soir?

Visiblement, Vincent est sur la défensive, vindicatif. Peut-être aussi un peu mal à l'aise. Rapidement, Michel devine que le trouble est beaucoup plus profond qu'une simple histoire de bruit. Et Vincent n'est pas le seul. Il est souvent aussi difficile de sortir de la rue que de s'y habituer. Alors il reprend:

— T'es pas tanné de déménager? Me semble, moi, que de changer mes affaires de place à tout bout de champ, ça me taperait sur les nerfs.

— C'est sûr.

Vincent lui lance un regard mauvais.

— Mais à qui la faute?

François hausse les épaules.

— J'sais pas… Le sais-tu, toi?

— C't'à cause du voisin, c't'affaire.

— T'es bien sûr de ça?

— Tabarnak, Michel, t'es sourd ou quoi?

— Oh! Là… Laisse tomber les gros mots avec moi. On est ici pour t'aider à trouver une solution. Si tu ne veux rien savoir de nous autres, t'as rien qu'à le dire.

— C'est pas ça… C'est c'te musique de fou qui me tape sur les nerfs. J'm'entends pus penser… J'travaille, moé, pis l'soir, j'veux avoir la paix chez nous.

— Là aussi t'as raison, Vincent. Quand on paye son loyer, on a certains droits. Je le reconnais.

Le regard de Vincent s'éclaire.

— Pis j'viens juste de l'payer, mon loyer. Comme tu m'as dit… Je l'sais c'que j'vas faire, ajoute-t-il enthousiaste. M'en vas y mettre ma musique à moé. Def Leppard dans le prélart. Y va finir par comprendre.

— À moins qu'à son tour, il fasse comme toi, pis qu'il décide de monter le son d'la sienne pour t'enterrer.

— Sacrament!

Vincent se lève brusquement en laissant bruyamment éclater sa colère.

— Hostie de câlisse! Quand j'étais dans rue, j'avais rien qu'à changer de place quand ça faisait pas mon affaire. Pis y'avait toujours quelqu'un pour me suivre parce que j'avais raison.

Michel et François échangent un regard. Le cœur du problème vient d'apparaître.

— Pis maintenant?

— Maintenant? Chus icitte, fait-il en ouvrant les bras. Chus poigné icitte avec un sacrament de cave comme voisin qui écoute d'la musique de sauvage. Maudite belle amélioration…

— Par contre, tu as de quoi manger chaque jour, pis tu ne gèles plus des pieds…

— Ouais… C'est vrai. Mais ça règle pas mon problème, ça!

— On y revient, Vincent… Qu'est-ce que tu peux faire pour régler le problème sans avoir à déménager?

— J'te l'ai dit, t'à l'heure. M'en vas mettre Def…

— Oublie ça, une minute, l'interrompt François. Là, j'ai l'impression qu'on tourne en rond pis qu'on perd notre temps. Y'a sûrement autre chose à faire avant d'en arriver à ça, non?

— Tu penses?

— C'est sûr… Assis-toi, on va essayer de trouver.

Et d'hypothèses en argumentations, Vincent finit par déterrer une solution.

— T'es sûr qu'y va comprendre si j'y demande? fait-il visiblement sceptique. Moé, si quelqu'un osait me…

— Qu'est-ce que tu ferais, Vincent, si quelqu'un te demandait de baisser ta musique?

Le jeune fronce les sourcils.

— J'pense que j'la mettrais encore plus fort.

— Pis c'est comme ça que tu penserais régler le problème?

Alors Vincent éclate de rire. La logique de la chose vient de le rejoindre.

— Ben non… T'as raison, Michel… Mais chez nous, quand j'étais petit, on répondait à une claque par une claque. Ça fait que moé, j'ai envie de répondre à d'la musique qui m'énarve par une autre sorte de musique qui va peut-être l'énarver, lui, ajoute-t-il en montrant le mur mitoyen du menton. C'est de même que mon père nous a élevés, mes sœurs pis moé.

— Est-ce que t'aimais ça?

Vincent hésite un instant.

— Pas vraiment, j'pense…

Puis après un moment de réflexion.

— Okay, m'en vas essayer d'y parler au voisin. Mais j'peux-tu te demander une chose, Michel?

— Oui.

— Tu viendrais-tu avec moé? Pas sûr, moé, que j'me choquerai pas si jamais y'é pas commode. Pis j'aime pas ça qu'on me dise non…

Et il poursuit, avec un large sourire:

— C'te fois-citte, j'sais pas pourquoi, mais j'ai pas envie d'avoir de troubles.

* * *

Depuis plus de dix jours, Virginie habite chez Gilbert. À la place du cœur, elle a l'impression d'avoir une grosse boule de glace qui lui donne froid en permanence et l'empêche de réfléchir. Après deux jours de repos, elle a repris son travail à la boutique, mais le cœur n'y est plus. C'est en courant qu'elle revient chez Gilbert tous les soirs. Le moindre bruit la fait sursauter. Le plus infime écho de pas lui fait débattre le cœur. Pourtant, avant, Virginie était une fille décidée, joyeuse et malicieuse, qui trouvait toujours prétexte à rire. Maintenant, il n'y a plus qu'avec Gilbert et Sébastien qu'elle arrive à sourire. Les deux hommes, malgré la meilleure volonté du monde, ne savent plus ni que dire ni que faire. Pourtant, ils comprennent la révolte qui est la sienne. Tout comme sa peur. Mais de là à savoir comment l'aider, il y a un monde.

— Ce dont elle aurait besoin, c'est d'une amie, suggère Gilbert alors qu'ils sont seuls à l'appartement, Virginie travaillant jusqu'à vingt et une heures.

— Bien d'accord avec toi, approuve Sébastien. Mais j'ai pas ça dans le fond de ma poche, une amie pour elle.

Puis avec un petit rire, il ajoute:

— J'en ai même pas une pour moi. Alors…

Gilbert le regarde en coin.

— Pis moi, les seules que j'ai sont pas vraiment du genre à l'aider. Pauvre p'tite, elle n'a pas besoin de parler décoration, elle là. Elle a d'abord et avant tout besoin de se vider le cœur. C'est d'une fille de son âge dont elle aurait besoin, j'en suis certain. Ou encore d'une spécialiste. Mais pour ça, elle ne veut rien savoir. Remarque que je la comprends un peu. Avec toute la gang des «psy» on sait jamais trop trop ce qu'ils veulent. De toute façon, ils finissent toujours par nous trouver trente-six milles bobos qu'on ne pensait pas avoir…

Et sur ce, Gilbert pousse un soupir de découragement à fendre l'âme.

— Bonté divine! Jamais j'croirai qu'on ne peut rien faire de plus. Tu devrais la voir, toi, quand t'es pas là. Il y a des soirs où elle reste assise là, à la même place que toi pendant qu'elle fixe le feu sans bouger pendant des heures. J'connais pas grand-chose aux problèmes de femmes, mais j'suis sûr que ce n'est pas ben ben bon, tout ça. C'est pas mêlant, des fois j'pense qu'elle pourrait faire des bêtises. Des grosses bêtises pis que c'est justement à ça qu'elle pense quand elle passe des heures les yeux dans le beurre...

Sébastien fait la moue.

— J'penserais pas. J'la connais pas beaucoup, mais il y a quelque chose en dedans de moi qui me dit qu'on ne doit rien brusquer.

Il a un petit rire gêné.

— Tu sais la fameuse voix intérieure dont on parlait l'autre soir? Ben, j'ai l'impression de l'entendre pour Virginie et ce qu'elle me dit, c'est que cette fille-là est beaucoup plus forte qu'on pense pis qu'elle va finir par nous surprendre.

— Peut-être bien...

Pendant un instant, Gilbert se contemple le bout des ongles, songeur. Puis il soupire à nouveau.

Non, moi, les femmes, j'y connais vraiment pas grand-chose, se plaint-il soudainement. À part le fait que j'ai toujours pensé que j'aurais dû en être une, avoue-t-il candidement en se relevant. Bon, c'est bien beau tout ça, mais le temps avance. Faudrait peut-être que tu penses à aller la chercher notre Virginie? Tu lui as promis d'être là à neuf heures tapant. Pendant ce temps-là, moi, j'vais vérifier ma tourtière pis j'vais mettre la table. Ça fait tard un peu pour souper, mais j'ai pensé que ça pourrait lui faire plaisir qu'on l'attende, pour une fois. Je meurs de faim, mais j'suis prêt à tout pour l'aider, c'te pauvre enfant.

CHAPITRE 7
Novembre 1995

DANS LA BEAUCE ET À MONTRÉAL

«La liberté c'est de choisir son fardeau.»
HEPHZIBAH MENUHIN

La fin de novembre est glaciale. L'absence de neige nous prive de cette couche protectrice qui fait que le froid nous semble moins mordant. Plus le temps avance et plus Sébastien trouve la vie de rue difficile. Comment faisait-il encore l'an dernier pour trouver un certain agrément à geler des pieds au coin des rues? Les gens semblent pressés et accordent de moins en moins d'attention à un jeune qui quête sa subsistance. Ils ne pensent qu'à la chaleur de leur foyer et avancent à pas rapides, le nez au sol. Et puis Noël s'en vient, justifiant cette brusque envie d'économie et cette indifférence impatiente. À la boutique où Virginie travaille, l'horaire des fêtes vient de commencer et Sébastien se fait un devoir de raccompagner la jeune fille chez Gilbert tous les soirs. Puis tous les trois, ils mangent ensemble avant d'écouter un film loué.

Depuis cette triste nuit d'octobre, une drôle de routine s'est installée entre eux. Une routine qui semble convenir parfaitement à Gilbert. À aucun moment, les deux jeunes n'ont senti qu'ils empiétaient sur son espace vital. Au contraire, depuis l'arrivée de Virginie et Sébastien sous son toit, Gilbert a des ailes. Il cuisine, il chouchoute, il s'occupe et placote comme jamais! Enfin, quelqu'un a besoin de lui...

Pourtant, la jeune fille n'est là qu'à demi. Souvent, en guise de réponse, c'est un regard absent qu'elle pose sur les gens. Et si Gilbert fait celui qui ne voit rien parce que cela lui convient, espérant ainsi étirer le temps, Sébastien, par contre, est douloureusement conscient que le problème reste entier pour Virginie. Mais que faire et que dire? Sa nouvelle amie est plus hermétique qu'une huître. Sur le sujet, il a la nette sensation d'avancer dans une brume opaque. Le temps d'une réflexion, d'un questionnement avant que ses réflexes ne reprennent le dessus. Par habitude, il hausse les épaules. Virginie ne va pas très bien. Et alors? Ce ne sont pas ses oignons. Invariablement, il quitte l'appartement de Gilbert dès le petit jour pour ne pas avoir à parler à qui que ce soit et il se met à arpenter les rues, quêtant à droite et à gauche. Il a l'impression de vivre en marge de deux mondes opposés qui l'attirent et le rebutent en même temps. Il est de plus en plus mal à l'aise ne sachant où est sa véritable place. Il a l'impression d'être injuste envers tout le monde, à commencer par lui.

Pourtant, ce matin, il a accepté de déroger à ses habitudes et a promis d'accompagner Virginie. Elle l'a invité à déjeuner.

— J'suis pas très riche, mais je peux me permettre du McDo.

— Va donc pour le McDo. De toute façon, c'est le genre de gastronomie qui me convient.

La présence de Claudie, fidèle au poste derrière le comptoir, lui arrache un sourire et quelques battements de cœur imprévus. La jeune serveuse a l'air sincèrement heureuse de le voir.

— Hé! Salut toi! Ça fait un bail que je ne t'ai pas vu. Comment va?

— Pas pire…

Puis se détournant légèrement:

— Je te présente Virginie, une amie.

A-t-il rêvé ou le sourire de Claudie s'est réellement figé pendant un instant? Pourtant, Claudie est à prendre leur commande sans autre forme de procès et son sourire est toujours aussi franc.

— Allez vous asseoir. Je vous apporterai les crêpes dès qu'elles seront prêtes.

C'est au moment où elle approche de leur table que Claudie surprend leur conversation.

— Comme ça, tu n'as plus d'appartement? ose-t-elle de-mander en déposant les deux assiettes de crêpes sur la table entre eux.

Virginie approuve d'un hochement de tête.

— Ça en a ben l'air... Pour toutes sortes de raison, j'ai pré-féré quitter mon coloc... C'est un ami de Sébastien qui m'hé-berge pour l'instant. Mais j'avoue que j'ai hâte de me retrouver chez moi. Depuis le temps que je suis habituée de vivre seule...

— Dis donc... Je ne sais pas si l'idée peut t'intéresser, mais moi, je cherche quelqu'un pour partager les frais. Avec le salaire que je fais ici, c'est tout juste si j'arrive à joindre les deux bouts.

— Pis t'habites où?

— Pas loin d'ici. C'est pas le grand luxe, mais c'est propre et tranquille. En habitant le quartier, je peux sauver un peu sur le transport.

Pendant un moment, Virginie reste songeuse, les sourcils froncés sur sa réflexion.

— Ça peut peut-être m'intéresser... Moi aussi, j'travaille dans le coin. Tu me laisses tes coordonnées? Je vais y penser...

C'est ainsi que, deux semaines plus tard, Virginie déménage encore une fois ses pénates sous le regard humide de Gilbert.

— M'en vas m'ennuyer sans bon sens, moi là...

Le gros homme fait peine à voir! Lui si volubile en est à court de mots. Il reste planté sur ses courtes jambes, au beau milieu du salon, se tordant les mains d'impuissance et soupirant après Sébastien qui déménage les valises et les boîtes de la jeune fille qu'ils avaient récupérées à son ancien logement. À ces mots pleins de tristesse, Virginie vient à lui et plaque deux gros bai-sers sonores sur ses joues rebondies. Depuis qu'elle a rencontré Claudie et après quelques rencontres entre les deux filles, elle a retrouvé un certain air d'aller. Ce n'est pas encore la grande forme, mais on sent qu'elle est sur la bonne voie.

— Moi aussi, je vais m'ennuyer de toi, gros bêta, fait-elle mo-queuse. Qu'est-ce que tu penses? Mais je ne m'en vais pas au bout du monde. C'est à peine plus loin que le bout d'la rue.

Puis redevenue sérieuse, elle ajoute doucement en le regardant droit dans les yeux:

— Jamais j'pourrai oublier ce que tu as fait pour moi, Gilbert. Jamais. Sans toi, j'sais pas ce que je serais devenue.

— Voyons donc! Si ça n'avait pas été moi, ça aurait été quelqu'un d'autre.

— Oh non! Des comme toi, il n'y en a pas à tous les coins de rue...

Il n'est pas habitué aux remerciements, le gros Gilbert. Il en est tout reviré. Et ce n'est surtout pas pour qu'on le remarque qu'il a fait ça. C'est tout simplement qu'il l'aime, lui, la petite Virginie. Il aimait surtout la vie qu'elle lui a permis de vivre, ces derniers temps. À nouveau, il anticipe que la solitude sera sa plus fidèle compagne. Et cela, il a de plus en plus de difficulté à l'accepter. Alors, il s'ébroue, lève les mains au plafond, roule des yeux pour garder une certaine contenance.

— Allons file, ma belle, avant que j'me mette à brailler comme un veau devant tout l'monde, minaude-t-il de sa voix haut perchée. Pis promets-moi encore que tu vas venir souper samedi soir avec ta nouvelle coloc.

— Ça, c'est promis. Pis quand je promets quelque chose, c'est pour vrai.

Quand il entend la dégringolade de ses pas dans l'escalier, Gilbert a l'impression que Virginie emporte un bout de son cœur avec elle. Il jette un regard désespéré autour de lui. C'est bien beau un beau salon, mais c'est tellement plus agréable quand on peut le partager avec quelqu'un. C'est alors que Sébastien paraît dans la porte. Pour lui aussi, c'est un autre départ. Tant que Virginie vivait ici, il sentait le besoin d'être avec elle, même s'il ne la connaissait pas vraiment. Mais il ne peut envisager demeurer seul sous le même toit que Gilbert. Pas après la discussion de l'autre soir.

— Une dernière valise et je crois bien que le compte y est.

Puis après un bref moment.

— Merci pour tout. Sans toi, je ne...

— Pas toi avec, doux Jésus! s'exclame Gilbert, plus vierge effarouchée que jamais en claquant de la langue.

Puis il soupire et ajoute, soudainement sérieux.

— J'ai juste fait ce que je devais faire. Et je ne veux plus en entendre parler… Tu viens souper après? demande-t-il mine de rien.

— Souper?

Sébastien a-t-il envie de revenir ici après le déménagement? Pas vraiment. Mais alors qu'il lève les yeux vers Gilbert pour décliner son invitation, il rencontre le sourire du gros homme, mi-figue, mi-raisin, mais surtout plein d'espoir. Et pour une première fois depuis des années, il admet que les états d'âme de Gilbert ont plus d'importance que les siens. Alors il lui rend son sourire.

— Okay, Gilbert. Le temps d'installer Virginie et je reviens… Qu'est-ce qu'on mange?

— Ce que tu veux, mon beau. Tout ce que tu veux!

Le bonheur tient à si peu parfois! Et c'est en voyant la métamorphose du visage de son ami que Sébastien comprend que, souvent dans la vie, il suffit d'ouvrir les yeux pour voir. Depuis combien de temps avance-t-il sans véritablement regarder autour de lui? Pour éclipser une réponse qu'il n'est pas vraiment certain de vouloir entendre, il attrape la dernière valise d'une main leste et lance par-dessus son épaule, en dégringolant l'escalier à son tour:

— Si t'avais le temps Gilbert, me semble que ça serait bon un bœuf bourguignon… Tu fais le meilleur que je connais…

Brusquement, tout ce qui lui importe, c'est de faire plaisir à Gilbert. Le gros homme l'a bien mérité. Et sans vraiment comprendre ce qui lui arrive, c'est le cœur tout léger que Sébastien rejoint Virginie qui l'attend dans le taxi devant la porte.

* * *

C'est la providence qui a fait se rencontrer Claudie et Virginie. Les deux filles s'entendent à merveille et à peine quelques jours après l'installation de Virginie, elles ont établi une routine qui leur convient à toutes les deux. Ayant des horaires de travail différents, Claudie voit aux repas quand elle arrive à quatorze heures et Virginie s'occupe du ménage le matin avant de partir. Elles font les courses ensemble, le dimanche étant une journée de congé commune. L'appartement, sans être neuf, est propre, fonctionnel et surtout bien éclairé, ce qui s'avère presque un luxe dans le quartier. Le balcon arrière donne sur une cour minuscule que le propriétaire entretient avec un soin jaloux. Un gros érable, ayant survécu aux changements périodiques dans la configuration du quadrilatère de bâtisses hétéroclites, doit procurer une fraîcheur bienfaisante aux jours de canicule et les deux filles ont même droit à un petit potager.

— C'est important de manger sainement, surtout pour deux belles filles comme vous deux!

M. Lamarre est un gentil vieillard, veuf depuis de nombreuses années, qui veille sur ses locataires avec un soin identique à celui qu'il prodigue à son jardin. Il a accueilli Virginie comme si elle était sa petite-fille.

— Je suis bien heureux que la petite Claudie ait enfin quelqu'un pour vivre avec elle. Et vous avez l'air d'une gentille fille, vous aussi. Si vous avez besoin de quoi que ce soit, venez me le demander. Je suis là pour cela.

Depuis qu'elle est arrivée chez Claudie, Virginie a recommencé à dormir la nuit et mange mieux aux repas. Sans savoir le drame qui a traversé la vie de sa nouvelle amie, Virginie n'étant toujours pas prête à en parler, Claudie a facilement deviné que cette fille-là avait vécu quelque chose d'important. Discrète de nature, elle n'a pas argumenté quand Virginie lui a demandé si elle acceptait de venir la rencontrer à son travail, quand elle devrait rester à la boutique jusqu'à vingt et une heures.

— T'as bien raison, Virginie. Moi non plus, je n'aime pas vraiment me promener seule le soir. Mais parfois, on n'a pas le choix.

Elle éclate de rire. D'un rire complice et amical.

— Disons que ce n'est pas le quartier le plus sûr de la ville, n'est-ce pas?

Puis elle regarde autour d'elle. Le salon est gentil avec ses meubles d'occasion qu'elle a recouverts de jetées fleuries et ses vieilles tables de bois récupérées dans le hangar de ses parents.

— Mais on est bien chez nous, lance-t-elle joyeuse. C'est mon premier logement et je l'aime. Alors tant pis pour le quartier et j'irai te chercher. Ça sera mon exercice quotidien!

À ces mots et devant la discrétion de Claudie, Virginie avait eu un sourire reconnaissant.

Et puis, il y a Gilbert qu'elle continue de voir régulièrement. Sans trop qu'elle sache pourquoi, cet homme-là lui fait du bien. Comme s'il la réconciliait tout doucement avec les autres hommes qu'elle a encore de la difficulté à accepter dans son environnement immédiat. Sans qu'il s'en doute le moindrement, le fait qu'il soit homosexuel et d'une délicatesse toute féminine fait de Gilbert la meilleure thérapie qui soit pour Virginie. Souvent, il se pointe à la boutique pour l'inviter à casser la croûte avec lui et en sa présence, Virginie oublie tout le reste. Avec Gilbert, le moindre repas prend des allures de fête. En plus de l'habitude que Claudie, Virginie et Gilbert ont prise de se voir tous les samedis soirs, pour un bon souper. Parfois chez l'un parfois chez les autres. Il n'y a que Sébastien qui boude leur rencontre hebdomadaire sans que personne ne comprenne pourquoi. De par son âge et son attitude, Gilbert tient lieu à la fois de père, de mère, d'ami et de conseiller. Et de bienfait instantané. Ses manières exagérées et sa langue pointue sont un véritable tonique de bonne humeur. Et ce soir, les deux filles ont invité M. Lamarre à se joindre à eux. En congé bien mérité, Virginie a uni ses talents culinaires à ceux de Claudie, et ensemble elles sont à la cuisine à concocter un véritable festin. Au menu: poires farcies, potage aux légumes, bœuf braisé et gâteau renversé.

— As-tu remarqué combien M. Lamarre avait l'air heureux?

— Et comment! J'ai l'impression qu'il n'a pas souvent d'invitation.

— Dommage, il est si gentil… C'est comme pour Gilbert. Je ne comprends pas que cet homme-là n'ait pas une tonne d'amis…

— C'est vrai qu'il est gentil, mais en même temps il est… un peu particulier. Ce n'est sûrement pas tout le monde qui peut s'accommoder de ses manières efféminées…

— T'as peut-être raison…

Puis après un moment de réflexion, Virginie ajoute:

— Et je t'avouerais, dans la même ligne de pensée, que ça me surprend qu'un gars comme Sébastien soit un de ses amis... Il me semble qu'ils sont tellement incompatibles, ces deux-là.

À la mention de ce nom, Claudie se met à rougir. Heureusement, penchée au-dessus de son chaudron, Virginie n'a rien remarqué.

— Toi aussi, tu trouves ça drôle? fait-elle d'une voix qui se veut indifférente.

Puis avec un soupir qu'elle n'arrive pas à réprimer totalement.

— Dommage que Sébastien refuse toutes nos invitations. On se serait bien amusé ce soir, tous ensemble. Curieux d'ailleurs qu'il oppose toujours une fin de non-recevoir quand je l'invite... Je ne comprends pas. Pourtant il a l'air content de me voir quand il vient prendre un café... Mais dès que je lui parle de venir faire un tour ici, il se referme sur lui-même. Remarque que depuis quelque temps il ne vient même plus prendre son café matinal... Non, je ne comprends vraiment pas.

— Et moi non plus! C'est un drôle de gars, Sébastien. Dans le fond, on ne sait rien de lui. Sinon qu'il vit un peu n'importe où et n'importe comment.

Pendant un instant, Virginie reste silencieuse, les yeux dans le vague. Elle revoit Sébastien la nuit où il est venu à son secours. Sa gentillesse, sa disponibilité, son respect envers elle. Toutes qualités qu'elle ne se serait pas attendue de trouver chez un itinérant. Puis elle hausse les épaules avec impatience, choquée contre elle-même et ses pensées tordues. Curieux parfois comme on se fait des idées préconçues sur les gens et à quel point on s'y accroche. Comme si un itinérant ne pouvait pas être gentil! Alors elle ajoute à voix basse, comme si elle ne parlait que pour elle-même:

— Peut-on savoir les secrets que chacun cache en lui?

Claudie lève la tête vers elle.

— Tout à fait d'accord avec toi. Et ça, vois-tu, ma vieille, il faut apprendre à le respecter si on veut être heureux.

Puis revenant à des considérations beaucoup plus terre à terre, elle lance toute joyeuse:

— Je ne sais pas si Gilbert va réussir à convaincre M. Lamarre de nous laisser peindre les murs de couleur vive? C'est bien sa seule lubie, le cher homme. Comme si des murs blancs ajoutaient de la valeur à ses appartements!

À ces mots, Virginie se met à rire.

— Gilbert? Pas de crainte pour ça. Quand il s'y met, personne ne peut lui résister. Prépare tes pinceaux, ma belle, c'est comme si c'était déjà fait. D'autant plus que Gilbert nous a proposé ses services comme décorateur. Il aime tellement ça! Tu vas voir… Pour satisfaire sa passion, il va réussir à mettre M. Lamarre en boîte en moins de temps qu'il n'en faut pour le dire!

* * *

Noël sera là dans moins de deux semaines. Le champ derrière la maison de Cécile et Jérôme est recouvert d'une mince pellicule blanche qui laisse pointer les tournesols laissés là pour les oiseaux. Tenant le rideau de dentelle d'une main, Cécile laisse son regard voguer sur les arabesques que la tempête dessine sur la neige. Le vent s'engouffre dans la cheminée et se lamente jusque dans le poêle à bois qui ronronne, confortable, dans un coin de la cuisine. Elle entend Jérôme qui aide sa mère à se mettre au lit et leur conversation résonne en sourdine dans la maison, accompagnant le tic-tac de l'horloge du salon. Impulsivement, Cécile pousse un profond soupir de contentement. Dieu qu'elle est bien chez elle! D'autant plus qu'elle vient probablement de vivre les deux plus belles semaines de sa vie. Jérôme et elle reviennent d'une croisière dans les Caraïbes où elle a même oublié la terrible angoisse qui l'assaille depuis quelques mois. Toutes ces îles, ce soleil, ces plages différentes, ces sourires rencontrés… Mais surtout, il faut dire qu'elle a l'impression que sa mémoire lui est fidèle depuis qu'elle a parlé à Marie-Hélène. Et si elle en est presque convaincue, c'est que Jérôme ne lui a fait aucune remarque en ce sens. Habituellement, c'est par lui qu'elle prenait conscience de ses absences. Sinon, elle doit admettre qu'elles passeraient inaperçues. Et voilà que, depuis deux mois, tout baigne dans l'huile! À aucun moment, son mari ne lui a fait de remarque inquiétante. S'étirant longuement, elle pousse un second soupir. Peut-être bien finalement qu'elle s'était trompée et que son inattention n'était causée que par la fatigue. Peut-être… À son âge, la chose peut s'avérer normale. Malgré tout, en médecin consciencieux qu'elle est, elle ne repousse pas complètement ses inquiétudes. Elle se doit de rester vigilante, ne peut se permettre de jouer à l'autruche. Elle le sait fort bien: une maladie traitée dans ses débuts peut être plus facilement contrôlée. Mais pour l'instant, en toute honnêteté, elle ne sent pas encore le besoin d'intervenir. Pourtant, malgré ses espoirs les plus fous, elle ressent en elle un besoin à chaque jour plus grand. Une envie qu'elle veut écouter jusqu'au bout, juste au cas où. C'est pourquoi, dès qu'elle entend les pas de Jérôme qui approche de la cuisine, elle se retourne vivement.

— Mélina est couchée?

— Oui. Elle te fait dire bonne nuit.

— Merci.

Puis toute souriante, Cécile demande:

— Alors, qu'est-ce qu'on fait pour Noël?

Jérôme hausse les épaules.

— Pour Noël? Aucune idée.

Puis il se met à rire, moqueur.

— Par contre, si tu me poses la question c'est que tu en as une idée, toi… Je me trompe?

— Pas du tout, mon amour… Effectivement, j'ai peut-être une ou deux petites idées qui me trottent dans la tête… Que dirais-tu de réunir la famille autour de nous?

Jérôme lève un sourcil interrogateur.

— La famille? Toute la famille? demande-t-il inquiet.

— Pourquoi pas? Ta sœur, mon fils, mes frères et sœurs, Dominique, sa famille et ses parents, énumère Cécile en comptant sur ses doigts…

— Oh! Là, l'interrompt Jérôme visiblement débordé. Ce n'est pas un peu beaucoup tout ce monde-là? On n'a plus vingt ans et…

— Et alors? Je me sens en pleine forme et ça me tente de tous les avoir avec nous.

— Moi aussi, j'aimerais bien. Mais je ne sais pas si c'est vraiment sage de se lancer dans…

— S'il te plaît!

Soudainement, la voix de Cécile se fait suppliante. Elle s'est approchée de lui et pose ses deux mains sur les épaules de son mari en levant les yeux vers lui. Pendant un moment leurs regards se soutiennent et Jérôme a l'impression que c'est tout un dialogue qui se déroule silencieusement entre eux. Il referme les bras autour de la taille de Cécile.

— Tu es bien certaine que ce ne sera pas au-dessus de tes forces? Tu es vraiment capable d'entreprendre tout ça?

Cécile, éternelle indécise, hausse les épaules avant de tracer son inimitable sourire, à la fois triste et malicieux.

— Si je n'essaie pas, je ne le saurai pas, fait-elle taquine. Et puis tu peux m'aider, non? C'est un temps mort pour toi.

— C'est sûr, approuve-t-il toujours hésitant.

Alors le visage de Cécile devient grave, presque austère. Dans sa poitrine, son cœur s'est mis à battre comme un fou. Il faut que Jérôme accepte parce que là, présentement, elle est persuadée qu'une occasion comme celle-là ne se présentera peut-être plus jamais. Qui sait où elle sera dans un an? Et au-delà de cette maladie qui lui fait peur, il reste que l'âge les rattrape. Autant Jérôme qu'elle.

— C'est important pour moi, Jérôme, murmure-t-elle sérieuse. J'ai besoin de les savoir tous là, près de moi. J'ai besoin de goûter à leur présence affectueuse. Comprends-moi... C'est là, ajoute-t-elle en se touchant le cœur. Je veux les miens, tous réunis...

Les mots «pour une dernière fois» résonnent entre eux sans même avoir été prononcés. Alors, à cette supplication qui ne dit rien mais qui dit tout, à cause de ce regard à la fois cruellement lucide et suppliant, Jérôme comprend que Cécile est consciente des changements qui s'opèrent lentement en elle. À travers ces mots, il entend la peur, la tristesse. Cécile sait... Il a donc bien fait de choisir de taire ses inquiétudes et d'arrêter de lui passer des remarques quand il lui arrive d'oublier certaines choses pourtant banales. L'éclat de douleur qui traversait le regard de sa douce quand elle prenait conscience de ses absences lui était devenu insupportable. Mais voilà qu'il a la certitude qu'elle sait et tout à coup, il se sent apaisé. Cécile est consciente de son état. Il n'a plus à s'en faire parce qu'il lui a toujours fait confiance. Aujourd'hui comme hier et comme demain. Cécile est une femme de cœur et de raison. Le jour où elle le jugera opportun, il sait qu'elle va réagir. Alors il la serre amoureusement contre lui. Le temps de la tristesse viendra à son heure et il espère du plus profond de son âme que ce sera le plus tard possible. Quand on aime, la douleur arrive toujours trop tôt. Mais là, maintenant, dans le confort rassurant de leur demeure, à son tour, il a envie de donner une autre chance à la vie. Goûter à deux ce bonheur d'être ensemble, avoir des projets, des milliers de raisons de rire.

— D'accord, ma douce. J'en suis… On va recevoir les nôtres pour Noël, chuchote-t-il à son oreille. Je vais préparer les chambres et la carriole. Je vais astiquer les planchers et me déguiser en marmiton si tu l'exiges. Je vais trouver le plus beau, le plus grand sapin de la forêt pour l'installer dans notre salon. Pour toi. Juste pour toi. Pour voir briller tes yeux et entendre ton rire. Parce que je t'aime Cécile. Oh! oui, je t'aime tellement…

* * *

Ça fait maintenant deux heures que Sébastien bat de la semelle rue Mont-Royal près de Saint-André, espérant rencontrer François. Il sait que le travailleur de rue se tient souvent ici. Pourtant aujourd'hui, il ne l'a pas encore vu. Il est gelé, il a faim, il ne sait plus où il en est. Il a surtout besoin d'une présence, d'une oreille pour l'écouter. Peut-être alors arrivera-t-il à se comprendre lui-même? Parce que, pour l'instant, il a l'impression de faire du surplace. Tout ce qui le satisfaisait et comblait ses besoins, il y a de cela quelques mois à peine, lui semble subitement dérisoire et le rend agressif. Cette vie de liberté sans obligation ne ressemble plus à ce qu'elle était. Il a bien tenté d'en parler avec Gilbert, mais la réponse de ce dernier n'a fait qu'empirer les choses.

— T'as juste à t'installer ici en attendant…

En attendant! En attendant quoi, au juste? Comme si le fait

d'avoir un toit sur la tête et manger trois repas par jour s'avé-raient une réponse! Il était parti en claquant la porte.

C'est alors qu'il rumine ses nombreux déboires qu'il aperçoit François. «Enfin», murmure-t-il impatient, injuste, comme si la terre se devait de tourner précisément autour de lui. Il a surtout l'impression que la révolte qui l'avait amené à la rue bouillonne à nouveau, plus brûlante que jamais. Par contre, il serait bien en peine de dire pourquoi. La hargne malsaine qu'il entretenait à l'égard de ses parents s'est éloignée. Depuis qu'il a revu son quar-tier, sa maison, il n'est plus qu'indifférence quand il pense à eux. Ou curiosité, selon ses humeurs. Alors d'où lui vient cette rage qu'il sent grandir en lui? Regardant furtivement à droite et à gauche, il se met à courir.

— Hé, Gombi! Attends-moi!

François se retourne et dessine un sourire en apercevant Sébastien qui traverse la rue en diagonale.

— Salut! Quoi de neuf? Ça fait longtemps que je ne t'ai pas vu.

— Quoi de neuf? ricane le jeune homme. Rien, justement. Le problème est là...

— Je ne te suis pas... Mais viens donc prendre un café. Il fait un froid de canard. On pourrait en jaser.

Contre toute attente, Sébastien acquiesce.

— Okay...

Ils se sont installés à une table qui donne sur la rue. Sébastien agrippe sa tasse à deux mains comme si la chaleur ressentie avait le pouvoir de le réchauffer tout entier, jusqu'au cœur. François remarque qu'il a les traits tirés, que son regard est hermétique. On dirait même qu'il a maigri. Un peu surpris, il retrouve le jeune homme qu'il avait rencontré l'hiver dernier. Agressif, ner-veux, arrogant. Comme si un rideau était tombé sur celui qu'il avait cru deviner pendant l'été et l'automne. Sans vouloir brus-quer les choses, il demande néanmoins:

— Alors, répète-t-il, quoi de nouveau?

Sébastien souffle dans ses joues.

— Tout, rien... J'en ai marre. De la rue, de rien faire, de tou-jours chercher. Pis en même temps, j'ai pas envie de rentrer dans le moule. J'veux rien savoir d'une job quarante heures semaine pis j'ai pas envie de me retrouver sur des bancs d'école. J'ai l'impression que j'ai fait le tour des possibilités de la rue, j'trouve ça monotone mais en même temps, j'veux pas en sortir. Complexe, n'est-ce pas? conclut-il avec un sourire amer.

François hausse les épaules.

— Pas vraiment. T'es pas le seul, mon pauvre vieux, à vivre ça.

— Toute une réponse! crache Sébastien, soudainement agressif. Mais qu'est-ce que vous avez tous à croire que c'est banal pis que...

— Hé! Laisse-moi finir. J'ai jamais dit que c'était banal, lance François sur le même ton.

Puis il se radoucit.

— Excuse-moi si c'est l'impression que j'ai donnée. C'est pas ce que je voulais. Alors t'en as assez?

— Oui pis non. C'est là qu'est le problème...

— C'est déjà énorme de considérer que tu as un problème, tu ne trouves pas?

— Tu crois?

— C'est évident, non? Comment veux-tu changer les choses si tu n'as même pas conscience qu'elles doivent être changées?

— Ouais... T'as peut-être raison...

Puis après un instant de réflexion.

— Mais ça me dit pas ce que je dois faire, tout ça. On revient au point de départ.

— Pas nécessairement.

— Alors qu'est-ce que tu ferais, toi, si t'étais à ma place?

— La solution de l'un n'est pas absolument bonne pour tout le monde, Sébas. Ce que moi je ferais, c'est une chose. Ce que toi tu as envie de faire en est peut-être une autre.

— Belle perspective!

— C'est sûr que ce n'est pas nécessairement facile. Mais il y a toujours des solutions à tout. Suffit de savoir ce que l'on veut.

— Baptême, on tourne en rond.

— Mais non. Penses-y un peu... Dans le fond, il y a juste toi qui peux décider pour toi. Il existe plein de ressources pour t'aider. Tu dois t'en douter, non? Quand tu vas chez Pops, tu dois en rencontrer, non, des gens prêts à…

— Des moralisateurs, oui, interrompt Sébastien avec une pointe de dédain dans la voix. C'est pas ça qui va…

— Tu penses sincèrement que ces gens-là sont des moralisateurs? Ça dépend peut-être seulement de quelle façon tu les regardes, coupe froidement François.

Sébastien lève la tête vers le travailleur de rue. François vient de toucher un point sensible. Subitement, il repense à Gilbert. La «grosse tapette» n'est-elle pas devenue un ami? De dédaigneuse, l'attitude de Sébastien n'est-elle pas devenue respectueuse envers lui? Tout simplement parce que sa façon de le regarder a changé?

— D'accord, t'as raison, admet-il enfin. Mais j'ai pas l'impression que ça m'avance beaucoup de le savoir.

— Au contraire… Tiens, je vais faire une chose avec toi. Je vais te le dire finalement ce que moi, je ferais à ta place. C'est un peu contraire à ma façon habituelle de voir les choses, mais, bon… Dans le fond, ce que tu dis, c'est que tu en as assez de tout sans savoir de quoi t'as assez. C'est bien ça?

Le visage de Sébastien s'éclaire.

— En plein dans le mille!

— Alors voici ce que je ferais: j'irais au Refuge des Jeunes de Montréal.

— Le Refuge des… c'est pour les ti-culs, lance alors Sébastien, déçu.

— Pas du tout. Le Refuge est là pour les gars de ton âge. Pour les gars entre dix-sept et vingt-cinq ans si tu veux être vraiment précis. Ce n'est pas une panacée, mais ça permet au moins de dormir au chaud, de se laver, de manger et de trouver une oreille pour parler. Des fois, Sébas, tout ce dont on a besoin, c'est de parler pour arriver à se comprendre soi-même.

Pourtant, à ces mots, le regard de Sébastien s'assombrit à nouveau.

— Pis, qu'est-ce que ça me donnerait de plus? Là ou ailleurs… C'est toujours du pareil au même, non? Un refuge ou un autre…

— Ça, il y a juste toi qui pourras y répondre… Disons que

c'est une formule qui a déjà fait ses preuves. Tu vas sûrement trouver là quelqu'un avec qui tu pourrais t'entendre. En tout cas, moi, j'essaierais de leur donner une chance. Parce que, dans le fond, c'est à toi que tu vas donner une chance.

Pendant un moment, Sébastien reste songeur. Devant son mutisme, François poursuit.

— Il y a partout des personnes de valeur qui peuvent t'aider, Sébas. Chez Pops comme ailleurs. Par contre, au Refuge, il y a une certaine forme de continuité qui permet d'avancer. Et avec ce que tu m'avoues, je crois que tu pourrais y trouver ce dont tu as besoin. Tu le dis toi-même: tu es tanné du surplace. Quand on en a marre sans réussir à mettre le doigt sur le bobo, c'est qu'il est temps qu'il se produise quelque chose. Mais à partir de là, il n'y a que toi et rien que toi qui peux faire avancer les choses. Mais l'aide dont tu peux avoir besoin est là, j'en suis certain. Vas voir, ça ne t'oblige à rien.

— Tu penses?

— Oui, je pense… Un séjour au Refuge peut devenir un levier pour autre chose. Mais je peux me tromper. Si tu trouves que ça ne marche pas à ton goût, tu n'auras qu'à m'appeler. On pourra essayer autre chose.

«Et pourquoi pas?» Avec une force incroyable, Sébastien sent que tout son être aurait envie d'essayer, justement. Tout plutôt que de continuer de s'enliser. Parce que, en ce moment, c'est la sensation qu'il a: il s'enlise de plus en plus dans une situation qui ne lui convient plus. Mais en même temps, il est réticent. Pourquoi aurait-il confiance dans le système tout à coup? Un système dont il n'a connu que le côté sombre et dont il doute sérieusement qu'il puisse y en avoir un autre. Il ferme les yeux pendant un instant avec la sensation désagréable que la tête lui tourne. Pourtant, au creux de ses émotions, il espère sincèrement qu'il y a peut-être là une ébauche de solution. François semble si confiant, lui! Alors Sébastien ouvre les yeux, regarde autour de lui. Installés ici et là, des jeunes, des plus vieux qui discutent, qui lisent, qui mangent une bouchée, boivent un café. Un peu comme lui, finalement. Comment avait-il dit ça, l'autre soir? Qu'il suffit parfois d'ouvrir les yeux pour voir? Oui, c'est ça…

Alors Sébastien offre un sourire à François. Lumineux et espiègle en même temps, se sentant curieusement libéré d'un grand poids. De toute façon personne ne lui demande de se décider sur-le-champ, n'est-ce pas? Il va laisser les choses mijoter un moment et après il verra. C'est donc avec une moquerie dans la voix qu'il lance:

— J'vas y penser, promis. Mais pour ce qui est de t'appeler… T'aurais pas sur toi une de tes cartes d'affaire? J'comprends pas ça, mais me semble que je l'ai pas dans mon barda… J'ai dû la perdre…

* * *

Comme cela lui arrive curieusement à chaque fois que des émotions importantes le visitent, Sébastien voit la spirale de ses pas se rétrécir, et sans qu'il l'ait vraiment décidé, il se retrouve devant la boutique de Virginie. La nuit vient de s'abattre sur la ville, tout d'un coup, comme souvent on le constate en décembre. La rue Sainte-Catherine est une féerie de lumières multicolores. Une neige fine comme une dentelle tombe depuis le matin, déguisant le paysage en carte de souhaits. La boutique où travaille Virginie est tout illuminée et il peut voir la jeune fille qui range quelques robes sur des cintres. Toute la métropole, à quelques jours de Noël, ressemble à une ruche bourdonnante. Pendant la journée, Sébastien a marché à travers les rues, regardant tout autour de lui comme s'il voyait Montréal pour une première fois et il a eu la bizarre impression de n'être qu'un spectateur, se tenant à l'extérieur du paysage, et que personne ne pouvait le voir. Mais présentement, le fait d'apercevoir quelqu'un qu'il connaît dissout cette impression et il réintègre sa place: les deux pieds dans la gadoue, sur un trottoir, espérant un peu de chaleur. Dans le fond de sa poche, il sait qu'il y a exactement sept dollars quarante-cinq. C'est suffisant. Respirant un bon coup, il pousse la porte et entre dans le magasin. Virginie le reconnaît immédiatement.

— Hé! Sébastien! Allô… Mais qu'est-ce que tu fais là?
— Comme ça, en passant… Qu'est-ce que tu deviens?
— Comme tu vois, je travaille, lance la jeune fille en riant.

Avant Noël, c'est complètement dingue…

Puis elle jette un regard furtif sur sa montre.

— Si tu peux m'attendre, je soupe dans moins d'une demi-heure. On pourrait y aller ensemble. Enfin, si ça te tente, ajoute-t-elle se rappelant les paroles de Claudie.

Pourtant, avec elle, Sébastien ne semble pas sur la défensive. Bien au contraire. Il affiche un grand sourire.

— Super… Je reviens dans trente minutes…

Répondant à une drôle d'intuition, Virginie a évité de proposer le McDo, Claudie travaillant par exception ce soir-là. Elle a plutôt entraîné Sébastien vers le Burger King, même si elle n'y aime pas les frites. Si le jeune homme est venu la rejoindre à son travail, ce n'est sûrement pas sans raison et elle a la brusque certitude qu'il est important de ne pas créer d'obstacles entre eux.

Pendant un moment, ils mangent en silence. C'est finalement Sébastien qui se décide.

— Alors? Comment vas-tu? Est-ce que ça «fitte» avec Claudie?

— De première! C'est vraiment une fille correcte, tu sais.

— Oui, je sais…

Puis à nouveau, un court silence que Sébastien interrompt brusquement.

— Mais t'as pas répondu à ma question… Comment vas-tu?

Alors Virginie le regarde droit dans les yeux. Un tourbillon d'émotions disparates la soulève. Colère, dégoût, peur… Oui, Virginie comprend fort bien de quoi Sébastien veut parler. Et compte tenu des circonstances, elle peut admettre qu'il ait le droit de lui poser cette question.

— Mieux, beaucoup mieux, articule-t-elle lentement, comme si elle choisissait ses mots. Aujourd'hui, je peux dire que je vais m'en sortir. Toute seule. Comme le dit souvent Claudie, faut laisser le temps faire son temps… Elle répète ça à tout bout de champ, pour toutes sortes de raisons. Mais je crois qu'elle n'a pas tort.

— Laisser le temps faire son temps, reprend alors Sébastien dans un murmure…

Puis d'une voix impatiente:

— Pis qu'est-ce qu'on fait quand on a l'impression que le temps n'avance plus?

— C'est alors que tu dois le faire bouger, je suppose.

Ces quelques mots rejoignent tellement bien ce que François lui disait que Sébastien en reste silencieux pour un instant.

— Facile à dire, ça. Mais tu trouves pas, toi, qu'il y a parfois des moments dans une vie où on ne sait pas comment faire bouger les choses, justement?

Pendant quelques instants, Virginie fixe Sébastien sans parler. Son intuition ne l'avait donc pas trompée: son ami semble être à un point tournant dans sa vie. À tout le moins, elle a l'impression qu'il avait un besoin vital de parler.

— C'est sûr, Sébastien, reprend-elle alors d'une voix douce. Mais si toi tu ne le sais pas, comment veux-tu que les autres le sachent?

Sébastien a un petit sourire sans joie, un peu désabusé.

— Encore… On dirait que t'as parlé à…

— Pas besoin de parler à qui que ce soit pour savoir ces choses-là, l'interrompt Virginie toujours aussi doucement, comme si elle avait peur de brusquer quelque chose. C'est juste le gros bon sens qui me fait dire ça… Faut faire confiance à la vie, Sébastien.

— Faire confiance? ricane-t-il alors amer. Mais faire confiance à qui, à quoi? On vit dans un système pourri qui ne demande pas à…

— Oh là! C'est toi qui oses me dire ça?

Le ton monte. C'est comme si Sébastien venait de l'attaquer.

— Oui, c'est moi, crache Sébastien, soudainement agressif. Jusqu'à maintenant, on peut pas dire que la vie s'est montrée particulièrement généreuse envers…

— Et après? l'interrompt à nouveau Virginie, visiblement choquée. Je le répète: faut faire confiance. Et s'il y a quelqu'un qui peut se permettre de le dire, c'est bien moi.

Virginie s'est emportée et le ton de sa voix est maintenant sourd, chargé de colère.

— Quand tu m'as repêchée l'autre nuit, je venais de me faire violer et sodomiser par trois gars qui étaient de supposés amis.

C'est la première fois qu'elle reparle de cette nuit-là. Les mots qu'elle vient de prononcer lui font mal, écorchant au passage la confiance naturelle qui est la sienne. La vie lui avait réservé une gifle qu'elle ne pensait jamais recevoir. Pourquoi? Elle ne le saura probablement jamais. Par contre, elle n'est pas restée au plancher. Elle s'est débattue avec elle-même, avec les images ancrées dans sa tête, avec sa peur et son dégoût. Elle est en train de s'en sortir. Et voilà que Sébastien se permet de mettre ses convictions en doute? C'est vibrante que Virginie poursuit.

— Et qu'est-ce que tu m'as dit, toi, l'autre nuit quand tu es venu à mon secours? Tu m'as tendu la main en me demandant de te faire confiance… Et c'est ce que j'ai fait. Malgré la peur qu'il y avait en moi, j'ai senti, là, fait-elle en se pointant le cœur, j'ai senti que si je n'acceptais pas ta main, plus rien n'aurait de sens. Oh! Ce n'était pas aussi clair que ce que je te dis. Mais c'était comme une sorte d'instinct. L'instinct de survie, faut croire… Alors ne viens pas me faire de leçon sur la confiance. Je ne sais pas ce que tu as vécu. En fait, je ne sais même pas ce que tu vis présentement. Mais une chose que je sais, par exemple, c'est que sur cette terre, à travers tous les autres, il y a des gens qui méritent notre confiance et on n'a pas le droit de les repousser.

Ces quelques mots rejoignent Sébastien droit au cœur, s'emmêlent à cette sensation de déséquilibre, de recherche qui le harcèle. Puis brusquement, c'est la détente. Sans être capable de le décrire avec précision, il sait qu'il vient de trouver ce qu'il était venu chercher.

— D'accord, approuve-t-il, faisant ainsi amende honorable devant Virginie mais devant lui-même aussi. Tu as raison. Mais c'est tellement difficile de faire confiance quand on a l'impression qu'à chaque fois qu'on voudrait le faire, c'est une claque que l'on reçoit.

— Je n'ai jamais dit que c'était facile, Sébastien. Mais c'est essentiel par contre. Comment peut-on vivre autrement? Et sans savoir ce que tu as vécu, dis-toi bien qu'on a tous chacun nos secrets, reprend Virginie, radoucie. Moi, toi, Claudie aussi probablement. Et Gilbert, tant qu'à y être. Et ça ne nous empêche pas d'avancer, d'avoir des rêves et des buts… Tiens, en parlant de Gilbert, je crois que ta présence lui manque, tu sais.

Elle est consciente de faire bifurquer la conversation, mais brusquement Virginie a l'impression que ça devenait essentiel. Et la lueur qui traverse le regard de Sébastien lui donne raison.

— Pauvre Gilbert… Drôle de bonhomme… à moi aussi, il me manque. Sa bonne humeur me manque.

— Alors tu n'as qu'à aller le voir, tranche catégoriquement Virginie. C'est ce que je disais tout à l'heure: parfois, il faut faire bouger les choses. Et sur ce point, je crois bien que tu ne sais pas vraiment comment t'y prendre. Pour toi, je veux dire. Parce que, pour moi, tu as su exactement ce qu'il fallait faire…

Et sur ce, elle éclate de rire.

— Pardonne-moi ma franchise et le ton que j'ai eu pour te parler, mais je crois que tu avais besoin de te faire sonner les cloches. À te voir aller, on a l'impression que tu tournes en rond. Comme un petit chien qui court après sa queue sans jamais réussir à l'attraper. Tu… tu es un bon gars, Sébas. Un ami comme j'en n'ai pas beaucoup. Mais bon sang, grouille-toi. Reste pas planté là à attendre que la vie passe…

À son tour, Sébastien se met à rire.

— Je… je vais faire bouger les choses, comme tu dis, ajoute-t-il énigmatique. Et si ça ne donne rien…

Sébastien laisse sa phrase en suspens, s'intériorise un moment, pense alors à François, le mot Refuge s'imprimant en lettres rouges sur l'écran de sa pensée. Finalement, il refait un sourire. Pourquoi pas? Puis il revient à son amie.

— Merci Virginie.

— Pas de quoi. Les amis, c'est aussi à ça que ça sert…

Puis faisant du coq à l'âne:

— Qu'est-ce que tu fais pour Noël?

— Sais pas… Rien probablement.

— Viens donc avec nous… Gilbert va être là, Claudie aussi, alors on s'est promis de fêter en grand pour le réveillon.

— Ah! Oui?

À nouveau, à la mention du nom de Claudie, le regard de Sébastien se referme. Son cœur s'est remis à battre tellement fort qu'il est persuadé que tout le monde doit l'entendre. Mais qu'est-ce que cette fille-là lui a fait? À chaque fois qu'il la voit ou qu'il entend prononcer son nom, c'est la même chose: il est attiré par elle, voudrait tout savoir sur sa vie et en même temps, il cherche à la fuir… Il ne comprend pas cette réaction… Sa réponse se fait évasive.

— Je verrai… Oui, je verrai à ça…

Puis il s'ébroue.

— Comme ça vous voyez Gilbert souvent?

— Tous les samedis. Et tu sais pas ce qu'il a réussi à faire? Il a convaincu notre propriétaire de mettre de la couleur sur nos murs. Tu devrais voir le résultat! C'est vraiment un talent naturel chez lui, la décoration. C'est tellement beau… Tu connais nos divans, n'est-ce pas? Alors imagine un mur aubergine avec des boiseries…

Le lendemain, à force de tourner en rond, dans ses pensées comme dans sa promenade, Sébastien se retrouve finalement devant le Refuge des Jeunes de Montréal. Ce matin, en se glissant hors de l'immeuble qu'il a adopté, une indication VENDU lui a sauté au visage. Pourtant, c'est en souriant qu'il a lu et relu l'annonce. L'immeuble va être démoli pour faire place à un concept de condos. Mais le voilà ce signe qu'il attendait! «On me fiche à la porte», pensa-t-il alors plus amusé qu'autre chose. C'est pourquoi, bien consciemment cette fois-ci, il a dirigé ses pas vers l'ouest, en direction du Plateau. Pour avoir arpenté le quartier des milliers de fois, il sait où se trouve le Refuge. Au coin de Berri et Roy, dans le sous-sol d'une église. Pourtant, ce n'est que vers quinze heures qu'il se décide vraiment à venir sonder la porte. Une affiche bien en vue indique que ça n'ouvre qu'à dix-huit heures. Déçu, il rebrousse chemin, n'osant pas sonner. C'est maintenant qu'il avait le courage de s'y présenter. Pas dans trois heures. Ce n'est qu'un détail, mais brusquement il a l'impression que rien ne fonctionnera comme il le veut. En fait, quand est-ce que quelque chose fonctionne comme on le veut?

Malgré cela, le froid étant particulièrement mordant aujourd'hui, transi et les pieds gelés, il revient à l'heure dite. Un garçon aux cheveux mi-longs, à l'air jovial, à peine plus vieux que lui, ouvre la porte.

Aussitôt, Sébastien a la nette sensation d'avoir mis le doigt dans un engrenage qui va l'aspirer en entier. À commencer par l'inscription et une description des règlements en cours au Refuge. Pourtant, c'est à peine une fiche que l'on a remplie. Que des questions normales, banales même, lorsqu'un inconnu frappe à votre porte.

— Et en cas d'urgence, qui doit-on prévenir?

Sébastien hausse les épaules. Qui doit-on prévenir?

— Personne, lâche-t-il nonchalamment.

Puis il se ravise.

— Non, c'est pas vrai. Tu peux toujours prévenir François Léveillé.

— Le travailleur de rue?

— En plein lui.

— On se connaît bien, François et moi. C'est un gars correct.

— Ouais… Si on veut.

Sébastien est sur la défensive, mal à l'aise.

Puis c'est douche, casier barré pour ses effets personnels, repas… Et tous ces jeunes autour de lui, cette promiscuité, cette vie de groupe… Pourtant le repas est bon, chaud, abondant et l'atmosphère détendue. À bien des égards, l'endroit est semblable à l'autre refuge où il s'est déjà présenté à quelques reprises et en même temps, totalement différent. Car ici, autour de lui, il n'y a que des jeunes de son âge et une drôle d'impression dans l'air. Peut-être que c'est de là que lui vient cette sensation d'étouffement: il n'y a que des gars comme lui. Ici, il fait donc partie de la gang, qu'il le veuille ou pas. Il est un élément d'un groupe qui lui semble homogène, lui qui avait justement décidé de n'appartenir à aucun clan. À quelques pas, deux gars jouent au billard en s'obstinant autant en anglais qu'en espagnol et un peu plus loin, d'autres jeunes regardent la télévision. On entend des rires, des discussions. Dans le milieu de la salle, une femme vient de réunir quelques tables ensemble et elle est à installer du matériel de dessin. Sébastien a toujours aimé dessiner d'une façon presque viscérale. Et brusquement, il comprend que cela lui a manqué, ces dernières années. Il repense à tous ces jardins colorés qu'il aimait tant inventer quand il était petit, ces papillons dont sa mère disait qu'ils avaient l'air de vouloir s'envoler hors du dessin tellement ils étaient beaux et l'envie de se lever pour s'installer à la table se fait presque violence. Serait-il encore capable aujourd'hui de reproduire des fleurs grandeur nature et des oiseaux stylisés? Puis une pluie de confettis s'abat sur ses pensées. Une tempête de petits bouts de papier de toutes les couleurs et cette douleur derrière les oreilles, cette impression que sa tête va décrocher…

— Les vrais gars ne dessinent pas. Ils jouent au hockey…

Alors Sébastien reste en retrait. Il n'est pas prêt. Il a peur. D'une peur incontrôlable qu'il connaît trop bien. Instinctivement, il préfère attendre. Il a besoin de sentir les odeurs du Refuge, de s'y créer des repères avant de se livrer à d'autres. Même à travers de vulgaires dessins. Et pour l'instant, rien ne l'attache à l'endroit où il se trouve. Brusquement, il a l'impression d'être pris au piège. Un piège qu'il a lui-même choisi en acceptant de venir ici. Il voudrait sortir, prendre l'air, voir le ciel. Il sait qu'il n'en a pas le droit sinon il ne pourra revenir que demain. Pas le droit… Ces quelques mots lui remontent dans la gorge comme une nausée. Pourtant, c'est lui qui s'est engagé à rester toute la nuit. Ça fait partie des règlements… Mais qu'est-ce qui lui a pris de venir ici, aussi? La rue ne lui avait-elle pas appris que l'espace lui était vital, au même titre que l'air qu'il respire et que l'eau qu'il boit? Tout à coup, il sent les murs se refermer sur lui. Il y a trop de monde, trop de bruits et pas de fenêtres… Et la voix de son père qui a réussi à le retrouver encore une fois, barbouillant la réalité de son mépris, maquillant jusqu'à ses espoirs les plus fous, les rendant dérisoires. Des tas de confettis font la tempête dans sa tête. Et cette nausée qu'il sent grandir en lui, cette lassitude qui rejoint l'espèce de colère qui change tout depuis des années. L'intervenant qui l'a accueilli lui fait un sourire quand leurs regards se croisent. Sans y répondre, Sébastien détourne la tête. Mais qu'est-ce qu'il croit, lui là-bas? Qu'il suffit de se sourire pour être copain-copain? Il n'a rien demandé à personne. Et il n'a pas envie de donner, non plus. De toute façon, il n'a rien à donner. Alors il se dit qu'il n'a qu'à partir malgré tout. Tant pis si ce geste l'interdit de séjour pour un temps puisqu'il n'a pas l'intention de revenir. C'est au moment où il s'apprête à se relever qu'il aperçoit François, arrivant par la porte du fond. Retenant un soupir, il se rassoit. Mais qu'est-ce qu'il fiche ici, lui? N'est-il pas supposé être dans la rue? Alors s'ajoutant à tout le reste, la présence inattendue de François est une agression supplémentaire. Une agression de trop. Il a l'impression d'être surveillé et cette sensation lui est prodigieusement désagréable. Bousculant sa chaise, Sébastien se relève et sans accorder le moindre regard à François, il gagne le fond de la salle, là où quelques fauteuils en retrait permettent une fausse intimité. Il espère seulement que le message est assez clair: il n'a pas envie de parler. À personne...

Attrapant une revue sur l'étagère, il fait semblant de lire.

Et c'est ainsi que François perçoit le geste. Il savait que l'adaptation serait difficile pour un solitaire comme Sébastien. Mais il sait aussi que c'est un garçon intelligent et que, avec un peu de temps et beaucoup de bonne volonté, il devrait arriver à se fixer des objectifs valables. Alors, il se contente de lui faire un petit signe de la main qui se perd dans le vide. Respectant son retrait, François se dirige vers la cuisine pour se servir un café.

— Hé François!

Surpris, celui-ci se retourne.

— Vincent? Mais qu'est-ce que tu fais ici?

Le jeune se met à rire.

— J'attends mon t'chèque de paye... J'avais pus rien à manger.

Et voyant la lueur d'inquiétude qui traverse les yeux de François, il s'empresse d'ajouter:

— Mon loyer est payé, inquiète-toi pas. Ça fait que l'appartement s'envolera pas. Pis j'ai pas faite de folies, précise-t-il avant que la question ne vienne. C'est juste que j'commençais à avoir faim en estie. C'était l'épicerie ou une paire de bottes. J'ai décidé que ça serait les bottes... En attendant mon prochain t'chèque, j'vas rester icitte quequessjours. Anyway, ça me fait du bien de changer d'air, pis c'est pas mal meilleur icitte que le manger que j'me fais... Pis tu sais-tu qui c'est que j'ai revu, hier soir? Pierre-Luc! Pierre-Luc Poitras. Ça devait faire trois mois que j'l'avais pas vu....

Pierre-Luc, c'est son ancienne bande, son ancienne vie. Pourtant, au timbre de sa voix, au-delà du plaisir réel qu'on devine, l'appartenance semble éteinte. Il parle de son copain avec enthousiasme, c'est vrai, pourtant aucune envie ne semble l'effleurer.

— ... Y'a pas changé! Toujours à chercher une job! Laisse-moi t'dire que chus ben content d'en avoir une, moé! Pis «steady» à part de ça!

Ces quelques mots font plaisir à entendre. Vincent est en train de se prendre en mains et même si l'emballement un peu naïf qu'il démontre envers lui-même fera toujours partie de ce qu'il est, une certaine conscience sociale commence à poindre. À sa façon, la façon Vincent, un brin délirante, utopique.

— Ben tant mieux, Vincent. Pis encore, la job? Ça va comme tu veux?

— Pas pire... pas pire pantoute, même. L'boss m'a dit que si ça continue d'même, j'm'en vas travailler dans la shop d'icitte à pas longtemps. Pis que j'vas avoir une augmentation d'salaire. De même, j'devrais en avoir assez pour finir mes mois.

— J'suis content pour toi, Vincent. Et ton voisin, lui? Toujours bruyant?

À ces mots, Vincent se met à rire. De bon cœur.

— Ben non. C'est vos deux qui avaient raison. Quand j'y ai parlé avec Michel, ça toute réglé. C'est même un gars correc, finalement. On a même pris une bière ensemble, samedi soir. Chez eux. Au boutte du compte, j'pense que j'vas rester là pour un autre année.

Alors c'est au tour de François de se mettre à rire.

— Tu parles d'une bonne nouvelle! Un déménagement de moins!

Puis il se dirige vers un autre jeune qu'il connaît et qui vient de lui faire signe.

De loin, Sébastien observe, de curieuses émotions se bousculant en lui. Il aimerait bien savoir ce que François fait ici, mais il n'a pas envie de lui parler. Il aimerait bien dessiner, surtout qu'il y a des pastels à l'huile comme il aime utiliser, mais il n'a pas envie de se joindre aux autres autour de la table. Il a encore faim, mais il ne sait pas s'il a le droit de se faire un sandwich, vu qu'il a déjà eu une grosse portion de bouilli. Il apprécie la chaleur, mais voudrait être ailleurs. Fatigué d'avoir l'impression de tourner en rond, Sébastien pousse un soupir d'impatience, se laisse glisser sur les reins, la revue pendant au bout de ses doigts, fixant maintenant le vide devant lui pendant que l'image de Virginie, Claudie et Gilbert réunis lui vient à l'esprit. Que diraient-ils s'ils savaient qu'il est ici? Puis il hausse les épaules. Qu'est-ce que ça peut bien leur faire qu'il soit ici ou ailleurs! Qui se soucie de Sébastien Duhamel? Duhamel... Surpris d'avoir même pensé à son nom de famille, Sébastien reste un moment interdit. Duhamel... Puis il revient à ses amis balayant volontairement toutes les images que ce nom pourrait susciter. Qui donc pourrait avoir intérêt à se soucier de lui? Personne n'est-ce pas? Il soupire à nouveau. La grande horloge indique dix-neuf heures trente. Encore une heure et demie avant que le dortoir n'ouvre ses portes. Curieusement, il prend conscience du temps qui passe, notion dont il avait perdu le sens depuis des mois.

De combien de choses a-t-il perdu le sens, en fait, depuis qu'il a choisi la rue?

La question s'impose d'elle-même, l'agressant comme tout le reste. Toute cette sensation de révolte qu'il porte en lui depuis des années semble subitement se canaliser pour lui faire détester l'endroit où il se trouve. Viscéralement... Ce n'est pas sa place ici. C'est à ce moment que François décide de venir le rejoindre, alors que Sébastien écoute la colère bouillir en lui, ne sachant trop ce qu'il doit en faire.

— Salut...

Un soupir, puis dans un murmure agressif:

— Salut Gombi.

— Pis?

— Sais pas encore...

Le ton de Sébastien est distant pourtant, curieusement, même s'il était persuadé ne pas vouloir parler à François, sa présence lui fait du bien. Il se redresse sur sa chaise.

— Pas facile d'être ici, admet-il finalement pendant que François se tire une chaise.

Puis le jeune regarde autour de lui.

— Y'a du monde en sacrament. Trop de monde. Pis y manque d'air.

François jette un regard circulaire à son tour et approuve de la tête. C'est vrai que, pour Sébastien, habitué de vivre en solitaire, la bouchée est peut-être difficile à avaler. Alors il propose:

— Veux-tu venir prendre un café avec moi?

— Un café? Ailleurs qu'ici? J'ai pas le droit.

— Allons donc! C'est pas une prison, Sébas…

Le regard que Sébastien lui lance à ces quelques mots porte en lui tout le doute du monde.

— Pourtant, on m'a dit que…

— Je sais. On t'a dit que tu n'avais pas le droit de sortir ce soir. Une fois entré, on reste pour la nuit. C'est bien ça?

— Exact. Comment veux-tu que je te suive pour prendre un café?

— Qui t'a accueilli?

Sébastien regarde dans la salle. Puis il pointe du menton celui qui lui a ouvert la porte.

— Le gars là-bas, près de la porte de la cuisine.

— Daniel?

— Oui, j'pense.

— Un gars correct, Daniel.

Sébastien laisse couler un petit rire sarcastique.

— Y'a dit la même chose de toi.

— C'est sûr, ça, fait François, moqueur. On est tous des gars corrects! Tu n'as qu'à lui dire que tu aimerais venir prendre un café avec moi.

— Tu crois?

— Essaye…

Dix minutes plus tard, François et Sébastien sont attablés devant un bon café chaud, dans un petit bistro de la rue Saint-Denis. La seule contrainte: revenir avant vingt-deux heures pour déranger le moins possible ceux qui seraient déjà au lit.

— Mais pourquoi dire qu'on n'a pas le droit de ressortir?

— Pour toutes sortes de raisons, Sébastien. À commencer par le but premier du Refuge. Ce n'est pas une cafétéria ni un moulin où on entre et on sort à volonté. Le Refuge se veut un lieu de transition, de dépannage aussi, en cas de besoin. Mais ce n'est pas une soupe populaire. Il y en a déjà plusieurs. Ensuite, quand on vit dans un groupe, il est normal qu'il y ait certaines règles que tous doivent observer, sinon ce serait l'anarchie. Tu ne crois pas?

— Ouais, peut-être bien…

— Puis ils doivent aussi rester vigilants, poursuit François. Pour toi, ce n'est pas un gros problème mais il y a plusieurs jeunes qui ont des problèmes de toxicomanie, de déficience, de violence… Admets que ce n'est sûrement pas facile de gérer toutes ces différences. Si un jeune ressort et leur revient «beurré» jusqu'aux oreilles, on fait quoi avec? C'est un risque inutile à courir. Alors, ils n'ont pas le choix d'exiger que le jeune qui se présente là respecte certaines règles. Mais je le répète: ce n'est pas une prison.

— Okay… Je comprends un peu mieux. Mais ça change pas le fait qu'y manque d'air…

— Pour toi…

Sébastien dessine un petit sourire.

— Okay, pour moi. Mais j'sais pas si j'vas pouvoir rester là ben ben longtemps.

— Donne la chance au coureur, Sébas. Donne-toi une chance. Même si tu trouves que c'est difficile. Tu l'as dit toi-même: tu as l'impression d'avoir fait le tour des possibilités de la rue. Me semble que tu peux te donner un «break» non? Aller jeter un coup d'œil dans la cour du voisin…

Quelques instants de silence planent entre eux, puis Sébastien reprend.

— Okay, François. J'promets rien, mais j'vas essayer. Qu'on me laisse tranquille pour un boutte, par exemple, le temps de m'y faire, pis après on verra. J'sais pas encore c'que j'veux, mais faut que ça change; ça, c'est sûr…

CHAPITRE 8
Décembre 1995

AU REFUGE ET EN BEAUCE

«Si un homme aveugle aidait un boiteux à marcher,
les deux avanceraient.»
PROVERBE SUÉDOIS

S ans nécessairement se sentir chez lui au Refuge, Sébastien
tient bon. Ça fait une semaine qu'il vient ici tous les soirs.
Il ne parle à personne, se contente de regarder la télévision,
de manger, de dormir. À deux reprises, Daniel a bien tenté
d'avoir une discussion avec lui, mais Sébastien, à sa façon, a op-
posé une fin de non-recevoir. Il n'a fait que l'écouter, répondant
par monosyllabes. Poli, réservé, hermétique.

Ce soir, il y a un nouveau. Le genre de gars que Sébastien
n'aime pas: les bras tatoués à ne plus voir la peau, le crâne rasé,
petit mais les muscles roulant sous les manches de sa chemise,
l'air givré de qui est sur la dope en permanence. Arrogant, pré-
tentieux, grande gueule... Le nouveau a l'air de planer et de
beaucoup s'amuser... Il rit de tout, se moque des gens, prend
beaucoup de place. Trop de place selon les dires de Sébastien.
Incapable de supporter ses farces plates plus longtemps, il se ré-
fugie au fond de la salle, contre l'étagère et prend une revue pour
se soustraire à tout ce qui l'entoure.

C'est alors que, du coin de l'œil, il aperçoit le gars tatoué qui
se dirige vers lui. Instinctivement, Sébastien sent tous les muscles de son corps se nouer. Penchant un peu plus la tête, il fait
semblant d'être profondément absorbé par sa lecture. Puis

mentalement, il pousse un profond soupir. Le nouveau ne semble pas s'intéresser à lui. Tirant bruyamment un fauteuil, il s'installe à côté de Jason.

— Hé! Le muet... Chante un peu que j'entende le son de ta voix...

Et se trouvant fort spirituel, le nouveau éclate de rire tandis que Jason lève un regard apeuré et que, aussitôt, l'esprit en alerte, Sébastien délaisse sa lecture. Depuis une semaine qu'il vient ici, il a vite compris que Jason était un gars un peu particulier, de ceux dont sa mère disait, avec un mélange de pitié et de tristesse dans la voix, qu'ils n'avaient pas été gâtés au jour de sa naissance. Doux, timide et toujours en quête d'approbation autour de lui, Jason regarde les gens avec une excuse au fond des yeux. Comme s'il demandait pardon en permanence d'être là. Paralysé par la voix arrogante du gars aux bras barbouillés, Jason reste assis, calé dans le fond de son fauteuil comme s'il espérait désespérément s'y fondre pour disparaître. L'occasion est trop belle: le petit musclé continue de s'acharner, picossant sa proie avec un plaisir malsain au fond du regard. Jason se ratatine de plus en plus sur sa chaise. Sébastien lève les yeux pour essayer d'attirer l'attention d'un intervenant, mais personne à l'horizon et personne non plus pour se douter de quoi que ce soit. Jason et le gars aux tatous ont l'apparence de deux gars qui discutent, sans plus. C'est alors que la voix dédaigneuse qui semble s'amuser prodigieusement lance une phrase qu'elle n'aurait jamais dû lancer. Une phrase qui atteint Sébastien d'un direct à la poitrine qui lui coupe le souffle.

— Des comme toi, c'est juste une gang de tapettes.

La voix du gars n'est plus la sienne. Comme une distorsion dans l'esprit de Sébastien et c'est maintenant une autre voix qui le rejoint dans ce qu'il a de plus sensible. Avec cette même arrogance, ce pareil mépris que plus jamais il ne pourra tolérer. Le sang lui bat aux tempes, il ne voit plus rien. Qu'une voix qui martèle ses pensées et guide ses gestes.

Le coup est parti tout seul sans que Sébastien ne l'ait prévu ni voulu. Il n'a même pas pris conscience qu'il laissait tomber sa revue et qu'il se levait.

Le nouveau est resté immobile, surpris, l'esprit et les réflexes trop au ralenti pour réagir vivement. Jason a les yeux pleins de larmes, les bagarres lui ayant toujours fait peur. Comme s'il en était invariablement responsable. Comme par magie, Andréanne et Robert, deux intervenants du centre, sont là, à côté d'eux.

— Hé! Les gars... Qu'est-ce qui se passe?

Écœuré, surpris lui-même par la rapidité et la spontanéité de son geste, Sébastien n'entend que la colère qui bouillonne en lui et il reste planté là, debout, tremblant de rage. Puis brusquement, c'est la détente, comme un grand état de fatigue, de vide en lui. C'est tellement contraire à ce qu'il est de se battre. Il tourne la tête vers Robert:

— J'aimerais qu'on débarre mon casier. J'ai besoin de mes affaires.

Et sans attendre de réponse, Sébastien se dirige vers l'autre bout de la salle. Autour de lui, l'air est soudainement tellement vicié qu'il doute arriver à survivre s'il reste ici.

* * *

— ...Finalement, Sébastien est parti sans qu'on arrive à tirer quoi que ce soit de lui, explique Andréanne. Il y avait tellement de rage dans son regard. Jamais je n'aurais pu penser que ce gars-là était violent.

Puis elle se tourne vers Daniel.

— Peux-tu nous dire ce qui a pu se passer? Tu le connais, toi, ça fait quelques fois que tu jases avec lui.

Les intervenants du Refuge des Jeunes de Montréal sont à leur rencontre hebdomadaire, celle du mercredi midi où on tente de faire le point. Daniel hausse les épaules.

— En fait de discussion, je dirais plutôt que Sébastien a eu la politesse de m'écouter, sans plus. Je sens que c'est un gars intelligent, brillant même, juste sa manière de détourner les questions, de les accommoder à sa façon le prouve, mais pour le reste... Disons que ça me surprend beaucoup moi aussi de savoir qu'il a voulu se battre.

— Par contre, intervient Robert, même si Gab, le gars qui a

reçu le coup, est resté évasif et que Jason n'a pas été d'un grand secours, j'ai l'impression que le coup était mérité. Même si ça n'excuse pas le geste. Le lendemain, on a même demandé à Gab de ne pas revenir pour un moment. C'est un semeur de zizanie, ce gars-là. Le genre de sème-merde qui réussit toujours à filer comme une couleuvre laissant la cohue derrière lui. Et pas moyen de discuter avec lui. Il est sur la dope en permanence quand ce n'est pas sur l'alcool en même temps...

— Dommage... Comme ça, Sébastien n'est pas revenu depuis l'incident?

— Pas la moindre nouvelle.

— Dommage, répète pensivement Daniel. J'avais nettement l'impression que Sébastien venait chez nous dans un but bien précis. Il y avait comme une attente en lui. Mais je n'ai pas eu le temps de savoir lequel...

* * *

Dans quelques heures, Dominique, la fille de Cécile et Jérôme, doit arriver avec André, son mari, pour prêter main forte à ses parents. La préparation du réveillon va bon train, mais comme toujours, il reste mille et un détails à finaliser pour que tout soit prêt à accueillir la parenté. Mélina, de moins en moins active, fait office de contremaître et bien installée à la table de cuisine, frottant son argenterie, l'œil aux aguets et la langue bien pendue, elle dirige les opérations comme un général aligne son bataillon!

— Jérôme, va dans la petite pièce du fond et regarde dans le troisième tiroir de droite de la commode. C'est là que les nappes de dentelles sont rangées. Faudrait peut-être leur donner un petit coup de fer pour les rafraîchir. Oh, Cécile! Si je me souviens bien, tu devrais trouver des napperons assortis dans le tiroir du buffet. Je les garde là parce que je m'en sers plus souvent que les nappes... Pis faudrait penser à rentrer la soupe de la galerie vitrée si on veut qu'à dégèle...

Moins active peut-être, mais toujours aussi vive, la Mélina! Et la mémoire infaillible. À chaque fois qu'elle le remarque, Cécile ne peut s'empêcher d'avoir un pincement au cœur. Pourtant, ce matin, ce n'est pas pareil. L'ambiance de Noël imbibe toutes les particules d'air de la maison. Alors Cécile et Jérôme échangent un sourire. De toutes façons, les deux dernières semaines ont été agréables à tous points de vue et de préparer ensemble la fête de Noël a fait reculer les angoisses dans l'ombre. Mélina, Cécile et Jérôme se sont amusés comme des enfants à préparer tourtières, beignes et friandises. Les cadeaux bien emballés attendent minuit au pied de l'arbre immense que Jérôme a coupé à l'orée de l'érablière, la dinde est déjà au four et toute la maison sent bon.

— Enfin, les voilà!

De l'extérieur parvient le bruit de pneus sur la neige, puis de portières que l'on referme. Disparaissant sous une montagne de colis tous plus jolis les uns que les autres, Dominique et André font leur apparition sur le seuil de la porte de cuisine.

— Allô tout le monde! Quelle belle journée!

Et c'est vrai. Depuis la veille, tombe d'un ciel lourd et presque blanc la plus traditionnelle des neiges de Noël, à gros flocons mouillés qui habillent les arbres et coiffent les toits. Par la fenêtre, d'une clôture à l'autre, on aperçoit les cheminées qui fument au-dessus des boisés de sapinage.

— Tout au long de la route, on avait l'impression de nous enfoncer dans un conte merveilleux! lance joyeusement Dominique en déposant ses paquets sur la table. Je suis toujours une petite fille quand vient le temps des fêtes…

— Tout comme moi, rétorque Cécile. On dirait qu'il y a de la magie dans l'air!

— De la magie? reprend Jérôme, taquin. Alors sors ta baguette, ma douce, et fais tourner les aiguilles de l'horloge pour que tout le monde soit là et que tout soit prêt, surtout!

À ces mots, Cécile éclate de rire, ramenée à des considérations beaucoup plus terre à terre.

— C'est vrai qu'il reste encore pas mal de choses à faire… Un bon café pour tout le monde et à l'attaque. La magie, c'est nous qui allons la faire!

Puis se retournant:

— Donnez-moi vos manteaux et toi, Jérôme, va porter les paquets sous le sapin. On vous a préparé la chambre en bleu…

Savez-vous à quelle heure François et Marie-Hélène doivent arriver?

Ils sont allés à la messe de minuit en carriole, les enfants cachés sous de vieilles fourrures, ne laissant apparaître que leurs bouts de nez rougis. Les adultes suivaient en autos. Puis ils en sont revenus en chantant de vieux airs de Noël.

Pour l'instant, les enfants dévorent le sapin et les cadeaux des yeux pendant que les adultes s'apprêtent à prendre l'apéro. Dans la salle à manger, une immense table brille du feu des bougies et de l'argenterie que Mélina a astiquée religieusement. Assise dans un coin du salon, un peu en retrait, Cécile, elle, dévore tout son monde des yeux. Quelle joie de les savoir tous là, près d'elle. Son fils Denis et sa famille, ses frères et sœurs, ses petits-enfants… Ils sont tous là, ceux que la vie a mis sur sa route. Elle se revoit jeune fille, jeune femme… Tous ces événements qui ont marqué son existence. Brusquement, il lui semble qu'elle doit goûter à ces instants de joie profonde qui lui sont donnés. Un spasme dans l'estomac lui rappelle les angoisses des derniers mois. Pourtant depuis quelque temps, tout semble aller mieux. Moins de fatigue, moins de craintes, moins de moments perdus dans le fil du temps. Même la mémoire paraît fidèle. Que s'est-il vraiment passé? Ou n'est-ce là qu'un répit avant… À nouveau, son cœur se met à se débattre. Peut-être d'espoir, peut-être de peur, Cécile ne saurait le dire. Perdue dans sa rêverie, la vieille dame sursaute légèrement quand Marie-Hélène vient la rejoindre.

— Quelle bonne idée que vous avez eue là! C'est agréable de retrouver tout le monde…

Cécile regarde autour d'elle. Oui, c'est agréable de retrouver tout le monde, Marie-Hélène a bien raison. Et ce, au-delà de toutes considérations. Jérôme, un verre à la main, accoudé au buffet, le verbe toujours aussi haut, captive quelques jeunes par ses talents de conteur. Près du sapin, Denis et François sont en grande conversation et un peu en retrait, tout comme elle, à l'autre bout du salon, Mélina parle de ses Noëls d'enfance à quelques enfants, leur faisant oublier les cadeaux pour un moment.

— Oui, murmure Cécile. C'est vrai que c'est agréable.

Puis elle pousse un profond soupir de contentement.

— Mais dis-toi bien que c'est à moi que je voulais faire plaisir. J'aime avoir les miens tout près. Surtout dans des moments de réjouissance.

— Oui, mais quel ouvrage pour en arriver là, souligne Marie-Hélène en riant.

— Ce n'est rien… Et toi, ma belle, comment ça va?

— Ça va… Toujours pas de bébé en vue, par contre… Dommage. François et moi en avons parlé et dès les fêtes terminées, on va consulter.

— C'est une bonne idée. Rien de pire que de ne pas savoir.

Marie-Hélène lève un sourcil interrogateur.

— C'est vous qui me dites cela?

— Oui, c'est moi… Et je sais très bien ce à quoi tu fais allusion, Marie-Hélène… Moi aussi ma décision est prise et je vais faire ce que je dois faire. Quand il faudra que je le fasse. Ne t'inquiète pas.

Cécile dessine son inimitable sourire.

— Cordonnier mal chaussé, n'est-ce pas? avoue-t-elle en rougissant comme une petite fille. Mais j'ai choisi finalement de faire face à ma peur. Et le moment venu, je vais parler à Jérôme. À deux, on va trouver une solution. Même si depuis quelque temps, tout semble aller mieux.

Marie-Hélène pose délicatement sa main sur celle de Cécile.

— Tant mieux. Si vous saviez à quel point j'ai pensé à vous depuis l'automne. Je suis très heureuse que vous ayez pris la décision de consulter vous aussi. Et je suis persuadée que ce n'est pas aussi grave que ce que vous le prétendiez. Regardez, fait-elle en montrant la pièce du bras. Faut être en forme pour préparer une réception comme celle-ci!

— Peut-être bien oui…

Puis Cécile s'ébroue.

— Assez parler de malheur! On n'est pas ici pour ressasser de vieux problèmes. Ce soir, c'est la fête et j'ai bien l'intention d'en profiter… Tu viens m'aider? Je crois bien que la dinde est prête, on ne sent qu'elle dans la maison… Apporte ta coupe avec toi. Ce n'est pas parce qu'on s'en va côté cuisine qu'on doit se passer de mousseux!

Le repas a été copieux, le vin délicieux. Les enfants enfin contentés s'émerveillent devant les étrennes. On compare, on essaie, on s'amuse. Les adultes, repus, se sont éparpillés par petits groupes à la faveur des affinités. Mélina somnole dans un coin du salon, Denis jase avec Paul et assis à la cuisine, Jérôme, François et André parlent boulot.

— Tu sais, mon gars, lance André, jamais je ne croyais que tu passerais à travers. Travailleur de rue, c'est toute une affaire!

Dans le timbre de sa voix, on sent qu'André est fier de son fils.

— Je comprends ce que tu veux dire... De l'extérieur, c'est peut-être vrai que ce travail-là semble difficile. Et j'avoue que l'adaptation a été ardue. Mais aujourd'hui, c'est fait. L'important, vois-tu, c'est de percevoir les jeunes et nos interventions comme un travail, justement. Je fais ma «job» exactement comme toi tu as fait la tienne, papa. Ni plus, ni moins.

Puis François se met à rire.

— Disons que c'est un boulot un peu délinquant, marginal, je l'avoue. C'est peut-être pour ça que j'y suis à l'aise. Par contre, ce que je trouve difficile, c'est le manque de ressources. Pas toujours aisé de trouver ce dont on a parfois besoin.

— Comme quoi?

— Comme tout. Quand un jeune est dans la rue, c'est de tout dont il a besoin. À commencer par des buts valables qui souvent allument l'étincelle qui permet de s'en sortir. Il existe des organismes, des regroupements très engagés. Mais on fait souvent pour le mieux avec ce que l'on a. Et cette loi est aussi valable pour ces organismes dont je te parle. Tu sais, papa, l'entraide sociale est surtout basée sur les bonnes volontés.

— Oui, je peux comprendre. Mais comment aider? Comment un homme tel que moi peut-il faire quelque chose?

— Du bénévolat, laisse tomber François, platement mais en même temps criant de vérité. C'est déjà énorme. Même si souvent ça semble une goutte d'eau dans l'océan.

— Mais attends donc une minute, François, interrompt vivement Jérôme. Moi, je peux peut-être m'impliquer...

— Comment?

— Tous les étés j'engage des jeunes, non? Pourquoi pas des jeunes sans-abri?

François dessine une moue.

— Encore là, il faut être prudent, Jérôme. Ce ne sont pas tous des jeunes faciles dont je parle. Souvent, ils ont derrière eux des expériences de vie qui les ont rendus agressifs. Il y a aussi les jeunes déficients, des toxicomanes... Mais il y a aussi des jeunes qui nous viennent de l'extérieur et qui croyaient trouver du travail en ville. Souvent, après quelques mois florissants, ils se retrouvent les mains vides. Alors je retiens l'idée. Ce n'est sûrement pas une solution pour tous, mais pour certains, venir en campagne ressemblerait à un rêve qu'ils ne pourront jamais réaliser... On ne sait jamais ce qui peut arriver... Oui, lance-t-il finalement avec enthousiasme, je retiens l'idée et merci d'y avoir pensé, on va probablement avoir l'occasion de s'en reparler.

Puis se tournant vers son père:

— Et vous deux, maman et toi, vous partez toujours pour la Floride?

— Et comment! Le 2 janvier au matin, on embraye. Et on ne revient que le jour où vous nous confirmez qu'il n'y a plus de neige ici! Pas une seconde avant...

* * *

Toute la journée du 24 décembre, Sébastien a tourné en rond, repassant souvent sur ses propres traces de pas. Les trois dernières nuits, il les a passées à Old Brewery Mission, un refuge pour itinérants de tous âges et curieusement, en son for intérieur, il a été obligé d'admettre que le Refuge des Jeunes lui manquait. Peut-être tout simplement à cause de l'odeur. Il ne le sait pas. Par contre, par choix ou par instinct, sa réflexion n'a pas débordé de cette constatation. Et depuis ce matin, l'invitation lancée par Virginie lui trotte en tête sans qu'il n'arrive à se décider. Ce n'est pas l'envie qui lui manque d'accepter. Mais une curieuse pudeur l'en empêche dès que le nom de Claudie s'emmêle à ses pensées. Aujourd'hui, il le sait: il ressent une attirance indéniable pour cette fille au gentil sourire. Mais si chaque fois qu'il pense à ce nom son cœur fait un bond inattendu, en même temps, mentalement, c'est l'impression d'un grand vide qui domine. Et la peur… Comment pourrait-elle s'intéresser à quelqu'un qui n'a que de l'amertume à offrir en partage? Un refus de sa part serait un refus de trop dans sa vie, Sébastien en est convaincu. Alors toutes les raisons sont bonnes pour contourner la situation. De toutes façons, se répète-t-il pour la millième fois depuis le matin, on ne se présente pas les mains vides pour un réveillon. Il s'en veut de ne pas y avoir pensé avant, il s'en veut d'être toujours à la remorque des autres, il s'en veut même d'être à la rue. La vue des vitrines scintillantes, le fait de croiser des gens souriants lui renvoient au visage sa propre condition. La révolte gronde.

À qui la faute?

D'un coup de pied colérique, il envoie valser une pelletée de neige mouillée.

Pour une première fois depuis longtemps, il admet intérieurement qu'il y est pour quelque chose.

Parce que, au réveil, l'image de Maxime s'est imposée et elle ne veut plus le lâcher. Parce qu'il n'arrête pas de se répéter que son frère aussi a été malmené par la vie et que, aujourd'hui, il n'est pas à la rue, lui. Parce qu'il en a assez de ne rien faire. Parce qu'il a froid, parce que le temps stagne…

Toutes les raisons sont bonnes pour entretenir sa colère. Contre lui, contre les autres, contre la vie…

C'est presque un soulagement quand il entend les cloches d'une église sonner dix-huit heures. Enfin! Sans y avoir réellement réfléchi, il se présente au Refuge. Peut-être bien que c'est l'esprit des Fêtes qui guide ses pas. Qu'importe… Tout ce qu'il souhaite, c'est qu'on ne lui ferme pas la porte au nez. Depuis l'incident de l'autre soir, il y pense souvent. Il n'avait pas le droit de frapper quelqu'un. Même s'il sait que l'intention était bonne. Du moins, en apparence. Parce que, bien au fond de lui, il sait que par ce geste, c'est plutôt à quelque vieux ressentiment qu'il répondait…

C'est Daniel qui l'accueille.

— Salut, toi… Comment va?

L'intervenant a l'air sincèrement heureux de le voir. De l'altercation, pas le moindre mot.

— Couci-couça…

— C'est vrai que, un soir de Noël, il y a des tas de pensées qui nous reviennent à l'esprit, n'est-ce pas?

L'espace d'un souvenir, l'image de deux gamins trépignants devant un sapin scintillant s'impose, puis aussitôt après, il imagine Claudie préparant la fête… Sébastien dessine un sourire vague, un peu amer.

— Mets-en!

Puis alors que les deux garçons arrivent au bas des marches, à côté de la porte du bureau:

— J'avais peur de ne jamais te revoir, Sébas. À cause de l'autre soir. Faudrait peut-être en parler quand tu auras le cœur à ça.

Puis, tout joyeux:

— Jason est là… Il demande quand est-ce que tu vas revenir à chaque fois qu'il vient ici. Tu le connais un peu, n'est-ce pas?

Pendant quelques instants, Sébastien reste silencieux.

— Ouais, je le connais un peu. C'est pour ça que je suis intervenu l'autre soir. Je le sais bien que c'était pas correct de balancer mon poing dans la face du petit tatoué, mais ça a été plus fort que moi. Il n'arrêtait pas d'écœurer Jason. Pis Jason, c'est pas vraiment le genre de gars à être capable de se défendre, n'est-ce pas…

Puis encore, après un soupir d'impatience:

— Mais inquiète-toi pas: c'est vraiment pas dans mes habitudes de régler mes problèmes à coup de poing. Disons… disons que là, la goutte a fait déborder le vase. Ça rejoignait trop de choses dans ma vie… J'ai peut-être bien de la misère à savoir où j'm'en vas, mais une chose est sûre, par exemple: jamais je ne serai capable de tolérer l'injustice…

La douche chaude, l'odeur particulièrement savoureuse qui s'échappe de la cuisine et le plaisir d'être au sec permettent un semblant de détente. C'est peut-être pour cela qu'il rend le sourire à Daniel quand celui-ci lui sert son assiette.

— Sandwich à la dinde, ce soir. Et salade de fruits… en attendant le réveillon.

— Ça sent bon!

— Et comment! Il y a un ragoût qui mijote et des tourtières au four. Pour le réveillon quand on va faire l'échange des cadeaux. Si tu as encore faim, tu peux revenir, mais moi, je me garderais de la place pour cette nuit. Il y en a pour une armée!

Malgré cela, Sébastien a dévoré jusqu'à plus faim, ne sachant trop s'il a envie de participer au réveillon. Jason est à sa place habituelle, dans un coin reculé de la salle, comme une petite souris effrayée. Pourtant, quand il a aperçu Sébastien, il a levé la main dans sa direction, pour le saluer. Sa timidité maladive n'autorise rien de plus. Sébastien, devinant certaines choses, lui a rendu son signe sans insister. Dans un coin de la salle, un beau sapin multicolore, des paquets sous ses branches, donne une atmosphère familiale à l'endroit. Contrastant avec la froidure de l'extérieur, la chaleur ambiante rend Sébastien somnolent. Du poste de télévision allumé s'échappent des cantiques de Noël comme sa mère en faisait jouer le soir du réveillon pendant que lui et Maxime essayaient en vain de dormir. Un coude appuyé sur la table, un café dans l'autre main, Sébastien revoit les Noëls de son enfance. Chez lui aussi, il y avait un sapin dans un coin du salon et la dinde mise à cuire embaumait la maison. En plus, il y avait la visite qu'on attendait avec impatience. Depuis le matin, c'est plus fort que lui, le souvenir de Maxime enveloppe chacune de ses pensées, le ramenant dans le temps ou le projetant dans l'avenir. Puis, invariablement, c'est le sourire de Claudie qui revient avant que, à nouveau, l'envie de revoir son frère domine sa raison, réussissant même à atténuer sa rancœur quand il tente d'imaginer une rencontre entre eux. Perdu dans ses pensées, il sursaute quand Daniel se tire une chaise.

— Tu permets?

Le jeune homme hausse les épaules.

— Pourquoi pas?

«Et tant mieux s'il arrive à me changer les idées», espère Sébastien pendant que Daniel s'installe en regardant autour de lui.

— Pas grand monde, ce soir, constate-t-il. Mais il est encore tôt...

Puis il se tourne vers Sébastien.

— Et toi? Personne à qui rendre visite?

— Personne, non.

Sébastien ouvre les mains à plat sur la table.

— Qui veux-tu que ça intéresse, un gars comme moi? J'ai rien.

— Pas vrai ça. Tu as toi.

— Moi?

Sébastien ricane.

— C'est vraiment pas grand-chose.

À ces mots, Daniel ouvre des yeux immenses, remplis de curiosité entremêlée d'une détermination qu'il se hâte d'expliquer.

— Comment pas grand-chose? Mais toi, ce que tu es comme individu, c'est énorme, Sébastien. En tout cas, c'est suffisant...

Puis sentant que les barrières entre lui et Sébastien sont minces, il tente le tout pour le tout, espérant glaner quelques renseignements qui pourraient l'éclairer sur le jeune homme. Car jusqu'à maintenant, Sébastien reste une énigme pour lui. Poli, discret, silencieux, il est à la fois attirant et agressif... Alors, il lance:

— T'as pas de famille?

— Pas vraiment, non. Peut-être un frère, mais ça fait tellement longtemps.

Est-ce l'ambiance de Noël? La nostalgie qu'il ressent depuis le matin? Sébastien n'en sait rien sinon que brusquement le fait de parler permet de rattacher ensemble certains bouts de sa vie.

— Oui, poursuit-il songeur, j'ai un frère. Mais je... je n'ose pas essayer de le relancer. J'ai peur que ça me ramène en arrière et je n'ai pas envie de revenir dans le passé.

— Mais tu ne crois pas qu'un soir de réveillon, justement, ce serait l'occasion de le rappeler? Pas pour retourner au passé mais juste pour le moment présent.

Sébastien ne répond pas immédiatement, perdu dans ses pensées.

— C'est vrai, murmure-t-il, que j'aimerais le revoir. Tellement...

Puis il relève la tête et regarde longuement autour de lui.

— Mais pas tout de suite. Il me semble que je ne suis pas

encore prêt. Mais plus tard, oui, quand je saurai…

Sébastien ne termine pas sa pensée et Daniel comprend alors que c'est probablement l'image qu'il projette qui le gêne. Pendant un moment, on entend quelques rires bruyants, puis Daniel demande:

— Et tes parents?

C'est à cet instant que le visage de Sébastien se durcit. Et que la porte se referme, Daniel serait prêt à le jurer.

— J'préfère pas en parler.

— Comme tu veux.

À nouveau, un bref silence se glisse entre eux. Mais cette fois-ci, c'est Sébastien qui reprend, toujours pensif, comme s'il ne parlait qu'à lui-même, contredisant les pensées de Daniel qui regrette presque sa question tant le visage de Sébastien s'est refermé à la mention de ses parents.

— C'est pas vrai quand j'ai dit qu'il n'y avait personne… J'ai des amis. Quelques-uns… Ils… Ils m'avaient même invité pour ce soir.

Daniel étire un sourire.

— Chanceux! Et alors? Qu'est-ce que tu fais ici?

La réponse de Sébastien n'est qu'un regard. À la fois triste, buté, renfermé… Puis, d'une voix rauque:

— Ça rejoint tout l'reste, sacrament, gronde-t-il dans une colère subite, se relevant en bousculant sa chaise.

Puis il se retire dans le fond de la salle. Mais pourquoi est-ce qu'il a dit qu'il avait été invité? Pour se rendre intéressant? Pour ne plus sentir le poids de la solitude qui lui pèse depuis le matin? Une grosse boule d'émotion lui encombre la gorge. Autour de lui, même si les jeunes sont moins nombreux qu'à l'habitude, les rires sont plus bruyants, les regards trop brillants. Plusieurs ont commencé à fêter depuis un bon moment déjà. Alors, il se met à fixer le vide devant lui, essayant d'oublier qu'aujourd'hui c'est Noël, essayant d'oublier qu'il a un frère dont il s'ennuie, essayant d'oublier toutes les raisons idiotes qui font qu'il est ici, ce soir, au lieu d'être avec Claudie. À quelques chaises de lui, Jason le regarde, une interrogation dans le regard. C'est une voix qui appelle son nom qui le sort de sa réflexion.

— Sébastien? Il y a un téléphone pour toi...

— Pour moi? T'es ben sûr de ça?

— T'es blond, t'as les cheveux attachés, non? Alors, il semblerait bien que c'est toi.

Curieux, Sébastien se relève. Mais qui peut bien...

— Allô... Oui... Oh, Gilbert!

À l'autre bout de la communication, la voix un peu précieuse ne cesse de roucouler.

— Mon doux Seigneur! Enfin! Veux-tu que je te dise, mon beau, que c'est pas facile essayer de retrouver quelqu'un dont on n'a pas le nom de famille? Ça fait une heure que j'suis pendu au téléphone. J'ai dû parler à une bonne douzaine de Sébastien...

— C'est Duhamel, mon nom. Sébastien Duhamel.

Encore. C'est la seconde fois en l'espace de quelques jours qu'il revient spontanément à cette identification. Et curieusement, ce soir, le dédain qui était le sien quand il pensait à cette notion sociale qui l'identifiait obligatoirement n'a plus sa place. Il s'appelle Sébastien Duhamel. Pourquoi toujours vouloir le nier? Imperceptiblement ses épaules se redressent.

— Duhamel? Ben laisse-moi te dire que je ne l'oublierai pas, poursuit la voix pointue de Gilbert. Mais qu'est-ce que tu fais là, pour l'amour? Virginie t'avait transmis l'invitation, non? Pas question qu'on réveillonne sans toi! C'est quoi l'idée... Ou bien tu viens chez nous ou bien c'est nous autres qui allons te rejoindre. Mais transporter tout notre barda, la dinde, les atocas, le baba au rhum pis les amuse-gueule, ça ne me tente pas pantoute. Alors je pense que t'as pas vraiment le choix...

Juste à entendre Gilbert, Sébastien se sent tout autre. Un beau sourire éclaire son visage.

— Comme ça, tu veux que je sois là?

— Et comment, bonté divine! Les filles pis moi, c'est tout ce qu'on espère. Pas question de laisser un ami tout seul la nuit de Noël.

— C'est gentil...

— Non, c'est normal... Va falloir que je te réveille encore une fois, mon beau. T'as de ces façons de voir la vie, toi... Alors, tu viens?

— Okay… C'est où?

— Chez moi, à vingt-trois heures. On commence par la messe de minuit, pis après on réveillonne.

— La messe de…

— Parfaitement. J'suis peut-être un drôle de coco, mais il y a des traditions qui sont sacrées… La messe de minuit, ça me permet de faire le grand ménage de l'année…

Sébastien éclate de rire.

— Allons-y donc pour le ménage. Promis, Gilbert, j'vas être là à l'heure.

Quand il raccroche, Sébastien est fébrile, le cœur battant comme un fou. Du regard, il cherche Daniel.

—Hé! Daniel! Ce… c'était les amis dont je t'ai parlé… Ils veulent à tout prix que je passe la soirée avec eux. Paraît même que ça fait une heure que Gilbert essaye de me retrouver dans Montréal… Ça dérange si je quitte ce soir?

— Ben voyons! T'as une invitation, c'est juste normal que tu veuilles y aller. C'est Noël après tout.

Puis il enchaîne, voyant le regard brillant de Sébastien:

— Ça doit être de vrais amis s'ils se sont donné la peine de te chercher comme ça, un soir de réveillon.

— Oui, ce sont de vrais amis. C'est juste moi qui voyais pas les choses de la bonne manière… Dis, Daniel? Tu ouvrirais pas les portes de la réserve pour moi? Me semble que ça ferait bien si j'avais une chemise propre à me mettre sur le dos. Pis d'autre chose que des godasses toutes détrempées…

— Pas de troubles… Et essaye donc de trouver un pantalon plus… un pantalon moins… un autre pantalon, tant qu'à y être, ajoute-t-il en riant, les yeux vrillés sur les tuyaux de poêle de Sébastien. Noël, ça n'arrive qu'une fois dans l'année…

Alors Sébastien fait un grand sourire à Daniel. Finalement, c'est François qui avait raison: Daniel, c'est un gars correct. Pendant un instant, le jeune homme regarde autour de lui. Et pour la première fois depuis qu'il vient ici, il y a comme une odeur de familiarité dans l'air. Son sourire croise celui un peu naïf de Jason. Il aimerait bien mieux le connaître, et cela lui paraît en ce moment d'une telle évidence que Sébastien se demande comment il se fait qu'il n'y ait pas pensé auparavant. Et puis, il y a cette odeur de ragoût... Une odeur qui lui coule jusqu'au fond du cœur. Et maintenant, il y a cette invitation... «demain, se dit-il en emboîtant le pas à Daniel. Demain, on analysera tout ça et on verra ce qu'on peut faire... à commencer par Jason. Sûrement que je pourrais faire quelque chose pour lui.»

Et en pensant de la sorte, là maintenant, il se sent tout léger.

Parce que, brusquement, il lui semble que plus rien n'est impossible.

La soirée chez Gilbert se déroule sous le signe d'une franche amitié. Comme toujours, le gros homme s'est surpassé et le repas était irréprochable. Même la décision de se rendre à la messe de minuit a contribué à faire de la fête un moment particulier, Sébastien l'admet. Sans exagérer outre mesure, le jeune homme a fait honneur au vin et la tête lui tourne légèrement. La chaleur du foyer dégage l'envie d'être nonchalant, Claudie est tellement jolie dans sa robe de velours noir et Virginie ne ressemble plus à la fille qu'il a rescapée, perdue et blessée sur le mont Royal: son rire coule maintenant sans contrainte et son regard a une clarté qu'il fait bon rencontrer. Quant à Gilbert, fidèle à lui-même, il brasse suffisamment d'air pour tout le monde. À un point tel que Sébastien ne peut s'empêcher de se sentir à l'aise, même si les autres parlent de famille, de projets, de travail et qu'il ne participe à la conversation que du bout des mots. Il est bien, tout simplement. Bien de cette amitié qui lui est offerte, bien de la chaleur qui l'enveloppe alors qu'on voit tomber des flocons serrés dehors, bien de la présence de Claudie. Jusqu'au moment des cadeaux...

— Et maintenant, les cadeaux, lance joyeusement Gilbert. Si j'ai bien vu, le père Noël a pensé à tout le monde!

Haletant comme une baleine, le gros homme arrive à se mettre à genou devant l'arbre et se met à fureter, déplaçant et ajustant les paquets.

— Voilà pour Virginie! Chacun son tour, j'aime bien voir les réactions de tout le monde... Ce n'est pas grand-chose, mais c'est de bon cœur.

Dès qu'il a entendu le mot cadeau, Sébastien s'est renfrogné dans son coin. Il se doutait bien aussi qu'un moment comme celui-là arriverait. Et lui qui n'a rien à offrir… On a beau faire table rase de son passé, certaines valeurs ancrées en soi depuis la plus tendre enfance restent toujours en latence. Brusquement toute l'amertume des derniers mois trouve une nouvelle raison d'être. Les exclamations de joie ne le rejoignent même pas.

— Montre Virginie… Oh! Le beau foulard. Et en soie, s'il vous plaît. La couleur est tellement belle, comme tes yeux… Non, pas pour moi tout de suite, Gilbert, c'est à ton tour maintenant… Virginie et moi on a un petit…

Et Claudie de se relever pour venir regarder sous l'arbre.

— Voilà! C'est pour toi…

— Mais la boîte est ben grosse!

— Attention, c'est fragile!

Gilbert retire rubans et papier avec des précautions de dentellière. Puis il soulève le couvercle alors que son visage tout rond se met à rougir de plaisir.

— Wow! Une potiche chinoise! Et exactement dans les tons du salon! Pas mal mieux que la mienne, non? Merci, les filles! Mais où est-ce que vous avez déniché la merveille? Moi, j'ai eu beau fouiller partout, jamais je n'ai réussi à…

On rit, on s'amuse, on est heureux du bonheur qui brille dans le regard de l'autre. Sans attendre, Gilbert vient remplacer sa vieille potiche, se recule, juge de l'effet, minaude, roule des yeux, claque de la langue.

— Super! Exactement ce que je cherchais… M'en vas prendre l'ancienne potiche pour la mettre dans ma chambre pis toute changer la décoration! Mon doux, mon doux que j'aime ça des cadeaux de même!

Puis il revient vers le sapin.

— Au tour de Sébastien maintenant! J'ai bien hâte de voir sa…

Mais dès qu'il entend prononcer son nom, Sébastien se lève. Sans dire un mot, il traverse le salon, attrape son manteau et ouvre la porte à la volée. Gilbert ouvre de grands yeux derrière ses lunettes épaisses.

— Mais quelle mouche le pique, lui là?

Virginie hausse les épaules, une lueur d'incompréhension dans le regard. Mais Claudie, elle, a tout compris. Depuis un bon moment déjà, en fait depuis des mois peut-être, qu'elle tourne et retourne l'attitude de Sébastien dans sa tête et qu'elle essaie d'y voir clair, elle se doutait de quelque chose! La réaction de Sébastien vient de confirmer le tout.

— Attendez-nous, lance-t-elle derrière elle en se relevant à son tour, l'air décidé. Je pense qu'il est temps que certaines choses soient dites... On revient tous les deux ou je ne m'appelle plus Claudie Lamarche...

Et sans attendre, elle attrape son manteau elle aussi, ouvre la porte que Sébastien vient de refermer bruyamment et dévale l'escalier. Quand elle arrive sur le trottoir, le jeune homme est déjà presque rendu au coin de Sainte-Catherine.

— Hé Sébastien! Attends-moi!

Mais c'est peine perdue. À croire qu'il est devenu subitement sourd. Il prend à sa gauche sans même se retourner.

— Non, mais, murmure Claudie, ne sachant trop si elle est déçue ou choquée. J'ai deux mots à lui dire!

Aussitôt elle se met à courir pour le rejoindre, continuant à l'appeler à pleine voix. Tant pis pour les voisins, tant pis pour l'heure. De toute façon, c'est soir de Noël et toutes les fenêtres sont encore illuminées.

— Pense ce que tu veux, tu ne t'en tireras pas comme ça, encore une fois, crie-t-elle suffisamment fort pour qu'il l'entende. Tu vas écouter ce que j'ai à te dire, Sébastien Duhamel!

Duhamel! Le nom rejoint Sébastien de plein fouet et lui fait accélérer le pas. Quand elle arrive enfin à sa hauteur, Claudie est à bout de souffle. La vapeur de son haleine la suit comme une traînée de brume. D'une main autoritaire, elle saisit Sébastien par la manche de son manteau et l'oblige à lui faire face. Le regard qu'elle croise est à la fois triste et buté. Sombre, impénétrable. D'un geste sec, il tente de se dégager.

— Mais qu'est-ce que je t'ai fait?

Dans la voix de Claudie, une étrange pointe de douleur rend la question lancinante. Alors que, en même temps, ses yeux lancent des éclairs de colère. Pourtant, d'un geste très doux, contrastant avec son regard, la jeune fille place ses mains sur le visage de Sébastien, l'encadrant fermement. Il doit l'écouter. Pour elle comme pour lui. Brusquement, il lui semble que c'est terriblement important.

— Réponds-moi, Sébastien. Qu'est-ce que je t'ai fait? À chaque fois que l'on se voit, j'ai l'impression que tu me fuis!

Pendant un long moment, Sébastien soutient son regard. Puis il baisse les yeux.

— Je ne te fuis pas. Ça n'a rien à voir…

— C'est quoi, alors?

— C'est rien.

— Suffit, Sébastien. Écoute-toi parler! Si ce n'est pas de la fuite, ça, je me demande bien ce que c'est! On dirait un enfant qui boude…

— Alors laisse-moi bouder et fiche-moi la paix, gronde Sébastien en se dégageant brusquement. Je n'ai rien demandé à personne.

— Et si les gens ont envie de donner, eux? As-tu pensé à ça? Tu ne peux pas empêcher les autres d'être ce qu'ils sont, Sébastien.

La voix de Claudie est immensément triste et pleine d'espoir à la fois. Sébastien, qui avait fait quelques pas, s'arrête à nouveau. Puis il se retourne. Ses yeux sont pleins de larmes.

— J'voudrais Claudie. J'voudrais tellement être capable de faire confiance. Si tu savais à quel point. Mais j'y arrive pas. Jamais. À chaque fois que j'essaye, ça bloque là, fait-il en se pointant la poitrine.

— Alors laisse-moi t'aider, demande Claudie dans un souffle. Je… je voudrais mieux te connaître, Sébastien. J'aimerais qu'on essaye de se donner du temps, ensemble…

C'est la première fois que Claudie ose parler de la sorte à un garçon. Jusqu'à ce jour, les quelques copains qu'elle a eus avaient toujours pris les devants. Mais cette fois-ci, elle savait d'instinct que si elle ne bougeait pas, Sébastien ne ferait rien. Alors, elle a décidé de jouer le tout pour le tout. Si son intuition ne la trompe pas, Sébastien…

Sa réflexion ne va pas plus loin. D'un pas, le jeune homme est près d'elle. À son tour, il glisse un doigt sous son menton, l'obligeant à lever les yeux vers lui.

— Moi aussi, Claudie, j'aimerais ça mieux te connaître. C'est pas pour rien que j'vas souvent prendre un café dans ton restaurant. T'as un sourire qui fait du bien. Mais à chaque fois que tu m'invites à aller chez vous, c'est comme si une porte se refermait en moi. Je... j'ai peur, Claudie. J'ai peur d'avoir mal et d'être déçu. J'ai peur de décevoir aussi.

Puis ouvrant les mains.

— J'ai rien à donner, moi. J'suis un nul pour l'instant...

— Chut! Dis pas des choses comme ça. C'est à nous de juger et moi, je suis loin de considérer que t'es un nul. Tu vis une drôle de passe, c'est sûr. Mais pour le reste...

— Mais pour le reste, c'est pas tellement plus brillant, tu sais.

— Pis? T'es jeune, en santé, non? T'as une tête, deux bras, deux jambes, non? Le reste viendra bien en temps et lieu.

— Tu penses? Peut-être bien après tout, c'est ce que plein de monde me dit... Pis c'est un peu comme ça que je me sens en dedans. Si... si tu veux être patiente avec moi, on peut essayer. Je ne promets rien, mais je veux essayer.

Il ne peut aller plus loin. C'est la première fois depuis des années qu'il laisse parler son cœur et il manque d'habitude. Pourtant, comme le disait François, il a envie de laisser une chance au coureur. Depuis l'instant où il a entendu la voix de Claudie qui l'appelait, au moment où il tournait le coin de la rue, il n'y a que ce cœur qu'il entend battre. Ça fait mal et c'est doux en même temps. Alors pourquoi pas. Cette fois-ci, il aimerait tenter d'aller jusqu'au bout.

— On va s'aider tous les deux, Sébastien, reprend Claudie, les yeux brillants. Tu sais, tout le monde a ses déceptions, ses raisons de ne plus avoir envie de croire dans ce que les autres nous disent... Mais c'est pas grave...

Ouvrant les bras, Claudie se met à tourner sur elle-même, offrant son visage aux flocons qui s'y posent en fondant. Tout à coup, son cœur est plein à craquer et prend toute la place disponible dans sa poitrine.

— Finalement, Sébas, la vie est belle, lance-t-elle tout heureuse.

Et c'est le plus beau Noël de toute ma vie, constate-t-elle en s'arrêtant devant son ami, essoufflée. Maintenant, viens, on rentre chez Gilbert. Ils doivent nous attendre impatiemment...

Puis au bout d'une hésitation, elle ajoute:

— Et oublie le fait que tu n'as aucun cadeau à offrir. Ça, c'est juste de l'orgueil mal placé.

Ainsi donc, Claudie avait deviné... Sébastien laisse planer un pâle sourire sur son visage. De combien de choses se doute-t-elle, comme ça, la jolie Claudie? Puis il hausse les épaules. Il s'en fout! Comme jamais avant il ne s'est foutu de quelque chose.

Ajustant son pas sur le sien, Sébastien prend la main de Claudie. Elle a le bout des doigts gelés. Et sa main est incroyablement menue. Il doit se retenir pour ne pas la serrer de toutes ses forces. Il aurait peur de la casser. Silencieusement, tous les deux les yeux au sol, ils reviennent vers l'appartement de Gilbert. Chacun perdu dans ses pensées. Pensées et espoirs qui se chevauchent un brin et doivent probablement se rejoindre quelque part dans l'avenir... Puis brusquement, Sébastien repense au gros paquet qu'il a cru apercevoir dans les mains de Gilbert au moment où il s'enfuyait précipitamment du salon. Ça fait combien d'années qu'il n'a pas reçu de cadeau, au fait? Un vrai, donné comme ça, spontanément, juste pour le plaisir? Il ne s'en souvient même pas. Alors, il accélère le pas, entraînant Claudie à sa suite.

— Allez, Claudie, au pas de course! J'ai hâte de déballer mon cadeau!

* * *

Au matin de Noël, Cécile, Jérôme et les invités restés à dormir chez eux ont piètre allure! Yeux bouffis, traits tirés et gestes maladroits se rejoignent à la cuisine pour un premier café à travers les bâillements et les rires. La maison a des allures de champ de bataille après le combat. Seule Mélina reste celle qu'elle est: langue pointue et regard vif. Allez donc savoir pourquoi!

— Reste assise, ma Cécile, tu fais peur à voir! M'en vas préparer les œufs pour une omelette. Ça, chus encore capable de le faire...

Rien ne plaît autant à la vieille dame que de se sentir toujours utile. Appuyée sur sa marchette, elle casse les coquilles, fouette énergiquement les œufs, tranche quelques légumes. En un rien de temps, la maison embaume le pain grillé et les petits oignons frits. Et contre toute attente, ils mangent tous de bel appétit. Puis on commence à parler de départ.

— Les parents de Marie-Hélène nous attendent pour le souper, lance François. Un peu de ménage et on s'en va.

Nouveau réflexe chez elle, Cécile n'a pas envie de repousser l'aide offerte. Ce matin, elle est fatiguée.

— D'accord, mon grand. Tous ensemble, ça ne devrait pas nous demander trop de temps, espère-t-elle en posant un regard navré autour d'elle.

Et effectivement, à midi, les vestiges de la fête ne sont plus que souvenirs. Les nappes sales attendent près de la laveuse, le lave-vaisselle ronronne et les bagages des invités s'alignent dans le hall d'entrée.

— Et voilà, constate Dominique en embrassant sa mère. Un autre Noël d'envolé… C'est fou comme les choses agréables passent vite…

Mais plutôt que de se sentir nostalgique, Jérôme, éternel optimiste, se met à rire.

— C'est bien comme ça… Il faut faire de la place pour le nouvel an qui approche à son tour.

Dominique renvoie un sourire complice à son père.

— Vous avez un merveilleux regard sur la vie, cher homme, constate-t-elle gentiment moqueuse. Je vais essayer de ne pas l'oublier…

Puis venant à lui pour une longue accolade:

— À bientôt, Jérôme. On vous attend pour le dîner du nouvel an, justement. À mon tour de m'installer derrière les fourneaux avant de partir pour la Floride.

Ensuite, elle se tourne vers François.

— Et vous deux aussi, on vous attend! Pas de faux bond, cette fois-ci. Ça fait une éternité que tu n'es pas venu à la maison, reproche-t-elle en embrassant François.

— Tu as raison… Mais que veux-tu, maman, on a…

— Je sais, je sais… On est tous très occupés. Je ne t'en veux pas, c'est juste que je m'ennuie un peu.

Et brusquement, après le claquement des portes, celui des portières d'autos et les moteurs mis à chauffer qui s'éloignent. Tel le calme après l'ouragan, la maison plonge dans un silence bienfaisant.

— Ouf! soupire Jérôme en riant. Il était temps… Je crois que je vais m'offrir une petite sieste avant de me préparer pour le souper chez ton frère. Tu viens? propose-t-il en se tournant vers Cécile.

Pourtant, toute fatiguée qu'elle est, cette dernière hésite, jetant un regard envieux vers l'extérieur.

— Je ne sais pas… Le petit soleil de ce midi m'attire encore plus que mon lit. Je crois plutôt que je vais me payer une longue promenade en raquettes. J'ai besoin d'air pur et il ne fait pas froid. Je vais aller à la cabane à sucre. Peut-être que je dormirai une petite heure après.

Et c'est vrai: il fait une température merveilleuse. Raquettes à la main, bien emmitouflée dans sa pelisse, Cécile se dirige vers le jardin par le sentier encore praticable. La neige tombée ces derniers jours brille comme une courtepointe parsemée de paillettes aveuglantes. Le soleil pâle, presque blanc, filtré par une mince couche de nuages diaphanes, offre une illusion de chaleur malgré l'air piquant. Quelques geais bleus s'apostrophent à l'orée de l'érablière tout au bout du champ et leurs cris de crécelle semblent s'adresser à elle. Alors sans hésiter, elle retire ses mitaines, enfile ses raquettes, ajuste son manteau, remet ses moufles doublées de fourrure et d'un bon pas, elle se dirige vers la forêt. L'envie de voir la cabane à sucre bien camouflée dans son manteau de neige guide ses pas. En bas de la colline, de rares traits bleutés rappellent la présence de la rivière. Des terres de culture ne subsistent que quelques poteaux qui pointent hors de la neige, hirsutes. Le paysage n'est plus qu'une immense couette blanche piquée du vert des sapins et l'infini de neige rejoint celui du ciel.

Ralentissant l'allure, Cécile s'enfonce dans la blancheur parfaite de cette journée d'hiver avec l'impression d'être une parcelle de cet infini. En accord avec la nature, la sensation de plénitude qui est la sienne l'emplit d'un bien-être sans nom. Un à un, les beaux moments de sa vie remontent à la surface de ses souvenirs, lui arrachant à l'occasion sourires ou soupirs. L'inquiétude de la dernière année n'est plus qu'un vague pressentiment qui n'a nulle place en elle en ce moment. Tout va si bien depuis quelque temps!

Quand elle arrive enfin à la cabane à sucre, le soleil commence déjà à baisser derrière les arbres. De longues ombres dessinent un enchevêtrement de branches sur la blancheur de la neige et s'amusant comme une enfant, Cécile se décide à les suivre, s'enfonçant dans la forêt comme elle le faisait si souvent quand elle était jeune. Quelques roselins pas trop frileux sautent de branche en branche, s'appelant à petits cris de gorge. Sur la neige vierge, de fines traces dessinées par le va-et-vient des petits animaux. Malgré son apparente immobilité, la nature continue de vivre. Le nez au sol, toujours tournée vers quelque doux souvenir de ses plus jeunes années, Cécile poursuit son chemin, suivant inconsciemment ici une piste de lièvre, et là une autre d'écureuil. Curieusement, cela lui rappelle les longues promenades qu'elle faisait au bord de la mer avec son fils Denis quand il était gamin...

Lorsque Jérôme réussit à se tirer du lourd sommeil qui l'a radicalement engourdi à l'heure du midi, il fait déjà sombre. La maison est silencieuse, le lit est vide à côté de lui.

Alors sans attendre, il se lève. Un long frisson lui secoue les épaules. Il fait froid, le poêle doit être éteint. Surpris de constater que Cécile n'a pas alimenté le feu, il descend à la cuisine. Là aussi, la noirceur envahit la pièce. Le rayon de lumière qui filtre sous la porte de Mélina est la seule trace de vie dans la maison. Jérôme s'y dirige aussitôt. Assise dans son lit, Mélina feuillette une revue. Dans un coin de la chambre, le poste de télévision reprend la messe de minuit en différé et des cantiques jouent en sourdine.

— Maman, tu n'as pas vu Cécile?

— Cécile? Je la pensais avec toi...

Sans répondre, Jérôme fait une grimace d'inquiétude. Mélina reprend:

— Mais veux-tu bien me dire ce…

— Cécile partait en raquettes au moment où je suis monté me coucher. Ça doit faire maintenant plus de quatre heures… Es-tu bien certaine de n'avoir rien entendu?

— Certaine. Est-ce que tu crois que…

— Je ne crois rien du tout, maman, lance Jérôme derrière lui, revenant précipitamment vers la cuisine. Je sais qu'elle a un problème. J'appelle son frère Paul…

Paul et Gabriel, deux des frères de Cécile ainsi que quelques neveux sont arrivés cinq minutes à peine après l'appel de Jérôme. Huguette, la femme de Paul, a suivi pour tenir compagnie à Mélina. On s'inquiète tellement facilement quand on ne peut faire qu'attendre.

— Veux-tu ben oublier le souper, gronde Paul quand Jérôme a le réflexe de s'excuser pour le dérangement. On le mangera plus tard, le souper, ou ben on déjeunera avec s'il le faut. Les filles sont à la maison pour voir à tout ça. Pis voir si ça dérange! C'est de notre sœur dont il est question et Cécile pour nous autres, les Veilleux, c'est presque une mère. Ça fait que, pour l'instant, c'est la battue qu'il faut organiser. Pis ça presse. Le thermomètre commence à chuter dangereusement. Cécile est peut-être tombée, elle a peut-être une entorse. On n'en sait rien. Peut-être aussi qu'elle a fait un feu, pis qu'elle s'est endormie dans la cabane à sucre. Avec la nuitte qu'on a passé, ça me surprendrait pas. On s'inquiète peut-être pour rien. Mais moi, chus pas capable de rester à rien faire. Juste au cas où.

En moins de deux minutes, Paul a dessiné grossièrement le plan de la terre de Jérôme et quadrillé le schéma.

— Gabriel pis Martin, partez vers l'ouest, indique-t-il avec le bout du crayon. Même si Cécile a dit qu'elle allait à la cabane, y'a rien qui nous prouve qu'elle a pas changé d'idée. Pis par là, avec toutes les terres qui se croisent, même une chatte y perdrait ses p'tits. Moi, j'descends vers l'est avec Alexis, vers la ferme des Champagne en suivant la ligne de clôture mitoyenne. Si Cécile s'est perdue dans l'érablière, rendue dans l'bois, y'a plus aucune différence entre icitte pis ailleurs. Toi, Jérôme, pars avec Benoît en suivant le chemin habituel de ta cabane à sucre. J'ai apporté quelques lampes de poche pis l'walkie-talkie que mon p'tit-fils a eu comme cadeau hier. J'connais pas la portée, mais on sait jamais, ça peut servir.

En quelques instants, les hommes sont chaudement vêtus et partent en trois groupes distincts. On se donne deux heures de recherche, ça devrait suffire. À dix-neuf heures, on se retrouve chez Jérôme et si besoin est, on avertira les autorités.

Balayant le sol du faisceau lumineux de sa puissante lampe, Jérôme avance tête baissée. À quelques pas de lui, en diagonale, éclairant aussi le champ devant lui, Benoît le suit, respectant le silence de son oncle. Dans l'air froid de la nuit, on entend par moments le nom de Cécile lancé à la volée. À chaque fois, le cœur de Jérôme cesse de battre pour un instant et ses oreilles sont à l'affût du moindre signe de reconnaissance. Mais seul le vent sifflant sur la campagne figée apporte une réponse. Décevante, lugubre. Sous ses raquettes, la neige est tellement durcie par les bourrasques qui filent librement qu'aucune trace n'est visible. Alors, inconsciemment, son allure s'accélère, presque à la limite de la course. Il lui tarde tellement d'arriver au bois dans la neige molle… Ses genoux tremblent, ses yeux sont remplis de larmes. Et il sait que ce n'est pas uniquement à cause du froid. «Seigneur, je Vous en supplie…» Il n'entend plus que le crissement des raquettes sur le sol gelé et les mouvements fous d'un cœur qui veut lui sortir de la poitrine, portant sur chacun de ses battements toute l'angoisse des derniers mois. Cécile, sa toute petite Cécile, la seule femme qu'il ait aimée est en danger. Il le sait, il le sent. Et curieusement, la crampe qui lui tord le ventre en ce moment est une proche parente de celle qu'il avait connue le soir où Cécile lui avait appris sa grossesse…

Quand Cécile a voulu faire demi-tour, le bout de ses doigts gelés lui rappelant que l'heure avait filé, elle a fait ce qu'elle a toujours fait auparavant: tournant sur elle-même, elle a suivi ses traces dans la neige. C'était sans compter avec le jour qui baissait. Elle a marché et marché, son regard scrutant des traces de moins en moins visibles. Puis d'un seul coup le soleil s'est caché emportant avec lui toute chance d'orientation. À travers les arbres dénudés, plus le moindre repère des quelques sentiers tracés par l'usage répété d'un même trajet. Que des troncs gris de plus en plus gris avant de devenir de plus en plus noirs sur la blancheur de la forêt. Pourtant elle continuait d'avancer, une sourde angoisse rythmant ses pas malhabiles. Avancer, toujours avancer, ne pas rester immobile, à cause du froid. Bouger, avancer, ne pas s'arrêter… Les mots se suivent sans suite apparente, embrouillent ses pensées. Qu'une ritournelle sans fin qui remplace la cohérence et la logique. Marcher, bouger, continuer. Est-ce la peur, la fatigue, la maladie? Brusquement, Cécile ne pense plus. Il n'y a que ces mots un peu fous qui encombrent sa pensée, modulant sa démarche, éloignant les peurs. Alors elle ne fait que marcher, comme un automate, ses pas scandés par les mots qui virevoltent, retrouvant par moments, à la clarté naissante de la lune, l'empreinte d'une raquette, s'y fiant sans savoir pourquoi elle s'y fie. Peut-être tout simplement parce que cette vue lui procure un apaisement qu'elle ne saurait expliquer, revenant parfois sur ses pas, se contentant de marcher. Toujours, inlassablement, l'esprit ayant retrouvé le confort rassurant des souvenirs lointains, la spirale des mots fous s'éloignant peu à peu, devenue inutile. Elle a dix-huit ans et elle va rejoindre Jérôme à travers champs, comme hier et comme demain. Ces trop brefs moments à deux qu'ils arrivent à soustraire à l'attention des parents. Et soudainement, devant elle, un gros rocher pointe hors de la neige. Curieusement, elle ne sent plus le froid.

— Je le savais, murmure-t-elle, le regard absent. La grosse roche à la croisée des chemins. Notre point de rencontre…

Cécile ne voit plus la forêt autour d'elle, la nuit se faisant complice de ses plus chers souvenirs. Il n'y a plus que ce rocher sombre sur la neige blanche. Le présent se raccroche au passé, le paysage s'estompe autour d'elle. Jérôme doit venir l'y rejoindre, c'est ce qu'il a dit hier. Elle va s'asseoir et l'attendre. Il est probablement retenu par les travaux du soir. Il ne tardera pas. Il vient toujours la rejoindre quand il l'a promis…

Cécile a attendu, inconsciente du temps qui passait, l'esprit revenu dans le temps. Elle n'a plus d'âge, ce n'est ni l'hiver ni l'été. Après quelques frissons intenses, une douleur aiguë aux pieds, le froid a disparu. Elle attend Jérôme qui doit venir.

Un trait de lumière crue balayant l'espace autour d'elle lui arrache un sourire. Enfin!

— Tu en as mis du temps, lance-t-elle avec un reproche dans la voix en tentant de se relever. Hier tu m'avais dit que tu serais là dès après le souper.

Mais ses jambes sont flageolantes et brusquement, c'est comme si elle n'avait plus de pieds pour la soutenir. Pourtant, elle n'a toujours pas froid.

Puis elle fronce les sourcils.

— Mais qui est avec toi? Me semblait que nous devions...

Elle ne termine pas sa phrase. Deux bras puissants la serrent à lui couper le souffle avant que la lumière ne se rapproche d'elle. Alors l'inquiétude de Jérôme change de visage. Dans ses bras, c'est la Cécile des derniers temps qui s'abandonne, un regard flou qu'il voudrait n'avoir jamais connu se posant sur lui sans vraiment le voir. Cette absence, cette indifférence... Et cette phrase illogique qu'elle vient de prononcer. Alors Jérôme soutient Cécile avec une sollicitude tout amoureuse. Car, dans ces moments-là, il a compris qu'il faut la ramener tout doucement au temps présent. Ne rien brusquer, jamais, et lentement à son rythme, la conscience des choses lui revient. Avec une infinie tendresse, faisant taire la douleur à vif qui est sienne, il aide Cécile à faire quelques pas. Elle grimace de douleur, le sang recommençant à circuler dans ses veines.

— Excuse mon retard, ma douce, fait-il alors rattachant le discours décousu de sa bien-aimée au temps présent. Tu dois avoir froid?

— Froid?

Cécile regarde autour d'elle. Et brusquement, un long frisson.

— Oui, maintenant que tu le dis, c'est vrai que j'ai froid.

Puis elle prend conscience des arbres. Depuis quand y a-t-il une forêt à la croisée des chemins? Ses sourcils se froncent comme sous l'effet d'un incroyable effort. Mais que s'est-il passé? Où donc est-elle? Lentement, elle balaie son environnement du regard. C'est l'hiver, c'est la nuit, elle est dans un bois et oui, Jérôme a raison, il fait froid. Très froid. Alors la mémoire lui revient d'un coup mais par bribes saccadées, comme les flashs d'un appareil photo. Noël, le réveillon, son envie de promenade, le souper chez Paul... Elle n'a plus dix-huit ans. Elle est une vieille femme et son esprit se détraque. Elle se met à trembler pendant qu'un regard chargé de colère, d'angoisse et de panique se tourne vers Jérôme. Un regard chargé des larmes de toute une vie à travers ses joies, ses attentes et ses peines. Le mot Alzheimer vient d'éclater en elle dans toute son horreur, lui coupant le souffle. Le temps a fini par la rattraper, l'aspire vers en avant contre sa volonté. Elle en est persuadée, n'ayant ni place ni envie en elle pour quelque logique que ce soit. Le pincement d'une peur intolérable atteint un paroxysme qui lui fait mal comme un coup réel. Elle voudrait tout oublier, se lover sur elle-même comme un fœtus, s'endormir et ne plus jamais s'éveiller. Alors elle s'agrippe au bras de Jérôme pour ne pas tomber.

— Aide-moi, Jérôme.

Puis dans un cri étouffé par les larmes:

— Je t'en supplie, mon amour, ne me laisse pas toute seule. J'ai tellement peur...

Chapitre 9
Hiver 1996

À Montréal et à Québec

« Vous avez peut-être des habitudes qui vous affaiblissent.
Le secret du changement, c'est de concentrer toute votre énergie
non pas à lutter contre le passé, mais à construire l'avenir. »
Socrate

Depuis la nuit de Noël, Sébastien s'est installé chez Gilbert. Comme si la chose allait de soi après avoir dormi sur le canapé du salon à la suite du réveillon. Les vacances ont passé sans qu'il ne les voit, fort occupées qu'elles étaient entre des repas avec les amis, de longues promenades au Vieux-Port, des soirées cinéma ou tout simplement d'interminables parties de *Scrabble*. Ce soir, Gilbert a rejoint des copains dans un bar qui n'attire pas du tout Sébastien, lequel, installé près du feu, a la soirée et l'appartement à lui. Claudie, partie depuis une semaine en Gaspésie voir sa famille, doit revenir demain et Virginie vient de renouer avec une ancienne copine avec qui elle est sortie pour manger au restaurant. La vie de la jeune fille semble reprendre un cours normal. Elle a même recommencé à faire des projets et parle d'études possibles pour l'automne prochain.

— Pas question que je moisisse encore longtemps dans cette boutique-là. J'ai envie de faire des choses dans ma vie. Pas juste accrocher des robes sur des supports!

Vision des choses que Gilbert ne partage aucunement.

— Ben voyons donc, ma belle! C'est pas comme ça que tu

dois penser. Aider quelqu'un à se choisir des vêtements, c'est comme l'aider à se sentir mieux dans sa peau... Moi au contraire, je trouve mon travail fort important, tu sauras. Je dirais même que, des fois, c'est aussi important que de consulter un «psy»! lance-t-il offusqué, une pointe de déception presque palpable dans sa voix pointue.

Sacré Gilbert!

Et c'est à tout cela qu'il pense, Sébastien, confortablement assis sur le canapé, les jambes étendues devant lui, les pieds cavalièrement posés sur la table du salon. Aux projets de Virginie, à la vie que Gilbert s'est bâtie, conforme à son image et à ses goûts, à Claudie qu'il apprend peu à peu à connaître et qui lui fait battre le cœur de plus en plus fort.

Puis naturellement, ses pensées reviennent à lui. Lentement, il balaie la pièce du regard. Sur le dossier d'une chaise, un chaud manteau de laine: le cadeau que Gilbert a choisi pour lui. Puis son attention se porte sur les coussins, les tentures... Finalement, il doit l'admettre, lui aussi aimerait ça avoir un petit coin bien à lui, décoré à son goût. Il aimerait ça avoir des projets, des choses à bâtir. Il a l'impression que, en dedans de lui, existe un être qui lui ressemble et que cet autre lui trépigne d'impatience. Non pas simplement devant sa vie un peu en suspens pour l'instant, mais aussi devant sa compréhension des choses qui se modifie peu à peu, presque à son insu, sans qu'il sache clairement quelle direction sa vie est en train de prendre...

À nouveau il détaille la pièce autour de lui. Dans les objets comme dans les couleurs, on peut reconnaître Gilbert. Le rose gomme, comme il le dit, a l'intonation de sa voix un peu précieuse et les tentures pendues à la fenêtre l'allure de ses cravates. Sébastien se surprend à sourire. Drôle d'homme que ce Gilbert!

Puis il pousse un profond soupir.

Et lui, à quoi ressemblerait-il son salon? Difficile à dire... Il essaie d'imaginer une pièce à sa ressemblance, mais aucune image tangible ne se présente. Pourquoi? Il soupire à nouveau. Peut-être bien que c'est parce qu'il ne sait même pas à quoi ressemble sa vie. Peut-être... Pourtant, il y croyait quand il a choisi la rue. Il allait être en contrôle absolu. Plus jamais personne ne viendrait le blesser parce qu'il n'y aurait plus personne autour de lui. Ni amis, ni parents, ni système d'aucune sorte. Il allait le régler le problème, lui, et il connaîtrait enfin la liberté, la vraie. Plus d'attentes, plus de rejets, plus de déceptions. Finis les coups au cœur, finies les blessures. Oui, c'est tout cela qu'il voulait Sébastien quand il a érigé une barrière entre lui et la société. Mais ce soir, au milieu d'une pièce qui ressemble à quelqu'un d'autre, il n'est plus certain de rien.

À quoi ressemble-t-elle cette liberté qu'il dit avoir? N'a-t-elle pas plutôt l'apparence d'une dépendance encore plus grande envers la société? Il se revoit quêtant au coin des rues, recherchant un abri quelconque pour la nuit, essayant de séduire quelque «grosse folle» en échange d'un lit, d'une douche et de repas agréables comme il le faisait l'an dernier. Et c'est cela qu'il appelait la liberté? En réalité et bien froidement, n'est-il pas à la merci de la générosité des gens, contraint par les caprices de la température et le simple fait d'avoir à combler jour après jour les besoins les plus primaires du quotidien ne suffit-il pas à donner un drôle de visage à ce qu'il appelle *sa* liberté? Il mange ce qu'on lui présente, il porte ce qu'on lui donne, il dort n'importe où. Même ici, même s'il sait que de la part de Gilbert l'héberger est un geste gratuit, un geste d'amitié, Sébastien reste à la merci des autres. Et c'est cela qu'il appelle la liberté? Est-ce vraiment de cette vie dont il a envie pour lui? N'est-il pas temps qu'il se réveille?

Pendant de longues minutes, Sébastien reste immobile, le regard fixant les flammes sans les voir, tourné à l'intérieur de lui-même. Oui, c'est vrai qu'il en a assez de l'immobilisme de sa vie. Il en a assez de se battre contre le quotidien pour ne récolter souvent qu'un hot dog ou une cave humide pour dormir. Tout cela ne rime plus à rien. Depuis que dans sa tête le sourire de Claudie enveloppe gens et choses, sa perception de la vie évolue, grandit, le pousse à aller plus loin, plus haut. Dans quel sens ira-t-il? Il ne le sait pas encore. Par où commencer? Il ne le sait pas plus.

Il se redresse vivement, impatient, et bâille longuement autant d'ennui que d'agacement. Puis brusquement il entend la voix de François.

— Il existe des ressources, Sébas. Tu dois le savoir, non?

Oui, Sébastien sait qu'il existe des ressources. Et après? A-t-il pour autant envie de s'en servir?

— Donne la chance au coureur, entend-il encore dans sa tête.

«Donne la chance au coureur…» Et pourquoi pas? Mais comment faire?

Il se relève en soupirant et va jusqu'à la fenêtre. En bas, dans la rue, les gens marchent à pas pressés, la vapeur de leur haleine courant après eux. Il fait froid ce soir. Sébastien n'a jamais aimé le froid. Dès que le thermomètre oscillait au-dessous de zéro, quand il était petit, il préférait rester bien chaudement à la maison. C'étaient les journées casse-tête, comme il les appelait. Il se revoit, installé dans un coin de sa chambre, cherchant une pièce de puzzle bien précise, y passant des heures parfois. Et ce soir, le front appuyé contre une vitre glacée et givrée de dentelle dans le bas, il a toujours l'impression de chercher une pièce bien précise. Et que s'il la trouve, le reste du puzzle se finira facilement… Comme cette fois où sa mère l'avait aidé à trouver la fameuse pièce, justement. Ça faisait une éternité qu'il la cherchait. Puis alors qu'il était sur le point de se décourager, sa mère était venue à la rescousse. Le regard neuf qu'elle avait posé sur le casse-tête avait fait en sorte qu'elle avait rapidement trouvé le fichu morceau. Le soir même, tout fier, il contemplait son chef-d'œuvre terminé…

À ce souvenir, les traits de Sébastien se détendent. Puis c'est un large sourire qui éclaire son visage. Et si c'était là la solution? Accepter qu'un regard neuf se pose sur sa situation… Accepter que parfois on puisse avoir besoin des autres pour avancer… Pourtant à cette pensée, Sébastien hausse les épaules de dépit. N'est-ce pas là ce qu'il fait depuis plus d'un an, profiter des autres? Où donc serait la différence?

Exaspéré par toutes ces idées qui n'arrivent pas à se poser clairement, il revient sur ses pas, ajoute une bûche dans l'âtre avant de se diriger vers la cuisine.

C'est en se prenant une bière dans le réfrigérateur que les choses se placent d'un seul coup dans l'esprit de Sébastien. Comme ça, sans raison apparente autre que le fait qu'il va boire une bière. Appuyé contre le frigo, sourcils froncés, il regarde longuement la bouteille. Cette bière qu'il vient de décapsuler n'est pas de la marque que lui aurait choisie… Lentement, il revient vers le salon. Cette pièce non plus n'est pas de la couleur que lui aurait préférée. Alors…

— Dans le fond, murmure-t-il en se laissant tomber sur le divan, la vie, c'est pas autre chose que des choix… Et que ce choix s'appelle la rue ou autre chose, y'a pas vraiment de différence, ajoute-t-il à mi-voix.

«Et tous les choix, quels qu'ils soient, impliquent une certaine dépendance», pense-t-il aussitôt, l'esprit clair comme jamais. Il a choisi de vivre chez Gilbert pour un temps, mais par le fait même il doit accepter de dépendre de lui jusqu'à un certain point. C'est pourquoi en ce moment, il boit la sorte de bière que Gilbert préfère. Personne ne l'oblige à le faire. Mais l'un ne va pas sans l'autre. Ça vaut pour tout le reste… Quand il se rend au Refuge, il accepte de se plier à certains règlements. Quand il quête au coin d'une rue, il accepte qu'on puisse le regarder avec mépris. Quand il décide de squatter, il accepte d'avoir froid…

Et sur ce, Sébastien avale une longue gorgée de bière. Dans le fond, la perspective que l'on donne aux choses change parfois leur signification. Voilà la pièce qu'il cherchait. Elle n'était pas très loin, il dirait même qu'il la tenait dans sa main. Comment se fait-il qu'il n'ait pas compris auparavant?

Quand il se présente au Refuge, le lendemain soir, ça fait près de trois semaines qu'il n'y a pas mis les pieds. La première fois qu'il s'était présenté à cette porte, il ne savait pas vraiment ce qu'il venait y faire. Il était réticent, agressif même. La seconde fois, il avait peur qu'on lui claque la porte au nez après l'incident malheureux qui l'avait fait sortir de ses gonds. Ce soir, en attendant qu'on vienne lui ouvrir la porte, il admet que s'il était venu ici une première fois, c'était d'abord et avant tout pour faire plaisir à François. Ce n'était pas vraiment son choix.

Maintenant, ce soir, c'est différent.

— Tu vois, Gilbert, j'ai besoin de me donner des preuves, a-t-il dit ce matin au déjeuner quand il a fait part de ses intentions à son ami.

Ce dernier avait fait une drôle de grimace.

— Comme ça, tu t'en vas encore?

— Oui, c'est vrai. Mais cette fois-ci, je ne fuis pas, c'est pas pareil.

Gilbert était resté silencieux un moment avant d'acquiescer d'une voix totalement différente de ses minauderies habituelles.

— D'accord, je comprends. Pis je t'avoue que ça me fait plaisir de t'entendre parler comme ça. On a tous besoin de faire les choses à notre manière.

Puis le naturel avait repris le dessus.

— Si c'est là la tienne, envoye fort, mon beau, ça peut juste être bon pour toi en quelque part, avait-il finalement approuvé en jetant les yeux au plafond. Pis, comment trouves-tu ma nouvelle chemise? Tu trouves pas qu'elle est un peu voyante, non?

Et à ces mots, devant un Gilbert boudiné vêtu de mauve qui tourne sur lui-même dans une pose grotesque, Sébastien avait compris qu'il pourrait toujours compter sur le gros homme. Il y avait entre eux une amitié qui allait bien au-delà des mots... Une amitié qui avait soufflé au gros Gilbert que, pour un gars comme Sébastien, le plus beau cadeau qui soit était sans aucun doute un chaud manteau...

Claudie aussi avait accepté sa position quand il lui avait annoncé son intention de séjourner au Refuge, le temps de voir clair dans sa situation. Elle venait d'arriver au terminus d'autobus et le plaisir qu'elle avait de le revoir se devinait à son sourire.

— Si c'est ce que tu veux, fonce, Sébastien. Moi, je serai toujours derrière toi.

— Mais j'espère bien! C'est pas parce que je vais dormir au Refuge pour quelque temps qu'il y a quelque chose de changé entre nous. Je tiens à toi, avait-il alors murmuré, surpris lui-même par l'aveu.

Claudie était devenue toute rouge de plaisir. Alors ce soir, à travers son choix, c'est aussi pour Claudie qu'il attend devant la porte du Refuge.

— Hé, Sébastien! Un revenant! Finalement, le réveillon a duré longtemps.

Daniel semble sincèrement heureux de le voir. Sébastien lui rend son sourire.

— Si on veut. Alors? Ma place est encore là?

— La même, je ne sais pas, se moque gentiment Daniel. Mais on devrait trouver quelque coin pour te caser…

— Parfait, lance Sébastien en lui emboîtant le pas dans l'escalier. Pis après le souper, est-ce que je pourrais te jaser?

— Me jaser?

Daniel étire un grand sourire. Enfin!

— Pas de trouble, ça devrait s'arranger facilement, promet-il arrivé au bas des marches. Dès que j'ai un moment de libre, je te fais signe. Pour l'instant va dans le bureau, Annie est là. On va remplir ta fiche et te donner une serviette pour la douche…

Quand Sébastien entre dans le petit bureau de l'entrée, il a l'impression de revenir chez lui ou à tout le moins d'être un vieil habitué.

— Comme quoi, murmure-t-il en se dirigeant vers la salle des douches, on finit par s'habituer à tout…

Dans l'air flotte une bonne senteur de pâté chinois, comme autrefois chez lui quand il revenait de l'école. Et tout comme avant, juste à l'odeur, il s'aperçoit qu'il meurt de faim…

— Comme tu vois, j'sais pas vraiment par quel boutte prendre ça, ajoute Sébastien, perplexe.

Maladroitement, il a confié à Daniel toutes les idées qui lui trottent en tête depuis quelques mois. Lassitude, monotonie, colère, désirs. Tout y a passé. Il a même parlé de l'alcoolisme de son père, de la désertion de sa mère, des familles d'accueil, de son frère Maxime dont il s'ennuie et à qui il pense de plus en plus souvent. Avec un regard particulier qui n'a pas échappé à Daniel, il a aussi parlé de Claudie, Virginie et Gilbert. Comme s'il sentait le besoin irrépressible de ne rien laisser au hasard, l'ayant déjà trop fait par le passé.

Les deux garçons sont installés dans le petit bureau près de l'entrée. Un halo de lumière jaune éclaire une feuille de papier encore vierge et le journal du matin à moitié ouvert sur un coin du pupitre attend qu'une âme charitable veuille bien compléter la grille des mots croisés. De la salle commune, de l'autre côté du mur vitré, leur parviennent les bruits étouffés d'une soirée normale au Refuge. Balle de ping-pong qui rebondit, boules de billard qui s'entrechoquent, quelques rires, des voix qui s'interpellent, la télé qui joue en sourdine. Sébastien peut l'admettre aujourd'hui: il y a ici une atmosphère familiale qui réchauffe. Qui en soi laisse planer une envie d'autre chose, d'un peu mieux qu'une suite de journées sans but à errer dans les rues. Oui, il y a dans l'air une sorte d'assurance qui fait du bien. Et puis, quand les besoins du quotidien sont comblés, reste ce temps pour penser. Il jette un regard sur la salle: même si la présence de tous ces garçons l'agace toujours autant, il ne ressent plus d'agressivité envers l'endroit. Dans quelques minutes on va baisser les lumières, car Richard, un intervenant, est parti chercher un film. Le mercredi, c'est soirée cinéma. Et Sébastien a bien l'intention de regarder ce film qu'il n'a jamais vu, mais dont il a entendu parler. Sans qu'il soit capable de le dire clairement, il est en train de revenir à une toute autre conception de la vie. Est-ce l'endroit? Est-ce le cheminement qu'il est à vivre qui le pousse à vouloir des changements, des différences? Est-ce Gilbert ou Claudie qui l'ont petit à petit amené à modifier sa perception des choses? La seule émotion dont il est vraiment conscient, c'est qu'il y a en lui en élan nouveau. Et il espère simplement qu'on va le comprendre et l'aider à y voir clair.

Daniel prend bien le temps de soupeser les propos de Sébastien avant de répondre. Des tas de choses, tant positives que négatives, peuvent découler des quelques mots qu'il va dire.

— Si je comprends bien, tu veux t'aligner sur quelque chose de tangible. Tu ne sais pas trop quoi encore, mais il faut que ça bouge. C'est bien ça?

Le visage de Sébastien s'éclaire.

— En plein dans le mille. Par contre, j'sais pas vraiment quoi...

— Pas grave, ça, l'interrompt Daniel. Avec le temps, tu finiras bien par trouver. Mais en attendant, si tu ne sais pas vers où t'en aller, est-ce qu'il y a des choses, des valeurs, des attitudes qui pour toi sont bannies à tout jamais?

La réponse fuse sans la moindre hésitation.

— Ouais... L'injustice, ça tu dois t'en douter. Il y a aussi la manipulation, mon père...

Puis il laisse couler un rire amer.

— Pis les murs. La rue m'a appris que j'suis un gars d'extérieur. C'est sûr que j'finirai pas mes jours dans un bureau.

— Déjà pas pire, tu ne trouves pas?

— Ouais, peut-être… Mais en même temps j'ai l'impression que j'ai perdu pas mal de temps pour apprendre ça. Y'a des fois que ça me laisse indifférent, mais quand je regarde Claudie pis Virginie, je me sens mal à l'aise. Pis laisse-moi te dire que ça me fait chier.

— Allons donc? Perdre ton temps? Je ne trouve pas, moi. Si tu sais ce que tu ne veux pas, c'est déjà un moyen bout de chemin de fait. Toi, tu l'as fait dans la rue. Il y en a d'autres qui le font à l'école en changeant d'orientation à chaque année et d'autres directement sur le marché du travail en changeant de job à répétition. C'est pas ça l'important.

Pendant que Daniel parlait, le visage de Sébastien s'est éclairé à nouveau. Ça fait du bien d'entendre quelqu'un qui endosse vos choix. Ce besoin en l'homme de se savoir compris, accepté, même si on proclame haut et fort qu'on n'a besoin de personne.

— Vu de même, murmure-t-il, inexplicablement rassuré…

Puis il lève un regard de défi, soudainement agressif.

— Mais pourquoi moi, c'est par la rue que j'ai eu envie de passer? crache-t-il revenant à son idée première. Tout ce qui me paraissait ben correct y'a un an est en train de dégringoler. C'est comme si je me trouvais nul, tout d'un coup.

— Ben voyons donc! Tu as fait ce que tu voulais faire au moment où tu avais peut-être besoin de le faire. Pourquoi toujours chercher à justifier ses moindres caprices? Parfois, il nous arrive d'agir uniquement par instinct et pour moi, ça vaut tous les raisonnements et toutes les justifications qu'on pourrait trouver à nos gestes. La colère que tu avais en toi, comme tu me l'as dit tout à l'heure, c'est peut-être par là qu'elle devait passer. Je pense que tu avais besoin de te sentir en contrôle de toi-même après tout ce que tu avais vécu. C'est la façon que tu as choisie. Et ce n'était peut-être même pas conscient. Mais l'attrait de vivre sans obligations, sans contraintes a sûrement joué. L'opportunité était là, tu l'as vue comme une solution à toute l'agressivité que tu ressentais envers la société et tu l'as essayée. C'est peut-être par là que tu devais passer pour en arriver à aujourd'hui. Souvent, il faut aller jusqu'au bout d'une situation pour finalement comprendre qu'elle ne nous convient pas. La rue te satisfaisait il y a un an. Aujourd'hui, ce n'est plus le cas. C'est juste normal. Ça arrive souvent dans une vie, de toutes sortes de manières. Ça prouve que tu évolues. Moi, au contraire, je trouve ça positif.

— Ouais, peut-être... Mais ça me dit pas quoi faire, par exemple!

— Parce qu'il faut bien commencer par quelque part, moi, je te dirais que l'important, c'est de déclarer une adresse fixe pour avoir droit à l'aide sociale. Si tu n'as pas besoin de quêter pour survivre, tu vas pouvoir occuper tes journées à autre chose... Tu ne me disais pas que tu avais une amie?

— Claudie? Oui... oui, c'est une fille importante pour moi. Mais pas question de vivre ensemble, par exemple... J'suis pas prêt à ça. Je... j'ai encore trop besoin d'air autour de moi.

Et pointant du menton la salle commune que l'on devine dans la pénombre de l'autre côté de la vitre:

— Déjà que d'avoir tout ce monde-là autour de moi durant quelques heures chaque jour, c'est «heavy», faut pas m'en demander plus. Pis j'veux rien devoir à personne.

— Mais tu acceptes de quêter, par exemple!

À ces mots, Sébastien hausse les épaules.

— C'est pas pareil. Les gens qui me donnent un peu d'argent, c'est personne en particulier. C'est... c'est juste comme si c'était la Société avec un grand S qui me remboursait tout ce qu'elle m'a pris quand j'étais jeune...

Le tout énoncé avec un détachement qui frôle la froideur. Comment lui dire qu'il a tort, que ce n'est pas ainsi qu'il faut envisager les choses? Daniel reste pensif un instant. Mais Sébastien a-t-il vraiment tort? N'est-il pas plutôt d'une rare franchise, d'une outrecuidance presque choquante, soit, mais combien compréhensible? Brusquement, Daniel a la certitude que ce garçon-là va s'en sortir. En autant qu'on le laisse tranquillement arracher toutes les mauvaises herbes de son jardin. «Les extirper jusqu'à la racine», pense-t-il étrangement. Alors il lui sourit.

— Chapeau, Sébastien. T'es un gars honnête.

— Bof… C'est juste pour moi que j'parle comme ça. Pis c'est pour moi aussi que j'suis venu ici.

— Alors on va donner l'adresse du Refuge à ces messieurs du gouvernement. Le temps que tu reçoives ton premier chèque, tu peux rester ici.

— C'est tout? demande Sébastien incrédule.

— Oui et non. C'est une étape. L'autre, c'est de savoir ce que tu veux vraiment faire. Il y en a pour qui l'aide sociale est une finalité. Mais pour…

— Mais pas moi, tranche Sébastien. Pas question que je vive aux crochets de qui que ce soit. Je m'aperçois que j'vas avoir des concessions à faire en quelque part. C'est sûr. Pis déjà que j'trouve ça dur à avaler. Alors laisse-moi te dire que j'suis pas prêt à faire n'importe quoi.

Puis il soupire d'impatience.

— Sacrament que c'est compliqué tout ça.

— C'est compliqué si tu veux tout faire en même temps, oui. Pour l'instant, concentre tes énergies à te trouver une chambre ou un petit logement. Tu n'auras pas une fortune, c'est sûr, mais il y a des ressources communautaires qui…

— Encore! Ressources communautaires, aide sociale… J'suis pus sûr que je suis en train de faire le bon «move». Y'a ben trop de monde dans toute…

— Essaye, Sébastien.

— Essaye, Sébastien! répète le jeune homme avec un ricanement moqueur. J'commence à être tanné de l'entendre, celle-là. Me semble que c'est rien que ça que l'monde a à me dire. Essaye Sébastien!

À ces mots, Daniel ne peut s'empêcher de sourire.

— Et tu n'as pas fini de l'entendre! On passe notre vie à essayer toutes sortes de choses, Sébas. Des fois, c'est pas pire, des fois, c'est de la merde, pis d'autres fois, c'est super. Malheureusement, ce qui est bon pour quelqu'un ne l'est pas nécessairement pour un autre. C'est pour ça qu'on n'a pas le choix: faut essayer.

Alors Sébastien dessine un petit sourire, toute agressivité tombée. Daniel est tellement calme, lui.

— J'sais pas comment tu fais, Daniel, mais quand tu parles on dirait que les choses compliquées ne le sont plus.

— C'est peut-être juste que j'aime ce que je fais. C'est pour ça que je te dis que c'est important de prendre ton temps. Et de ne pas brûler les étapes... Une chose à la fois. Quand on veut entreprendre tout en même temps, on risque de foirer partout. Pour commencer je vais prévenir que tu vas passer demain en après-midi.

— Mais c'est pas fermé le jour? interrompt alors Sébastien.

— En principe oui. Mais comme certaines démarches ne peuvent se faire que de jour, il y a toujours quelqu'un. Demain, Josée va être là et je te jure qu'avec cette fille-là, il n'y a jamais rien de compliqué. Elle va t'aider.

— Demain? Okay.

— Super. Et nous deux, on se revoit la semaine prochaine et on fait le point. Ça te va?

— Est-ce que j'ai le choix? laisse tomber Sébastien.

Pendant un moment, les mots restent en suspens entre eux. Avoir le choix... Ça rejoint tout le reste, finalement... Alors aussitôt, il se reprend.

— Oui, j'ai le choix, affirme-t-il avec toute la conviction dont il est capable pour l'instant. Pis t'as raison: j'vas essayer. À force de le dire et d'y croire, m'en vas peut-être finir par arriver quelque part, non?

Et sur ces mots, il se relève. Mais alors qu'il s'apprête à quitter la pièce, Daniel le retient un instant.

— À propos... Jason s'est trouvé une chambre. Ce sera toujours quelqu'un qui aura besoin de soutien, c'est sûr, mais le fait d'avoir un petit coin bien à lui a réveillé une espèce de sens des responsabilités qui fait plaisir à voir. Il est tellement fier de sa chambre! Comme quoi, Sébas, il ne faut jamais lancer la serviette. Jamais...

* * *

Depuis une semaine, François a l'impression d'être revenu dans le temps, d'être de retour à la case départ comme dans un mauvais rêve qui l'oblige à tourner en rond malgré sa volonté. Une grippe carabinée le terrasse et c'est à peine s'il arrive à se tirer du lit, chaque matin. Inquiète, Marie-Hélène retrouve l'inconfort de ses angoisses du printemps dernier, intactes, toujours aussi vives.

— Si tu ne te décides pas tout seul, je te traîne de force chez le médecin.

Le ton est catégorique.

— De toute façon, on en avait parlé et tu devais consulter à cause du bébé. Tu feras d'une pierre deux coups. Parce que moi, c'est fait. J'ai rendez-vous avec un gynécologue, lundi prochain.

— D'accord. Promis, je prends rendez-vous aujourd'hui même.

Une violente quinte de toux l'interrompt.

— Mais c'est pas à cause de mon rhume. C'est pour le bébé, précise-t-il quand il arrive à reprendre son souffle.

Ils sont assis dans leur minuscule cuisine, à l'arrière de l'appartement tout en longueur. Le soleil inonde la pièce blanche et jaune et si on oublie la neige qui coiffe le toit voisin, on pourrait presque croire que c'est l'été. Pourtant, à l'extérieur, en cette fin de janvier, il fait un froid à pierre fendre. Et cela dure depuis plus d'une semaine. Une seconde quinte de toux plie François en deux, amenant plein de larmes dans ses yeux. Incapable de se retenir, cette fois-ci, Marie-Hélène se lève et vient à lui.

— Toi, tu restes ici aujourd'hui, ordonne-t-elle essayant de remplacer l'inquiétude qu'elle ressent par une note de sévérité dans sa voix.

S'accroupissant près de lui, elle pose les mains sur ses cuisses obligeant ainsi François à la regarder.

— Ce n'est pas du caprice, François, plaide-t-elle maintenant tout en douceur. Écoute-toi! Ça n'a plus aucun bon sens.

Sans répondre, François plonge son regard dans le sien. Il fait peine à voir. Les traits tirés, les yeux cernés, on dirait qu'il a vieilli de dix ans dans la dernière semaine. Sirop et longues nuits de sommeil n'ont apporté aucun changement. Et Marie-Hélène serait prête à le jurer: il a probablement maigri depuis un an, même s'il a toujours été du genre filiforme.

— D'accord, admet-il pour une seconde fois en l'espace de quelques instants. Je reste ici.

De toute façon, il est tellement fourbu qu'il ne serait d'aucune utilité à son travail. C'est à peine s'il arrive à penser de façon cohérente.

— J'ai l'impression d'être une marmotte, avoue-t-il en soupirant. J'ai les yeux qui ferment tout seuls. Et c'est ce que j'aurais dû faire dès les premiers symptômes: garder le lit et boire beaucoup de liquides. C'est ce qu'on dit, non? ajoute-t-il sur un ton léger espérant ainsi calmer l'inquiétude qu'il voit dans le regard qui se pose sur lui. Avec le froid qu'on connaît, arpenter les rues comme je le fais n'aide pas vraiment une grippe à s'en aller... Un ou deux jours de repos devraient régler le problème.

— Et le médecin? insiste Marie-Hélène.

François fait la grimace.

— Le médecin?

— Oui, le médecin. Arrête de faire l'enfant, François, il ne te mangera pas, le docteur, se moque Marie-Hélène en se relevant. A-t-on vu pareil entêté!

— D'accord, s'impatiente alors François, se levant à son tour. Je prends rendez-vous aujourd'hui avec le médecin que j'ai rencontré l'an dernier. Ça te va? Mais encore une fois, c'est surtout pour comprendre pourquoi on n'a pas réussi à faire un bébé que j'y vais. Un rhume, ça guérit tout seul.

— Un rhume? s'écrie Marie-Hélène, vraiment en colère cette fois-ci devant l'insouciance de François. Ma parole, t'es plus têtu qu'un âne! Ce que tu as n'as rien à voir avec un rhume... On dirait que tu as peur... Oh! Et puis, fais donc ce que tu veux.

— Mais je viens de te dire que je vais prendre rendez-vous. Qu'est-ce que tu veux de plus?

— Que tu sois un peu plus responsable, François Léveillé. Quand on est malade comme tu l'es, on consulte, lance Marie-Hélène, franchement choquée devant la désinvolture apparente de son mari, ramassant brusquement les tasses de café refroidi qui traînent sur la table avant de les déposer bruyamment dans l'évier. On dirait que, à chaque fois, il faut que j'insiste pour que tu réagisses. Un vrai bébé… Et puis merde, j'en ai assez, gronde-t-elle sourdement, brusquement épuisée.

— Moi aussi, j'en ai assez, reprend François. Tu me surveilles comme un garde du corps. Laisse-moi respirer.

À ces mots, Marie-Hélène pousse un soupir de tristesse, les colères tombant aussi vite qu'elles montent en elle.

— Écoute-nous parler, François, constate-t-elle en se retournant. Ça ne nous ressemble pas de dire des paroles blessantes. Et pourquoi?

— Pour une maudite grippe que j'ai négligée… Tu as raison, Marie-Hélène. Je plaide coupable. Promis, je m'en occupe dès ce midi. Je t'aime, ma douce.

La jeune femme lui rend son sourire et revient vers lui pour l'embrasser.

— Moi aussi, je t'aime, grand fatiguant. Tellement! Et maintenant, au dodo, jeune homme. Tu n'as pas tout à fait tort: le sommeil reste une bonne médication pour une grippe!

— Tu vois, lance-t-il goguenard, l'atmosphère entre eux subitement détendue.

Et ils se quittent dans un éclat de rire. Que François efface aussitôt la porte refermée sur sa femme qui part pour le travail. Car Marie-Hélène n'a pas tort. L'angoisse qu'il ressent depuis quelques jours n'a rien à voir avec un simple rhume passager. Il est tout simplement épuisé. De cette fatigue qui lui fait penser aux descriptions de burn-out qu'il a déjà lues. Exactement comme l'an dernier avant qu'ils ne partent tous les deux en vacances. Il sait par instinct que son corps lui lance des signes d'alarme. Et ce sentiment d'urgence qu'il sentait battre aux creux de ses pensées les plus banales il y a quelques mois, cette terrifiante sensation, elle lui est revenue avec une acuité douloureuse.

— Ne laisse pas la vie avaler tes rêves.

La voix de Jérôme reste suspendue au-dessus de ses jours, accompagne ses réveils et précède le sommeil. Oui, François a peur. De tout, de rien. De parler et de se taire, de savoir et d'ignorer, espérant naïvement qu'un bon matin il va peut-être s'éveiller et constater qu'il ne s'agissait que d'un cauchemar. C'est pourquoi il repousse l'échéance, comme l'autruche se cache la tête dans le sable.

— Plus tard, murmure-t-il se glissant sous les couvertures. J'appellerai le médecin plus tard.

Parce que c'est de cela dont il a le plus peur. Qu'on découvre ce qui le mine à chaque année un peu plus sûrement et que le verdict soit irrévocable. Ou qu'il ne vienne mettre un terme à trop de choses qui font de sa vie ce qu'elle est. Cette peur de ne pas savoir qu'on entretient malgré tout...

* * * .

Assise bien droite sur le fauteuil, une main abandonnée dans celle de Jérôme, Cécile vient de confier ses angoisses les plus profondes. Depuis le soir de Noël, elle dort mal, mange du bout des lèvres, arrive à peine à soutenir une conversation. Vis-à-vis les siens, Cécile a banalisé la situation, prétextant la noirceur, se permettant d'en rire avec eux et promettant de ne plus jamais oublier qu'elle n'a plus vingt ans. Face à Jérôme, elle a tout simplement dit qu'elle voulait rencontrer un médecin de sa connaissance. Rien de plus. Il a respecté son silence.

Présentement, elle a l'air d'une petite fille effarouchée et quand elle a osé prononcer le mot Alzheimer à haute voix pour une seconde fois, Jérôme a senti que sa main se mettait à trembler en même temps que sa voix. Il a resserré spontanément son étreinte dans un élan protecteur, curieusement conscient en même temps de ce que ce geste avait de dérisoire. Il a le cœur lourd, comprenant à quel point Cécile était malheureuse et avait tout tenté pour ne rien laisser voir. Devant eux, de l'autre côté du lourd bureau d'acajou, Pierre-Paul Daigle écoute attentivement, les yeux mi-clos. Sa chevelure blanche contraste avec les traits de son visage encore juvéniles. Cécile le connaît depuis plus de trente ans, leurs carrières respectives s'étant croisées au moment où celui-ci se présentait comme résident en gériatrie à l'hôpital où elle pratiquait. Elle a toujours apprécié son approche humaine et la justesse de ses propos. Bâti comme un hercule, pondéré en tout, la voix grave au débit lent, le Dr Daigle inspire confiance.

— Je crois que j'ai tout dit, termine Cécile reportant les yeux une dernière fois sur le papier qu'elle a posé sur ses genoux.

Ne sachant plus ni quand ni pourquoi elle oserait faire confiance à sa mémoire, Cécile a bien préparé cette consultation et noté scrupuleusement tout ce qui lui passait par la tête. Sa mésaventure dans l'érablière l'a marquée au fer rouge, créant en elle un état proche de la panique qui a précipité sa décision de consulter.

— On ne sait jamais, a-t-elle expliqué en entrant dans le bureau, exhibant un petit bout de papier plié en deux. Des fois où je ne saurais même plus ce que je fais ici, a-t-elle lancé voulant faire un peu d'humour pour se détendre.

Son inquiétude était visible comme le nez au milieu du visage. Et glissant sa main dans celle de Jérôme, elle avait tout raconté, se référant par moments au papier qu'elle avait préféré poser sur ses genoux, se sentant trop fébrile et tremblante pour le tenir.

— Comme cela, vous avez des trous de mémoire? reprend le médecin, une interrogation dans la voix.

— Parfaitement.

— Et ce n'est que lorsque l'on vous en fait la remarque que vous en prenez conscience?

— Oui. On dirait depuis un an que ma mémoire fonctionne mieux dans ses vieux souvenirs que dans le temps présent. Ce n'est pas un signe, cela? Et que dire de ma mésaventure dans l'érablière. C'est comme si j'avais été déconnectée de la réalité pendant un long moment…

Puis elle répète encore, la voix tremblante:

— Si ça ce n'est pas un signe…

— Pas nécessairement.

La voix du médecin l'a fait sursauter. Pourtant, elle persiste.

— Mais il me semble que…

— Un instant, Cécile. Vous êtes médecin, n'est-ce pas? Alors il ne sert à rien de tourner autour du pot et je ne cherche pas à vous cacher la vérité. Mais vous savez comme moi qu'il n'y a pas pire diagnostic que celui qu'un médecin pose envers lui-même. D'accord sur ce point?

Cécile dessine un sourire malgré elle.

— D'accord sur ce point, admet-elle.

— Bon. À partir de là, vous savez aussi qu'on ne peut uniquement se baser sur les maigres constatations que vous avez faites pour émettre ne serait-ce que des hypothèses. Vous avez des trous de mémoire. Bon. C'est une réalité qui, soit dit en passant, ne veut pas dire grand-chose. Quant à l'érablière, vous devez savoir tout comme moi que l'hypothermie, surtout chez une personne âgée, peut créer des transes, des espèces d'absence et même des hallucinations.

Tandis que le médecin lui parle, Cécile l'écoute le cœur battant le rythme fou de l'espoir que ces quelques paroles font naître.

— Est-ce que vous me permettez de vous poser quelques questions? demande alors Pierre-Paul Daigle.

— Je suis ici pour cela.

— Ne vous est-il pas arrivé de vous sentir terriblement fatiguée?

— Oui. Je vous l'ai dit. Le printemps dernier, à la suite de…

— Non, comprenez-moi bien. Je sais que vous avez mentionné un état de fatigue inexplicable ou à tout le moins surprenante, mais cela peut arriver n'importe quand à n'importe qui à la suite d'événements hors de l'ordinaire. Ce n'est pas ce dont je parle. Ce que je veux savoir, c'est s'il ne vous serait pas arrivé de vous lever un matin, épuisée comme si on avait passé la nuit à vous battre?

— Comme ça, d'un seul coup?

— Exactement.

Incapable de se souvenir avec précision, Cécile reste un moment silencieuse, revoyant mentalement les matins du printemps précédent. Nervosité, absence réelle de souvenirs? C'est un grand trou noir que lui renvoie sa mémoire. Machinalement, elle se tourne vers Jérôme, une interrogation dans les yeux. D'un sourire, il tente de la réconforter. Puis il reporte son attention vers le médecin.

— Oui, moi, je m'en souviens, fait-il calmement mais bien catégoriquement alors que, jusque-là, il s'était montré discret.

Cécile fronce les sourcils.

— Ah! Oui? Pourtant…

— Laisse-moi terminer, ma douce, demande-t-il gentiment en augmentant la pression de sa main.

Puis revenant au médecin.

— C'était en juin, je crois. Déjà que Cécile était fatiguée depuis la maladie de ma mère. La pauvre vieille dame avait demandé une attention de tous les instants et vous connaissez ma femme, n'est-ce pas? Inutile de dire qu'elle n'a mis aucun bémol à ses soins. De jour comme de nuit. Même une plus jeune y aurait laissé des plumes. Alors, oui, Cécile était fatiguée et cela se voyait. Mais un matin, elle a été incapable de se lever. Elle avait les traits tirés, elle était blême à faire peur. Je m'en souviens très bien. Ce jour-là, et les quelques jours suivants, elle a même dormi une grande partie de la journée, ce qui ne lui ressemble pas du tout. Et c'est vraiment à partir de ce moment-là qu'on a pu observer un changement marqué dans son attitude.

Pendant que Jérôme parlait, Cécile a regardé droit devant elle, ne fixant que le vide, des tas de petits détails lui revenant soudain avec une clarté incroyable. Ainsi donc, Jérôme avait remarqué? Brusquement, cela lui semble limpide comme de l'eau de roche. Son attitude envers elle, quelques remarques en apparence anodines, certaines attentions particulières… Comment se fait-il qu'elle n'ait rien senti? Se peut-il que l'inquiétude l'ait aveuglée à ce point?

— Et tu ne m'en as jamais parlé? murmure-t-elle quand il se tait, à la fois émue par tout ce qu'elle vient enfin de comprendre et un peu confuse de n'avoir su y lire la prise de conscience de Jérôme.

— Je ne voulais pas t'inquiéter. Je l'étais bien assez pour deux. Et je crois bien que tu en as fait autant, non?

— Maudit silence, constate alors Cécile dans un langage qui ne lui ressemble guère et que seul Jérôme peut comprendre.

Pendant un long moment, ils se regardent l'un l'autre. Oui, maudit silence qui a tellement faussé d'émotions, de rêves, de choix dans leurs vies. Leurs doigts entremêlés se serrent avec violence. Ce silence entre eux, symbole aussi de respect et d'amour dans une expression malhabile mais combien sincère. Dans leurs regards, il y a donc aussi ce cri silencieux qui dit la passion de l'autre. Ce besoin d'être ensemble, envers et contre tout. Et pour toujours.

— Alors? Qu'est-ce que ça change? demande enfin Cécile s'arrachant au regard de Jérôme pour revenir au médecin.

— Peut-être tout, peut-être rien. Un accident vasculaire cérébral, Cécile, cela vous dit quelque chose?

Cette dernière hausse les épaules.

— Bien sûr.

— Alors on va savoir. Vous auriez fait un petit AVC pendant la nuit que je ne serais pas surpris. Je demande une hospitalisation. Quelques jours pour effectuer une batterie de tests. Et je vous jure que tout va y passer. De la tête aux pieds.

— Vous croyez que c'est vraiment nécessaire?

— Voulez-vous savoir ou non?

Cécile regarde franchement son confrère, droit dans les yeux.

— Je ne sais pas, affirme-t-elle calmement avec une sincérité désarmante. C'est bête à dire, mais je ne sais pas.

Le Dr Daigle se permet un sourire devant la franchise mais aussi l'éternelle ambivalence de Cécile. Parce que c'est aussi à cause de cette permanente indécision qu'elle a été l'un des médecins les plus consciencieux qu'il ait connu.

— C'est bien ce que je pensais, affirme-t-il gentiment. Mais pour moi, votre réponse équivaut à un oui. Car cela veut dire j'ai peur mais, oui, je veux enfin en avoir le cœur net. Est-ce que je me trompe?

Le temps d'un soupir, Cécile reste silencieuse, puis avec lassitude:

— Non, vous avez raison. Je n'ai que trop tardé, concède-t-elle enfin en rougissant.

Alors, autant pour détendre l'atmosphère que pour donner suite à ce qu'il essaie de promouvoir depuis des années, le Dr Daigle se tourne vers Jérôme.

— Et j'ai bien envie de demander une chambre pour deux, avance-t-il à la blague, faussement sévère. À l'âge que vous avez, un bon «check-up» de temps en temps, ça évite bien des tracasseries. On le fait bien pour son automobile, non? Pourquoi pas pour la carcasse? Mécanique pour mécanique, il y en a une qui est pas mal plus durable que l'autre, pourtant c'est celle qu'on a le plus tendance à négliger.

CHAPITRE 10
Février 1996

À MONTRÉAL ET EN BEAUCE

«Vous devez accepter la vie comme elle se présente,
mais vous devriez essayer de faire en sorte qu'elle se présente
comme vous aimeriez qu'elle soit.»
ANCIEN PROVERBE ALLEMAND

Ça fait maintenant plus de deux semaines que Sébastien a l'impression de tenir son avenir à bout de bras, comme un paquet mystérieux qu'il n'oserait ouvrir, préférant inconsciemment l'espoir entretenu à une déception éventuelle. Les démarches pour obtenir l'aide sociale suivent leur cours et aujourd'hui, il voit cette alternative comme le premier palier d'une remontée qui sera probablement longue. Petit à petit, il accepte d'y mettre le temps, même si à dix-neuf ans, on aimerait tout avaler d'un coup. La promiscuité de tous les jeunes qui fréquentent le Refuge lui est toujours difficile à supporter, mais avec Daniel, il tente de s'y faire.

— Chose certaine, Sébas, tu ne finiras pas ta vie dans un orchestre symphonique. Et il ne faudrait pas non plus que tu aboutisses en prison! Ça serait mortel pour toi, dans un cas comme dans l'autre…

Ils arrivent même à en rire. Tout comme avec Claudie qui le soutient inconditionnellement dans sa démarche.

— Lâche pas! Une fois ton chèque en main et ta chambre louée, tu aviseras pour le reste.

«Le reste» englobant à la fois le prévisible comme manger et dormir et l'inconnu qu'il devra bien se résoudre à affronter un jour.

— Je suis comme toi, Sébastien, j'ai un faible pour le grand air. Pour une fille de la Gaspésie, c'est presque normal, non?

— Pour toi, oui, ça me paraît logique. Mais pour un gars de la ville comme moi…

— Ça ne veut rien dire, tranche-t-elle catégorique. La sensation de liberté quand il n'y a pas de murs et que l'horizon est sans limites, ça n'a pas de prix. Tout le monde peut comprendre ça. Reste juste à savoir comment «dealer» avec ça! Faut toujours laisser le temps faire son temps. Pis les solutions finissent par être tellement évidentes qu'on se demande comment il se fait qu'on ne les a pas vues auparavant…

— Facile à dire!

— Tu vas voir si j'ai pas raison, espèce de grand sceptique. Je te le dis moi…

Jamais Sébastien n'aurait pu imaginer que, un jour, il serait aussi bien avec quelqu'un. Avec Claudie, il apprend tout doucement à faire confiance. Il lui a même parlé de la relation équivoque qui lui a fait connaître Gilbert puis de l'évolution de cette relation. Claudie avait gardé un long silence suite à sa confession.

— Te dire que cela me laisse indifférente, avait-elle finalement tenté d'expliquer, ce serait te mentir. C'est tellement contraire à moi que c'est bien sûr que ça me dérange. Mais en même temps, le fait que tu m'en aies parlé veut dire beaucoup entre nous et pour cette raison je suis heureuse que tu l'aies fait. Par contre, ce moment de ta vie t'appartient et pas à moi. Tu n'as pas de compte à me rendre là-dessus. Et le malaise que moi je ressens, eh bien, c'est à moi de le régler. Mais ça ne change rien pour nous deux. Promis, juré!

Ce respect que Claudie entretient envers les gens et la vie permet à Sébastien de modifier ses vues, tout doucement, un jour à la fois. L'optimisme inconditionnel de la jeune fille déteint sur lui, l'amenant à percevoir gens et événements dans une perspective nouvelle. Sa rage et sa révolte trouvent de moins en moins d'écho en lui. De moins en moins de justifications. Seul l'appel aux grands espaces garde toute sa signification. Il passe ses journées à éplucher les petites annonces, à visiter des chambres, car son budget ne permettra pas autre chose, n'arrive pas à se fixer sur une chambre ou une autre. Ou c'est trop sombre, ou c'est trop sale, ou c'est franchement lugubre. Rien ne le satisfait.

— Regarde, lance Daniel, un soir qu'ils sont assis ensemble dans le petit bureau du Refuge, tentant de faire le point, peut-être que tu en demandes trop pour l'instant. Ou peut-être que tu as raison et que tu ne trouveras rien de mieux avec le peu que tu vas recevoir.

— Pas vraiment réconfortant, fait Sébastien avec une grimace de dégoût.

— Et tu n'aurais pas d'autre solution?

— C'est sûr que des solutions…

Mais Sébastien n'avait pas terminé sa pensée. Pourtant, après quelques instants de silence:

— De toute façon, avait-il alors réfléchi à haute voix, si j'habite avec quelqu'un d'autre, le chèque va être encore moins élevé et ça va revenir au même, avait-il conclu résumant ainsi toutes les autres possibilités qui pourraient éventuellement s'offrir à lui.

Parce que plus le temps passe et plus le fait d'habiter avec Claudie semble une perspective possible et même probable.

Et ce matin, assis au Refuge, avant de quitter pour la journée, il en est là. Se trouver une chambre minable, habiter avec Claudie et Virginie, peut-être Gilbert pour un temps, pourquoi pas… Sirotant son café, il essaie de faire le point, mais plus il réfléchit et plus il a l'impression de s'enliser. Si au moins il pouvait parler à François! Peut-être que lui connaît des maisons de chambres qui ont de l'allure. Depuis le temps qu'il travaille dans ce milieu-là… Mais chaque fois qu'il tente de rejoindre le travailleur de rue, un message laconique, toujours le même, répète depuis plus de deux semaines que François n'est pas disponible. Et quand il a croisé Michel sur la rue, ce dernier lui a dit que François était en congé de maladie. Alors à l'impatience de Sébastien se greffe une pointe d'inquiétude.

— Sacrament, mais qu'est-ce qui se passe avec lui? murmure-t-il en déposant rudement le combiné, venant de se heurter encore une fois au répondeur.

Attrapant son sac à dos, il s'apprête à quitter le Refuge. Il se sent agressif, fatigué de cette impression d'aller nulle part, plus du tout certain qu'avec simplement un peu de bonne volonté on peut arriver à faire bouger les choses.

— Laisse le temps faire son temps!

Il entend la voix de Claudie qui répète souvent cette phrase, toujours sur le même ton enthousiaste. Mais là, ce matin, en ouvrant la porte extérieure du sous-sol de l'église qui abrite le Refuge, il n'est plus du tout certain qu'il a envie de s'y fier. Pourtant il fait un matin de printemps, comme souvent on en connaît au début de février. La neige a même passablement fondu depuis quelques jours. De grosses rigoles se sont formées au coin des rues et l'envie de détacher les manteaux n'est pas une simple lubie. L'air est franchement doux et le sourire des passants un peu plus large. Ajustant son sac d'un coup d'épaules, Sébastien se dirige vers la rue Berri à grandes enjambées, bifurque sur la gauche une fois rendu au trottoir et descend vers le sud. Brusquement il a besoin d'aller s'asseoir au parc La Fontaine, besoin d'entendre les moineaux se chamailler au-dessus de sa tête, besoin surtout de se retrouver seul avec lui-même. C'est un sentiment d'urgence qui guide ses pas...

Car présentement, Sébastien ressent viscéralement cette nécessité d'avoir de l'espace autour de lui, sinon il va mourir asphyxié...

* * *

Depuis deux semaines, François dort comme s'il récupérait chaque heure et chaque minute de sommeil qu'il avait escamotées dans sa vie. Ordre du médecin que Marie-Hélène l'avait finalement obligé à consulter, à force de menaces, de cajoleries et de supplications.

— Je serais porté à dire mauvaise bronchite et fatigue accumulée, avait déclaré le praticien après l'avoir ausculté. Les poumons semblent passablement amochés, la température est au-dessus de la normale et la tension un peu élevée. Vous allez vous présenter à l'hôpital pour des prélèvements et une radiographie pulmonaire. Pour ce qui est de votre envie d'avoir un bébé, je serais porté à croire que la fatigue que vous connaissez y est pour quelque chose. Malgré tout, on va faire un spermogramme.

Comme ça, on en aura le cœur net. En attendant les résultats, voici une prescription d'antibiotiques et de sirop qui devraient vous aider. Repos complet tant que vous ne vous sentez pas mieux. La terre n'arrêtera pas de tourner sans vous… Je vous rappelle dans six semaines environ…

Le médecin est un homme sans âge défini, à l'allure sévère, à la voix cassante, aux gestes pressés. Ses lunettes épaisses comme des fonds de bouteille n'aident sûrement pas à le rendre sympathique, son regard n'étant qu'un reflet flou et sans couleur. Par contre, il semble consciencieux et c'est tout ce que François attend d'un médecin. Il est ressorti du bureau avec une liasse de papiers à la main, rassuré, presque confiant, se répétant pour la dixième fois au moins que le docteur n'avait pas l'air alarmé outre mesure et que c'était de bon augure.

Et ce matin, repos et médicaments combinés, il se sent définitivement mieux. Le rayon de soleil qui l'a éveillé est presque chaud et c'est en sifflotant qu'il rejoint Marie-Hélène à la cuisine. L'appartement sent bon le café et le pain grillé.

— Je crois que je vais aller faire une petite promenade, aujourd'hui, annonce-t-il en se versant un café.

— C'est vrai que tu as l'air bien, concède Marie-Hélène, le scrutant les sourcils froncés comme elle le fait chaque matin depuis sa visite chez le médecin. On annonce une vraie journée de printemps, profites-en!

Puis elle se lève de table, vient jusqu'à lui et entoure sa taille de ses deux bras.

— Si tu savais à quel point je suis heureuse de voir que tu vas mieux. Ça va finir par me miner complètement ces vilaines grippes à répétition si elles ne cessent pas.

— Moi non plus, je n'aime pas cela, avoue François, la serrant tout contre lui. Mais on devrait en avoir le cœur net d'ici quelques semaines. Avec tous les tubes de sang et les bouteilles d'urine que j'ai remplis, il n'y a pas un seul microbe qui a dû leur échapper…

Marie-Hélène aurait envie de ronronner comme un chat. La tête blottie contre la poitrine de François, elle entend sa voix résonner contre son oreille avant d'emplir toute sa tête et elle est heureuse. Pendant un long moment, ils restent enlacés, puis tout doucement, François glisse un doigt sous le menton de sa femme, l'oblige à lever les yeux vers lui.

— Savez-vous que vous êtes bien jolie, ce matin, mademoiselle? Je dirais même que vous êtes de plus en plus jolie, par les temps qui courent?

— Vous trouvez?

Marie-Hélène égrène un rire mutin qui s'envole comme le tintement d'une multitude de clochettes joyeuses.

— Ce doit être le retour à la santé qui vous rend aussi perspicace, cher monsieur.

Puis se nichant à nouveau contre François, elle ajoute, curieusement émue:

— Est-ce que j'ai déjà dit que je t'aimais, François Léveillé?

Celui-ci fait semblant de chercher.

— Je ne me rappelle pas, fait-il taquin. Faudrait peut-être le redire, pour voir si la mémoire va me revenir?

— Je t'aime, je t'aime, je t'aime…

Alors n'écoutant que son cœur qui bat à tout rompre et le désir fou qui monte en lui, François enlace Marie-Hélène de ses bras et tout en la guidant vers leur chambre, il murmure:

— Je crois que tu vas être en retard au travail, aujourd'hui, mon amour. De quel genre est ton patron, encore? Bonne fée ou vieille chouette?

Quand Marie-Hélène quitte enfin la maison, une heure plus tard, au pas de course mais en riant, François reste un long moment couché, les bras sous la nuque, le regard perdu au-dessus des toits étincelants de soleil. Qui a dit que le bonheur était difficile à trouver? Il suffit de si peu parfois… Un vague sourire flotte sur son visage alors qu'il se donne le temps d'écouter la joie qui vibre en lui tout en prenant de profondes inspirations. Puis d'un coup de pied vigoureux, il envoie valser les couvertures et se lève d'un bond. Brusquement il lui tarde de se promener dans les rues de Montréal, de revoir ses compagnons de travail. Et à l'heure qu'il est, il y a de fortes chances pour que Michel et Louise soient au bureau…

Pendant plus d'une heure, François a écouté Michel qui lui a résumé les deux semaines de son absence. Pas de changements majeurs, le train-train habituel: Vincent tient bon, Marjolaine est revenue de chez ses parents et ne regrette pas d'y être allée et Sébastien l'a fait demander à quelques reprises.

— Ah! Oui? Je me demande ce qu'il devient, lui.

— Alors c'est réciproque. Il avait l'air inquiet quand je lui ai dit que tu étais malade.

— Malade, malade… Faudrait pas exagérer…

Michel éclate de rire.

— Pardon, fatigué… à ce que je vois, tu vas dangereusement mieux! Si j'ai bien compris, Sébastien dormirait au Refuge, cette semaine.

— D'accord… Je vais tenter de le rejoindre…

Rien de tel que de retrouver ses bonnes vieilles habitudes pour se sentir remis sur pied. François ressort du bureau le moral au beau fixe, de l'énergie à revendre. Il a convenu avec Michel de revenir à temps plein dès le surlendemain.

— Je commence à en avoir assez de dormir!

Début d'après-midi, le soleil a encore gagné en hardiesse et il chauffe agréablement le dos sous le manteau. Humant l'air à pleins poumons, à peine un petit grattement dans la gorge pour lui rappeler sa vilaine toux, François se décide à poursuivre sa route. Surtout pas question de retourner immédiatement à l'appartement, il fait beaucoup trop beau et leur balcon donne au nord. Par instinct ou par habitude, il se dirige vers le sud lui aussi. Avec la température que l'on connaît, probablement que les bancs du parc La Fontaine sont libérés de leur manteau de neige. «Un peu de soleil, pense-t-il joyeusement, ne devrait pas me faire de tort.»

— Hé Gombi!

Au son de la voix de Sébastien, le plaisir de François se double aussitôt.

— Sébas!

Le jeune est déjà debout et il vient à sa rencontre.

— Veux-tu bien me dire ce qui s'est passé?

François hausse les épaules en souriant.

— Je ne le sais pas moi-même. Probablement une bonne

grippe associée à un surplus de fatigue. Mais là, ça va mieux. Et toi?

— Plein de choses.

Pourtant, contredisant ces mots, le regard de Sébastien s'assombrit.

— Et en même temps, pas grand-chose, précise-t-il énigmatique... T'as-tu deux minutes?

— Deux minutes?

À nouveau François étire un grand sourire, tout en regardant autour de lui comme pour vérifier s'il est effectivement libre.

— J'ai deux, dix, soixante minutes si tu veux. On s'assoit?

Ils se sont installés en face de l'étang gelé qui rappelle insolemment l'hiver encore bien présent malgré cette illusion de printemps. Puis Sébastien a raconté. Ses indécisions, son premier séjour au Refuge qu'il a trouvé particulièrement difficile, sa bataille, Jason, Noël avec des amis puis à nouveau le Refuge, ses démarches, Daniel et Sophie, les deux intervenants qui le soutiennent, la promiscuité de tous ces jeunes qu'il trouve pénible et la découverte que jamais il ne pourrait vivre le reste de sa vie enfermé. Puis il en arrive à sa recherche d'une chambre acceptable mais pas trop dispendieuse.

— T'en aurais pas, toi, des adresses?

— Peut-être oui... Laisse-moi un jour ou deux et je te reviens là-dessus.

— Ah! Oui? Super...

— Et à part ça? Une fois ta chambre trouvée, tu fais quoi?

Sébastien fait la grimace.

— Voilà le problème. J'sais pas.

Pourtant, après une légère hésitation, il enchaîne, presque surpris lui-même de ses propos.

— J'pense que... Ce matin, je regardais les arbres, ici, pis je pensais aux plates-bandes de fleurs qu'il y a l'été. Et je me disais que j'aime vraiment mieux l'été quand il y a plein de couleurs, pis que ça sent bon la terre et le soleil. C'est là que j'ai pensé que j'aimerais peut-être ça travailler comme les gars de la ville. Ou peut-être que je suis fait pour vivre en campagne, mais comme j'ai jamais essayé, je ne le sais pas...

— Tu es vraiment sérieux quand tu dis ça?

— Oui… Je me rappelle, petit gars, que j'aimais ça aider ma mère quand elle travaillait dans ses fleurs.

— Mais encore plus… Quand tu parles de campagne, est-ce que tu aimerais vraiment ça essayer de vivre dans une ferme?

— Une ferme?

À ces mots, le visage de Sébastien s'éclaire d'un tel plaisir que François en est presque bouleversé. Le jeune qui le regarde maintenant n'a rien à voir avec celui qu'il rencontrait l'été dernier. Il y a une telle vivacité dans son regard!

— C'est sûr que j'aimerais ça essayer de vivre sur une ferme. J'adore les animaux. J'ai déjà eu un chien, tu sais. Mais où c'est qu'il y a ça, une ferme, dans le grand Montréal?

— Pas ici… Mais je connais quelqu'un.

— Où ça?

— Dans la région de Québec… En fait, c'est chez mon grand-père… Il me disait à Noël qu'il aimerait engager des jeunes pour l'aider…

— Ah! Oui?

Sébastien en est à court de mots. Puis brusquement il pense à Claudie.

— Est-ce que ton grand-père peut engager des filles aussi?

— Des filles?

— Euh! Oui, Claudie. C'est… c'est une amie, fait-il à mots couverts comme si de parler des gens et des choses qui lui tiennent à cœur était encore tabou. Peut-être tout simplement par crainte de se les faire voler… Claudie, répète-t-il encore, une sorte de respect dans la voix. C'est une amie qui vient de la Gaspésie et elle n'arrête pas de dire que la campagne lui manque…

François reste pensif un moment.

— Tu comprendras que je ne peux envoyer des gens que je ne connais pas chez mes grands-parents. Claudie, moi, je…

— C'est la fille la plus correcte que je connais, l'interrompt Sébastien avec fougue.

— Je te crois, Sébas… Mais j'aimerais quand même mieux la rencontrer avant de…

— Pas de trouble. Je sais qu'elle va te plaire, tranche Sébastien convaincu à l'avance que personne ne peut résister à son amie. Claudie, c'est la bonne humeur en personne.

— Bien tant mieux. En toi, je sais que je peux avoir confiance. Tu es un gars «clean». Pour Claudie, on verra.

Ces quelques mots ont fait monter le rouge aux joues de Sébastien. François vient de lui dire qu'il avait confiance. C'est comme si d'un seul coup, l'amertume des dernières années s'effaçait pour faire place à une tonne de projets. Un mot, juste un tout petit mot et le soleil est de plus en plus brillant. Et pour ce qui est de Claudie, il ne s'en fait nullement. Il est certain que François ne pourra résister à son charme.

— On part quand? lance-t-il débordant d'enthousiasme.

François se met à rire.

— Minute papillon! L'hiver n'est pas fini. À la ferme, c'est au printemps que ça commence pour de bon.

— C'est vrai.

— Ensuite, avant de rendre tout ça officiel, il faudrait peut-être que je demande à Jérôme s'il…

— Jérôme?

— Oui, mon grand-père. Je l'appelle comme ça parce qu'il y a aussi René qui… Ouf! Disons que c'est un peu compliqué et ça serait long à expliquer pour l'instant. Retiens seulement que mon grand-père maternel, je l'appelle Jérôme et que ma grand-mère, c'est Mamie Cécile. Malgré leur soixante-dix ans bien sonnés, je te jure qu'ils vont probablement arriver à te perdre dans la brume, mon gars. Ils ont de l'énergie comme c'est pas permis et c'est le plus beau couple d'amoureux que la terre ait connu depuis l'origine des temps.

— Rien que ça?

— Tu vas voir! Là-dessus aussi, laisse-moi une couple de jours et on se reparle. Bien entendu, je tiens à rencontrer Claudie avant d'accepter et je ne sais pas si la proposition de Jérôme tient toujours.

Sébastien souffle dans ses joues.

— Pour Claudie, c'est comme si c'était fait… Pis je me croise les doigts pour que ton grand-père accepte. Mais j'y pense!

Qu'est-ce que tu dirais de venir souper avec nous autres samedi soir? Les filles et Gilbert organisent toujours un souper le samedi. Comme ça tu pourrais rencontrer tous mes amis en même temps.

— Pourquoi pas? Samedi qui vient?

— En plein ça.

— Okay, ça va me faire plaisir... pourvu que Marie-Hélène n'ait rien prévu... Tiens, j'ai une idée... Je fais mes démarches pour la chambre et mon grand-père, je parle du souper à ma femme et je te rencontre au Refuge jeudi soir pour finaliser tout ça. Ça te va?

— Et comment!

Alors François se relève. Mais au moment où il s'apprête à partir, Sébastien se lève à son tour. À côté du longiligne François, il s'est toujours senti petit. Pourtant, en ce moment, c'est comme si cette différence n'existait plus et il plonge son regard dans le sien.

— Merci Gombi.

— Pourquoi? J'ai rien fait de spécial.

— Merci d'avoir été là. C'est tout.

Et sur ces mots qui viennent du cœur, lui qui doutait même d'en avoir un, Sébastien se met à rougir. Ça fait beaucoup d'émotion pour une seule journée... Alors, il tourne les talons sans ajouter un seul mot, descend l'allée asphaltée à grands pas, son sac à dos vert lui fouettant le bas des reins au rythme des projets qui lui trottent en tête. Comment est-ce que Claudie dit ça encore? «Il faut laisser le temps faire son temps?» Sébastien a l'impression qu'il vient tout juste de saisir ce que son amie veut dire.

Puis il lève les yeux vers le soleil, estimant qu'il doit être à peu près quatorze heures. Alors il accélère le pas. Avec un peu de chance, Claudie devrait être sur le point de finir de travailler. Tant mieux. Parce que, ensemble, ils ont bien des choses à discuter.

À commencer par l'envie subite qu'il a de lui dire qu'il l'aime...

* * *

Assise sur le bord de son lit, les jambes se balançant mollement contre les draps amidonnés, déjà prête à partir malgré qu'il soit à peine huit heures trente, Cécile attend Jérôme. C'est ce matin que le Dr Daigle doit signer son congé de l'hôpital et jamais Cécile n'aurait pu imaginer qu'elle serait à ce point heureuse de partir. Si l'atmosphère qui règne ici la comblait comme médecin, elle la trouve lugubre comme patiente. Il lui tarde de se retrouver chez elle, surtout qu'elle est ici depuis plus de dix jours. Rien n'a été laissé au hasard: examens cognitifs, psychiatriques, physiques. Certains qu'elle s'attendait à subir, les ayant déjà prescrits elle-même. D'autres qu'elle a trouvés carrément farfelus: comme celui où on lui a demandé d'expliquer une recette de gâteau au chocolat. Quand même!

Et c'est ce matin que les résultats doivent lui parvenir. C'est pourquoi elle espère Jérôme le plus rapidement possible. L'inquiétude lui a fait bouder le sommeil, la nuit dernière, et sans la présence de son mari à ses côtés, Cécile avoue qu'elle aimerait mieux ne rien savoir…

— … Comme vous le voyez vous-même, fait le Dr Daigle en lui montrant une feuille d'analyse, c'est bien ce que je pensais. Vous avez eu un accident vasculaire cérébral. Léger et pendant votre sommeil, ce qui fait que vous ne pouviez même pas le suspecter.

C'est comme si le médecin venait de lui apprendre qu'elle a à nouveau vingt ans. Un large sourire éclaire tout le visage de Cécile et le soulagement de Jérôme est presque tangible dans la pièce.

— Par contre, prévient le médecin, il va falloir en tenir compte. Ça veut dire que vous êtes fragile. Donc pas de surmenage, une bonne alimentation, une vie calme, sinon ça peut revenir. Et cette fois-là, ça pourrait être beaucoup plus grave. Je n'ai pas besoin de vous faire de dessin, n'est-ce pas? Vous avez atteint un âge qui vous autorise à vous donner du bon temps, Cécile, sans le moindre scrupule. Profitez-en, vous et votre mari, mais sagement.

— Promis… Et pour mes pertes de mémoire?

— C'est là le signe que votre corps a retenu. Quand il s'agit du cerveau, tout peut arriver! Dans votre cas, c'est la mémoire qui a été atteinte, pour d'autres, c'est le centre de la parole. Les exemples peuvent être infinis! Mais ici encore, tout va rentrer dans l'ordre pour un peu que vous la fassiez travailler, cette mémoire. C'est comme pour tout le reste: ça s'éduque et ça se travaille. D'ici à quelques mois, vous devriez voir une nette amélioration.

Cécile est resplendissante. Sa main abandonnée comme toujours dans celle de Jérôme a retrouvé toute sa fermeté.

— Allons-y donc pour la gymnastique intellectuelle, lance-t-elle comme une gamine qui part pour le camp de vacances.

— Je savais que je pouvais compter sur vous, reprend le Dr Daigle, un sourire au coin des yeux. Et je ne vous laisserai pas seule. On se revoit régulièrement pour de bons examens. La prévention est encore la meilleure garantie de santé quand on arrive à un certain âge… Et c'est pour vous aussi que je parle, Jérôme. Ma secrétaire va vous rappeler quand viendra le temps de prendre rendez-vous.

Puis le médecin, assis jusque-là dans le fauteuil de la chambre, se relève.

— Et voilà. Je n'ai rien d'autre à dire. Sinon, de ne pas vous inquiéter pour ce qui est de la maladie d'Alzheimer. À tous les niveaux, les examens qui ciblaient cette maladie ont été négatifs. Certains des résultats à vos examens ont même surpris mes confrères. Votre esprit est loin d'être vacillant. Soyez vigilante, et au moindre signe qui vous paraît incongru, appelez-moi. Pour l'instant, c'est tout ce que vous avez à faire…

* * *

Assis sur le rebord de sa fenêtre, Sébastien regarde les passants, nombreux sur Duluth en ce samedi soir. Finalement, c'est François qui lui a trouvé cette chambre, juchée sous les combles d'une vieille demeure, au bout d'un interminable escalier en colimaçon. C'est chichement meublé, un peu froid quand le vent arrive de l'est, mais c'est propre. Ça fait maintenant quelques semaines que Sébastien y habite.

Vainquant sa pudeur et quelques vieux fantômes, le jeune homme s'est enhardi à faire quelques dessins, les deux derniers jeudis soirs qu'il a passés au Refuge. D'abord la main mal assurée, regardant fréquemment autour de lui, se trouvant même ridicule. Puis Sarah, la femme qui vient chaque semaine apporter un peu de couleur et glisser mine de rien ses sages propos aux jeunes du Refuge, l'a encouragé à poursuivre, du geste et du sourire. Alors Sébastien s'est penché sur son carton, un pastel turquoise à la main et le temps a disparu, avalé par les quelques doux souvenirs qui lui restent de son enfance. Et le coup de crayon lui est aussitôt revenu. Aujourd'hui de belles reproductions de fleurs multicolores butinées par des oiseaux aux drôles de formes et des papillons volages donnent un brin de chaleur à la petite pièce aux murs de bois sombres et ternes. Et souvent, quand son regard s'accroche à ces dessins, Sébastien ne peut s'empêcher de penser à son frère. Maxime aussi aimait dessiner. Enfin, c'est ce qu'il disait. Par contre, il n'avait pas la patience de Sébastien et souvent les séances artistiques de son frère se terminaient dans la bouderie et quelques crayons lancés contre le mur. À ce souvenir, Sébastien sourit. À cause de cette impatience, Sébastien a toujours eu un doute quant au goût réel que son frère manifestait pour les choses de l'art. Un jour, oui, un jour il aura l'occasion de le lui demander. Puis il reporte son attention sur la rue, sans vraiment la regarder.

Par exception, ce soir, même si on est samedi, Claudie travaille, Virginie est au cinéma et Gilbert, en amour par-dessus les oreilles avec un homme de sa génération, aussi ostensiblement viril que lui est efféminé, est plutôt du genre «abonné absent» depuis quelques semaines. Mais Sébastien est heureux de cette soirée qui lui appartient. Comme s'il avait besoin de faire le point avec lui-même avant la prochaine étape. Demain, il laisse sa chambre, n'ayant pas renouvelé l'engagement mensuel car, dans dix jours, il quitte Montréal pour Québec. Son billet d'autobus est déjà acheté. Jérôme ira l'attendre au terminus de Sainte-Foy et de là, ils regagneront la Beauce pour se préparer à la saison des sucres. Claudie viendra l'y rejoindre à la fin du mois de mai pour travailler à la cidrerie. Il a discuté avec le grand-père de

François pendant de longues minutes au téléphone et le timbre de sa voix ainsi que la détermination qu'il a cru y entendre l'a convaincu définitivement de tenter l'expérience. Il ne sait nullement où tout cela va le mener mais peu lui importe. Pourvu qu'il avance, c'est tout ce qui compte maintenant pour lui. Pourtant, c'est avec un peu de nostalgie qu'il s'apprête à partir. Nostalgie qu'il ne pensait jamais connaître. Cette petite pièce que lui-même qualifie de minable en riant, il y tient. Sébastien a un peu l'impression que c'est son premier vrai chez-soi. Un endroit que personne ne lui a reproché d'occuper, dont personne n'a revendiqué l'usage ou l'appartenance. Ici, il n'y a eu ni reproches ni dédain. Personne n'entre sans sa permission et les claques derrière la tête sont interdites de séjour. Ici, Sébastien est chez lui. C'est ici aussi qu'il a fait l'amour à Claudie pour la première fois, découvrant avec elle le véritable sens des paroles de Gilbert.

— Ça, c'est quelque chose qu'on sent au-dedans de soi… C'est irrévocable. Une attirance qui est plus forte que tout. Plus forte que le cœur ou la raison.

Gilbert avait raison. Tant pour lui que pour les autres.

Alors cette petite chambre de rien du tout, Sébastien sait qu'il va s'en ennuyer et en garder un souvenir chaleureux. Demain, il déménage les quelques pénates qu'il possède chez Virginie et Claudie en attendant son départ. Et ce soir, c'est un peu comme s'il faisait ses adieux à une vie qui désormais restera derrière lui.

Il sait que jamais il ne reviendra à la rue. Non pas une certitude démontrable ou quelque chose de ce genre-là. Non. Simplement une intuition que seul le cœur peut comprendre. Un fait établi depuis toujours et que le temps se chargera de prouver au besoin. Et c'est tout cela qu'il avait tenté d'expliquer à Daniel, lors de leur dernière rencontre.

— Je ne sais pas d'où ça vient, mais c'est là. La vie telle que je la voyais n'a plus sa raison d'être. Je ne dis pas que je n'aurai plus jamais besoin d'aide. Je dis simplement que le temps de tourner la page est venu. C'est clair pour moi.

— Et ton frère dans tout ça? Fait-il partie de cette nouvelle page de ta vie? Tu en parles quand même souvent.

— Maxime? Lui aussi, il viendra à son heure. Mais c'est sûr qu'un jour il sera là. Pour l'instant, je ne suis pas encore prêt et là aussi, c'est une nouvelle façon de voir les choses.

À ces mots, Sébastien avait éclaté de rire.

— J'ai volé le dicton de Claudie: laisser le temps faire son temps. Un jour, quand je sentirai que c'est le moment, je m'arrangerai bien pour contacter Maxime. En attendant, il y a tellement de choses qui bougent que j'ai peur d'en échapper quelques-unes en essayant de trop vouloir en faire.

Puis au bout d'un silence songeur:

— Dans le fond, avait-il alors murmuré, comme s'il ne parlait que pour lui-même, c'est probablement ce foutu orgueil qui me retient encore. J'aimerais être fier de moi le jour où je verrai Maxime. C'est peut-être bête, mais c'est ça, avait-il alors avoué en levant les yeux, un drôle de petit sourire au coin des lèvres.

Daniel lui avait rendu son sourire.

— C'est tout à fait défendable.

— Pour l'instant, François m'a trouvé une chambre et je dois appeler son grand-père la semaine prochaine. Je n'ai aucune espèce d'idée de quoi a l'air la vie à la campagne, mais je sais que j'ai mauditement envie d'essayer, par exemple. Après on avisera.

— C'est peut-être la meilleure façon de voir les choses. Et même si ça peut paraître cul-cul de dire ça, oublie jamais qu'on est là. En cas d'erreur, de remise en question, de besoins quels qu'ils soient, tu peux revenir. J'espère que tu n'auras pas besoin de revenir, mais on est là.

— Je le sais…

Pendant un instant, Sébastien avait regardé la grande salle bleue, aux plafonds tellement hauts que c'est à peine si on devine les fenêtres. Cette salle aux murs aveugles où il avait l'impression d'étouffer la première fois où il y était venu. La télévision un peu forte les rejoignait. C'était l'heure de *La Petite Vie*. On entendait des rires et les boules de billard qui s'entrechoquaient. Puis il avait tourné les yeux vers le coin de lecture et avait eu un sourire. Contre toute attente, Jason n'était pas revenu. Sébastien savait que Michel et Louise lui donnaient un coup de main pour voir à ses affaires. C'est ce que Jason lui avait confié lorsqu'il l'avait croisé l'autre jour sur la rue. Le regard un peu terne de Jason brillait d'une telle fierté! Et sa timidité avait même changé de visage.

— Je le sais que vous êtes là, avait-il alors répété, revenant à Daniel. Et pour moi, même si j'ai détesté cet endroit à ne plus jamais vouloir en entendre parler, c'est devenu comme une espèce de sécurité qui me donne le courage de changer les choses. Comment dire? Ici, c'est un peu comme chez soi. Enfin, c'est comme ça pour moi. Ça sent comme dans une maison normale. Le monde est correct avec nous autres. Pis quand on est correct avec moi, ça me donne envie de l'être à mon tour. C'est peut-être pas grand-chose mais pour moi, c'est important. Il y a personne qui a fait de miracle là-dedans. C'est juste qu'on n'a pas l'impression d'être de trop quand on est ici. C'est ça: je me suis senti accepté comme j'étais.

— Merci, Sébas… Si tous les gars parlaient comme ça, on pourrait quasiment fermer nos portes.

— Ben non, pis tu le sais. Il y en aura toujours pour chialer, mais il y en aura aussi des comme moi qui continueront de profiter de vous autres. Parce que c'est ce que j'ai fait: j'ai profité de vous autres…

— Et après? On profite tous des autres d'une façon ou d'une autre.

— Ouais, vu de même… Pis c'est vrai aussi qu'il y aura toujours des gars comme Jason qui auront besoin d'un endroit comme ici, avait-il ajouté.

Et c'est à cela qu'il pense, Sébastien. À tout le chemin parcouru et à celui qui s'ouvre devant lui. Il a un peu peur, mais il est surtout terriblement excité. Demain, après son déménagement, si on peut appeler comme ça le trimbalage d'une valise et d'un sac à dos, il doit rencontrer François pour finaliser le projet.

— Et après, vogue la galère, murmure-t-il en se dépliant les jambes et en s'étirant longuement. Advienne que pourra, j'ai envie de me tirer à l'eau…

Et pour la millième fois peut-être, tout en s'allongeant sur son lit, les mains croisées derrière sa nuque, Sébastien essaie d'imaginer à quoi ressemble la grande maison blanche et rouge des

Cliche. «Avec une colline qui touche au ciel», comme le lui a souvent répété François.

— À quoi ça peut ressembler une colline qui touche au ciel? murmure-t-il d'une voix ensommeillée, se tournant machinalement sur le côté, un bras glissé sous l'oreiller.

Derrière ses paupières closes, des tas d'images se bousculent. Des images de campagne comme celle qu'il connaît pour y être allé à quelques reprises. Des terres vertes au foin ondulant sous la brise. Puis lentement, au fur et à mesure où Sébastien glisse dans le sommeil, les fleurs, les papillons et les oiseaux stylisés remplacent le foin devant une immense maison au toit rouge. Des milliers d'oiseaux et de papillons qui volent comme des confettis. Et surplombant tout cela, un incroyable soleil. Tellement grand, qu'il occupe tout le ciel et au loin, venu de la colline, Claudie l'appelle. Mais curieusement la voix de Claudie ressemble à celle de sa mère.

— Viens, Sébas, viens voir. C'est fou, mais je touche au ciel!

ÉPILOGUE
Avril 1996

Peut-être à Montréal ou ailleurs.
Quelle importance quand on touche au point
le plus sensible de ses émotions...

«Un jour, votre cœur se dira lui-même quoi faire.»
Achaan Chah

L a chaleur est tombée sur la ville sans préavis. Un matin, presque l'hiver, le lendemain déjà l'été. En quelques jours, la neige a fondu et les garçons des cafés du centre-ville ont replacé les tables sur les terrasses, en regardant au ciel, en hochant de la tête, heureux, sceptiques, incrédules. Et contre toute attente, la belle température persiste... Hier soir, François a reçu un appel de Jérôme. Un appel qui lui a fait grandement plaisir: tout le monde aime bien Sébastien qui, de son côté, semble heureux avec eux et dit apprécier la vie qu'il mène.

— Ça ressemble pas mal à ce que je cherchais. De l'air tant qu'on en veut, du ciel comme plafond pis pas trop de murs... Par contre, c'est fou, l'odeur des rues me manque...

À ces mots, Sébastien avait éclaté de rire. Depuis qu'il était arrivé en Beauce, Sébastien riait souvent. Accompagné de Cécile et Jérôme qui l'ont accueilli comme s'il était un de leurs petits-fils.

— Faut pas t'en faire pour ça, mon garçon, avait alors déclaré Jérôme. Des solutions, il y en a autant qu'il y a de problèmes. Suffit juste de la trouver. C'est pas toujours facile, je le concède, mais toujours faisable!

En fait, c'est ce que Jérôme lui avait dit au téléphone.

— C'est un p'tit gars écorché, ton Sébastien, qui a un doute dans le regard en permanence. Un doute devant la vie mais devant lui-même aussi... Il me fait un peu penser à toi au même âge. Je n'y connais pas grand-chose, mais j'ai l'impression que c'est une caractéristique de l'adolescence, le doute constant devant la vie. Et malgré ses dix-neuf ans, c'est encore un enfant, Sébastien. Mais on va l'aider. Quand on se sent apprécié et que l'estime de soi est là, le reste vient tout seul...

Merveilleux Jérôme qui a tout compris! Quant à Claudie, arrivée plus tôt que prévu, pour quelle obscure raison, François ne le sait trop, Jérôme s'étant montré fort évasif sur la question, elle est une «vraie soie» selon les dires de Cécile, et «pas pire pantoute» dans le langage de Mélina. Tout va donc pour le mieux jusqu'à maintenant sous le ciel de Beauce. Une lettre écrite par Sébastien doit lui parvenir sous peu, toujours selon l'avis de Jérôme, mais pour l'instant François ne pouvait lui parler, le jeune garçon étant encore à l'érablière avec Claudie. Un coup d'œil à sa montre et les sourcils de François s'étaient élevés d'un cran sur son visage: il était plus de vingt-deux heures!

François s'était couché le cœur content!

Et ce matin, il fait toujours aussi beau! Accélérant le pas, François se dirige vers leur local de travail à Michel, Louise et lui, n'ayant pour l'instant que des pensées agréables en tête. Avec le beau temps revenu, ils veulent donner un second souffle à leur projet de photos que certains jeunes itinérants ont commencé: illustrer leur vie de tous les jours en images concrètes et signifiantes. Un appareil jetable de vingt-sept poses, vingt-sept photos pour dire à quoi ressemble leur journée. Il a hâte de voir les résultats, échafaude déjà le projet d'une exposition, l'été venu. Puis une vilaine quinte de toux lui fait ralentir l'allure. Il soupire d'impatience. Curieux. Cette année, ce n'est pas la fatigue qui perdure, c'est la toux. Une petite toux agaçante qui lui fait mal à la poitrine. Mais ne se sentant pas vraiment malade, François remet toujours au lendemain sa ferme intention de contacter le médecin. Il est persuadé avoir tout simplement besoin d'une autre sorte d'antibiotiques. Assurément, rien de bien grave puisque le médecin ne l'a pas encore appelé pour lui communiquer les résultats à ses examens. Tout doit être normal, ne reste qu'à trouver le bon médicament. Puis la vie étant ce qu'elle est, il passe à autre chose, oublie le médecin et s'accommode de sa toux, toutes choses devenant habitude à la longue. Il n'y a que le regard un peu sombre de Marie-Hélène pour lui rappeler sa promesse, le soir, quand il entre chez lui.

— Tu n'as pas encore appelé le médecin? Il faudrait pourtant savoir si le spermogramme est normal, non? De mon côté, tout va bien.

— Tu as raison. J'appelle demain, promis juré!

C'est pourquoi, lorsque son «bipper» vibre, François est-il content de reconnaître le numéro de la clinique médicale. Les fameux résultats doivent être enfin connus. «Une chose de réglée, pense-t-il en tournant rue Saint-Hubert. Marie-Hélène va être contente. Dès que j'arrive au bureau, je rappelle...»

Puis la routine, les projets, les rencontres l'ont occupé sans répit. Encore une fois, la journée a été trop courte. Surtout qu'il a rendez-vous à seize heures chez le médecin et que c'est plutôt dérangeant pour quelqu'un qui travaille surtout l'après-midi et le soir.

* * *

Il fait toujours aussi beau. Les passants sont souriants, les terrasses achalandées en cette fin d'après-midi. Pourtant François ne voit ni la ville ni les gens. Il vient de sortir de la clinique médicale, il marche par habitude, inconscient, les yeux au sol, se faisant bousculer sans s'en rendre compte. Il connaît la ville comme le fond de sa poche et suit les fissures des trottoirs par déformation professionnelle.

Le médecin avait retiré ses lunettes et son regard de myope avait beaucoup de bonté.

— *Monsieur Léveillé... Veuillez vous asseoir...*

Puis quelques mots, au bout d'un silence, et soudainement plus rien. Plus rien d'autre que cette sensation étourdissante de tomber dans un gouffre sans fond. Comme un grand vide, froid, tellement froid. Comme dans les rêves parfois. Malheureusement, François savait qu'il ne rêvait pas.

Le médecin l'avait longuement regardé avant de parler. Son regard avait quelque chose de solennel qui avait alerté François. Un spasme dans l'estomac avait précédé toute autre réaction. Comme l'intuition, non pas l'intuition, la certitude qu'il allait vivre quelque chose de désagréable, de très désagréable. Pourtant le soleil entrait à flots dans le bureau du médecin...C'est vraiment une très belle journée.

François marche toujours. Un pas, un autre, puis un autre. Juste marcher devant soi. N'importe où, jusqu'à la fin des temps.

Le médecin avait décidément les yeux d'un bleu très pâle. C'est probablement pour cela qu'on ne les voit pas derrière ses fonds de bouteille... Et le rayon de soleil qui frappait la pointe de son soulier. Puis un drôle de souvenir avait imposé sa présence. Un autre bureau, une autre époque, celle des travailleurs sociaux, François avait alors quinze ans, mais un même rayon de soleil valsait sur son soulier. François s'était mis alors à balancer son pied, rattachant ainsi le passé au présent...

Que des pensées sans suite logique lui traversant l'esprit, François marche encore. Une rue, une ruelle, une intersection, un trottoir qui bifurque à droite... Peut-être vers le nord, peut-être vers l'est. Marcher, simplement marcher.

François avait conscience que les mots du médecin entraient en lui, mais il ne les entendait pas. Qu'en fait, il ne les comprendrait vraiment que plus tard. Il pensait à la Provence... «Il faudrait retourner en Provence.» Le soleil qui éclaboussait les murs de la clinique ressemblait étrangement à celui de la Côte d'Azur...

Une autre rue, et le fleuve maintenant devant lui qui l'attire comme un aimant. Puis brusquement un bruit de freinage, une grande clameur, la sensation d'être tiré vers l'arrière.

— Monsieur... Faites attention, vous avez failli être frappé...

François sursaute, regarde autour de lui, le visage hagard, comprend brusquement. Une auto arrêtée au carrefour, le conducteur à demi sorti, un bras appuyé sur la portière qui gueule comme un putois, cette foule autour de lui... Et ce petit homme qui le tient encore par le coude... Le petit homme au blouson beige qui vient de lui sauver la vie. Un rire cynique secoue les épaules de François. «Il m'a sauvé la vie!» Sans remercier, sans un mot, François se dégage et se remet à marcher.

Le médecin lui avait remis une liasse de papiers, une demande de consultation pour un autre médecin, un spécialiste. François les avait glissés dans la poche intérieure de sa veste. Plus tard, il y verrait plus tard quand il donnerait un sens logique à tout ce qu'on venait de lui dire. Et ce maudit soleil qui s'entêtait à briller.

Encore marcher devant, toujours plus loin… Le reflet des eaux du fleuve se rapproche. Comme un reflet d'océan. Comme un reflet d'éternité. Derrière lui, des exclamations, des remarques désobligeantes qui ne l'atteignent pas…

Le médecin l'avait raccompagné jusqu'à la porte du bureau, le soutenant presque. Il avait remis ses lunettes, alors il avait retrouvé son regard impersonnel de grand myope. Mais la pression de sa main sur le coude de François avait quelque chose de profondément humain.

Un long frisson le ramène à la vie. À la conscience d'être encore et toujours en vie. La nuit est tombée, François est assis au Vieux-Port. Comment est-il arrivé là? Il regarde autour de lui. Quelques passants, quelques autos derrière. La nuit est fraîche. Puis lentement, très longuement, il frotte ses paupières comme on le fait au réveil ou encore lorsqu'on est terriblement fatigué. Machinalement, il jette un regard à sa montre. C'est l'heure habituelle où il entre chez lui. La routine l'a donc rejoint.

Malgré tout…

Se relevant, François revient sur ses pas, conscient qu'il lui faut parler à Marie-Hélène, sans vouloir être vraiment conscient des mots qui s'adressaient à lui. Mais il lui faut parler. Ce soir, tout de suite. À cause des conséquences, à cause de l'angoisse sourde qui grandit à chaque pas qu'il fait vers chez lui. Cette sensation d'urgence qui l'a frappé de plein fouet. Qui ne le quittera plus jamais.

Une rue à traverser, un trottoir qui tourne… François connaît la ville comme le fond de sa poche, les fissures dans le ciment lui indiquent sa route.

Et dans sa tête, dans son cœur, dans toute sa vie, il y a maintenant le rire de sa femme. Ce rire qu'il va casser même si c'est là la dernière chose qu'il voudrait au monde. À cause des mots du médecin, impitoyables, qui deviennent de plus en plus clairs, tranchants comme un scalpel malgré la bonté du regard…

Marie-Hélène l'attendait à la fenêtre. Sans même lui laisser le temps d'enlever son manteau, elle se jette dans ses bras, se blottit étroitement contre lui.

— C'est toi qui avais raison… Plus besoin du médecin.

Radieuse, la jeune femme cherche son regard.

— Je suis enceinte, François. Ça y est, je suis enceinte…

Puis elle revient se blottir tout contre lui, n'attend ni réponse ni quoi que ce soit. La vie vient de lui répondre et cela suffit pour l'instant. Les bras de François se referment sur elle avec une force qu'elle n'aurait jamais pu soupçonner. Mais la légère douleur qu'elle ressent n'est que douceur: François est aussi heureux qu'elle et ne trouve pas les mots pour le dire. Alors elle ferme les yeux sur son espoir enfin récompensé. Un bébé, ils vont avoir un bébé…

Appuyant sa tête contre celle de sa femme, François écoute les mots qui tentent de se frayer un chemin dans son esprit. Encore des mots qui entrent en lui sans qu'il ait besoin de les écouter. Et ce cœur qui bat l'urgence de comprendre, d'attacher ensemble tous les mots de cette journée. Mettre un sens sur tout cela, vite, vite. L'urgence qui exige qu'il comprenne tout de suite. Parce que le temps lui est compté…

«C'est impossible, pas maintenant. Pourquoi maintenant?»

Deux larmes glissent lentement sur ses joues.

«Un bébé… Pourquoi un bébé? Pourquoi, pourquoi, pourquoi?»

Question sans réponse. Comme avant, comme dans l'autre vie. Ce pourquoi douloureux parce que sans réponse justement et qui l'aspire dans la même spirale étouffante qu'avant.

La pression de ses bras diminue et il se met à bercer Marie-Hélène comme il a déjà bercé Marco. D'un geste machinal, réconfortant, parce qu'il en a besoin, parce qu'il a peur comme jamais il n'a eu peur. À cause des mots du médecin qui ont précipité sa vie dans l'abîme.

Le médecin avait hésité et cette hésitation avait fait naître le sentiment d'urgence. Comme celui qu'il ressentait parfois depuis qu'il avait parlé à Jérôme. Une très désagréable crampe qui rend les battements du cœur irréguliers et douloureux. Puis les mots qu'il n'avait pas voulu entendre mais qui avaient quand même marqué son cœur au fer rouge.

— *Je ne sais comment... Vous êtes séropositif.*

«Séropositif, séropositif...»

La voix du médecin comme une douleur lancinante... Et maintenant, le bébé. Comme un glas qui résonne dans sa tête. D'un seul coup, tous les mots s'emboîtent les uns aux autres, sont clairs, précis.

La vérité éclate dans toute son horreur.

Alors François continue de bercer Marie-Hélène et le bébé qu'elle porte. Silencieusement, le menton tremblant. Parce qu'il n'y a rien à dire pour l'instant. Parce que les mots entendus sont trop difficiles à admettre et que ceux à dire sont restés pris quelque part entre son cœur et sa tête et qu'il a la certitude qu'ils n'arriveront jamais à franchir le seuil de ses lèvres. Parce qu'il aime cette femme-là plus que lui-même et qu'il va lui faire mal. Parce que malgré tout il aime ce bébé depuis le jour où ils ont essayé de le faire et qu'à lui aussi il va faire mal.

Alors il laisse couler ses larmes sans retenue, sans la moindre pudeur. Trop d'émotions différentes en même temps ont raison de lui. Et Marie-Hélène blottie contre lui. Qui prend ses larmes pour des larmes de joie. Alors, oui, François pleure comme un enfant. Un enfant qui a peur, qui ne comprend pas, qui voudrait s'en remettre aux autres pour décider.

Un homme qui pleure parce qu'il aime la vie, tout bêtement.

À suivre...

POST-SCRIPTUM

Lorsque j'ai commencé à écrire ce livre, l'automne nous inondait de couleurs. L'hiver a passé, puis le printemps et voilà que déjà l'été se permet de battre de l'aile. Les nuits commencent à fraîchir et les soirées sont plus courtes. Lorsque j'ai commencé à écrire ce livre, je venais de me remarier, j'étais comblée et je ne pensais pas que la vie pourrait se montrer plus généreuse. Pourtant... Dans quelques semaines, je sais que je vais vivre à nouveau une des émotions les plus totales, les plus extraordinaires que l'on puisse connaître: je vais donner la vie. Mademoiselle Alexie est prévue pour le début novembre.

Cette jeune personne est encore pour nous un petit mystère. Malgré tout, je sais combien je vais l'aimer dans tout ce que l'amour peut avoir d'abnégation et de don de soi. Je sais par instinct et par expérience qu'il n'y a pas de mots pour exprimer ce sentiment. C'est un amour qui va bien au-delà des mots... Tout ce que je souhaite à notre petite Alexie, c'est que la vie lui soit douce pour qu'elle apprenne la clémence. Je prie aussi pour que la vie soit juste envers elle afin qu'elle sache ce que veut dire la compréhension. Je voudrais qu'elle rencontre l'écoute et le respect pour qu'elle soit attentive à l'autre. Tout bonnement, comme tous les parents du monde, je ne veux que du bonheur pour elle. Pourtant, la vie ne ressemble pas toujours à nos rêves et malgré tout l'amour dont sera entourée notre fille, je n'ai pas la moindre idée de ce que sera sa destinée. Peut-être bien qu'un jour, vous la croiserez à un carrefour de la ville, la main tendue, les cheveux violets et vêtue d'un vieux blue jean. Peut-être... Peut-être sera-t-elle, par quelque curieux et malveillant hasard du destin, une autre Sébastien. Peut-être...

Tout au long de l'écriture de ce livre, j'ai croisé bien des gens. Des